PART 03
生殖の未来　母胎のいない子どもたち　227
第9章　妊娠ビジネス　228
第10章　バイオバッグ　250
第11章　非の打ちどころのない妊娠　276
第12章「もう女に用はない」　304

PART 04
死の未来　機械仕掛けのメフィスト　329
第13章　死のDIY　330
第14章「自殺界のイーロン・マスク」　355
第15章「完璧な死」とは何か　385

おわりに　411
謝辞　422
訳者あとがき　424

本書において（番号）で示した記述は各章末に原注として掲載している。

また、本文中に［ ］で示した註釈は訳者・編集部による訳注、（ ）で示したものは原書の記述をそのまま反映している。

はじめに

これからお読みいただくのはＳＦではない。

人間の存在にかかわる根元的な要素――セックス、食べ物、生殖、そして死――の意味をテクノロジーが大きく変える、そんな時代が目の前に迫っている。これまで人間の一生といえば、母親の体から生まれ、動物の肉を食べ、他者と性的な関係を結び、避けることも自らコントロールすることもできない死によって終わりを迎えるものだったが、そこに変化が起きつつあるのだ。

五年にわたり、私は完璧なパートナー、完璧な食肉、完璧な妊娠、完璧な死を実現すると謳う四つの技術革新の世界をこの目で見てきた。現状、どれもまだ完璧とは言えず、実験室やガレージやスタジオ、病院、作業場、倉庫などで研究が続けられている。数年のうちに市場に出回るものもあれば、市販されるまでに数十年の歳月を要するものもあるだろうが、いずれにせよ、それらがこの先人間の一生にとって必要不可欠なものになることはまちがいない。

私たちは人生をどこまでテクノロジーに委ねようとしているのだろう？　テクノロジーはどのように私たちを変えていくのだろうか？　その答えを探るべく、これから四つの大陸を旅しながら、インターネットの暗部にも足を踏み入れていこう。ご案内するのは、法外な値段のチキンナゲットが作られているキッチン、自殺の方法を学ぶ会員限定のミーティング、胎児が袋の中で育つ研究室、男性が女性との全面戦争を計画する掲示板などの場所だ。そこでみなさんは、科学者、人型（ヒューマノイド）ロボット、デザイナー、倫理学者、起業家、扇動者、クライアントを満足させるためならなんでもすると公言する不妊治療の専門家、セックスドールと結婚した男性、親友の死に手を貸したケーキ・デコレーター、生き物の肉を表現手段にしたアーティストといった人々に出会う。

テクノロジーの裏側にいるこうした人たち――ほとんどが男性だ――を突き動かすものは、ときにそれぞれの主張であり、ときに情熱であり、往々にしてお金だ。だがそのなかで、すべての人に共通する動機がある。それはテクノロジーの正当性が立証され、名声を手にする可能性だ。そして彼らの誰もが、テクノロジーによって犠牲をいっさい払うことなく心から望む人生を手に入れることができる、問題が消えて自由になれると信じている。

しかし、未来を見通す力に長けた最も賢明な人たちでさえ、自分が起こした技術革新が人間をどんな世界に導くかを正確に予測することはできない。たとえば、ｉＰｈｏｎｅを世に送り出したとき、スティーブ・ジョブズは市場シェアの一パーセントを獲得できれば上出来だと思っていた。のちにスマートフォンが私たちの生活の主役となり、人間関係を希薄にし、生きるのに不可欠な体外臓器になるなんて、ジョブズは想像すらしていなかったのだ。極端に破壊的なテクノロジーには、途方もなさすぎて予測不能な余波がつきものだ。

もし、妥協することなく理想の性的関係を結び、動物を殺さなくても肉を食べ、出産しなくても赤ちゃんを手に入れ、苦しまずに完璧な死を迎えることができるとするなら、これほど人間の性質を変えうることがあるだろうか？

私たちが気づかぬうちに、誰も判断やコントロールのできない流れの中で、人間性の概念や人間という存在そのものが再定義されようとしているのだ。

いや、それはもう起きている。私がなぜそう確信するようになったか、その理由をお伝えするために、まずは南カリフォルニアのとある工場へとみなさんをご案内しよう。そこで作られているのは、世界でいちばん魅力的なアダルト・トイだ。

PART 01

セックスの未来

「完璧な伴侶」よ、眼ざめよ

第1章「魔法が生まれるところ」

カリフォルニア州サンディエゴから車で北に三十分ほどの距離に位置するサンマルコス市。州道78号線から一本外れた通りに建つ地味な灰色の建物、それがアビス・クリエーションズだ。高い塀に囲まれ、駐車場には半分ほど空きがあった。看板も、社名のロゴも見当たらない。色つきガラスの向こうで、世界をリードする著名な数百万ドル企業がセックストイ事業を展開していることをうかがわせるものは、何ひとつない。通りすがりの客からも、熱烈なマニアからも、野次馬からも、目立たぬようひっそりと建っている。

引き戸を通って入って行くと受付がある。座っているのは等身大の女性の人形だ。黒いメガネをかけ、豊満なバストを包む白いシャツは、胸元がはちきれそうになっている。その横に、グレーのネクタイにベストといういでたちの男性の人形が立っている。アーモンド形の目にくっきりとした頬骨。動画や写真で見覚えのある顔だ。それはまぎれもなく、アビス・クリエーションズの創設者で、チーフ・デザイナー兼CEOであるマット・マクマレンの顔だった。カウンターにはプラスチック製の蘭が置かれ、本物そっくりの根が絡み合っていた。そこにある何もかもが作りものだったが、パッと見ただけではそうと気づかない。

アビス・クリエーションズは超リアルなシリコン製セックスドール、「リアルドール」のメーカーとして世界にその名を知られている。毎年約六百体が、サンマルコスの工場からフロリダやテキサス、ドイツ、イギリス、中国、日本などの寝室に送られる。価格はベーシック・モデルで五千九百九十九ドル〔約七十五万円〕。顧客の要望に合わせた特別仕様の場合は数万ドルだ。『ヴァニティ・フェア』誌はリアルドールを「セックスドールのロールスロイス」と呼んだ。また、リアルドールはドルチェ&ガッバーナのファッション撮影でモデルを務めたことがあるほか、『CSI：ニューヨーク』や『マイ・ネーム・イズ・アール』など、数々の映画やテレビ番組にも出演している。とくに有名なのはライアン・ゴズリングが演じる主人公・ラースの恋人役を務めた『ラースと、その彼女』だ。リアルドールは市場最高級のマスターベーション・グッズなのだ。

本日の案内役は、マットの甥でなんでもこなす助っ人、ダコタ・ショアだ。軽やかな足取りでやってきて私の手を握ったダコタは、カッパー色のみごとなあごひげをたくわえ、温かい笑顔を浮かべている。担当業務は出荷とSNSアカウントの管理だ。弱冠二十二歳ながら、ダコタは十七歳のときからここで働いている。セックスドールとともに成長してきたようなものだと言っていいだろう。

「子どものとき、父がこの会社で働いていました。マットと僕の母はきょうだいで、僕らはとても親しいんです。セックスドールは僕の人生の一部です。僕にとっては珍しいものではありません」。自己紹介しながら、ダコタは私の先に立って受付のうしろへと進み、レースの下着にハイヒール姿の人形の棚を通り越して歩いて行く。青白い肌にチェリーレッドのつやつやした唇のブロンドの人形や、くしゃくしゃの巻き毛をした混血風の人形が目に入る。ゴシック・ファッションの人形は鼻と唇、それからへそにピアスをし、メッシュのホルターネックからもねじ式ピアスのついた乳首が丸見えだった。「初めてここに来たときは十二歳かそこらでしたが、カッコいいと思いました」。そう言ったあとで、ダコタは何かに気づいたのかこんなふうにことばをつけ加えた。「工場全体を見たわけではありません。二階の受付のマネキンだけを見て、すごいなと思ったんです。本物の人間がいるみたいでしたから」。きまり悪そうに、ダコタは笑った。

さらに歩いて行くと、廊下の壁にはリアルドールを特集した雑誌の切り抜きや映画のポスターが額に入れて飾られていた。そのなかにディズニーのイラストらしきものがある。だが近づいてよく見ると、そこに描かれていたのは七人の小人たちに体をまさぐられている白雪姫だった。ダコタは、勃起して静脈が浮き上がった巨大なシリコン製ペニスをストッパーがわりに置き、ドアを開けたままにする。「ここで働いてその奥深さを知ると、セックスドールをおかしなものだとは思わなくなります。たくさんの人たちを幸せにしていることに、強い誇りを感じています」

階段の吹き抜けをまたぐ巨大な人形の陰唇をくぐって、私たちは地下へと向かう。人形の肌は青みがかったグレーで、ふさふさした髪の束はタコの腕みたいだ。人形は、ブルース・ウィリス主演のB級映画『サロゲート』のセットにもなったという。階段を降りると、ハロゲンライトのついた巨大な部屋がある。そこが製造ラインのスタート地点だ。

「ここが、魔法が生まれるところです」

頭のない胴体が天井のレールから金属の鎖につながれてずらりとぶらさがる光景は、さながら責め苦をひとしきりすませた地獄を思わせる。指や脚は力なく開いていて、胸は大きく、お尻が突き出ている。細部のつくりはひとつひとつ異なっている。マンガみたいに大きく垂れた胸もあれば、アスリート・ボディもあるが、全部に共通しているのはウエストが異様に細いこと。つるされた人形が不気味にぶらぶら揺れ、床にはべとべとしたシリコンの切れ端が散乱している。まるで死んだ皮膚片みたいに。

「触っても大丈夫ですよ」とダコタは言い、人形の下半身を強く叩く。「人間と同じ音がします」

本当だ。思わずびくっとした。

そこに並んだ頭のない胴体の何にとびきりぞっとするかといえば、その肌だ。医療用プラチナシリコンを特別にブレンドして作られた肌は、白から茶色までさまざまな色があり、触感や弾力がまるで人間の皮膚のようなのだが、冷たい。手には線やしわや筋、指関節、静脈がある。人形と指をからませてみると、人間と同じように肌の下にある骨格と関節のきしみを感じることができた。

「手を作るのがいちばん難しいんです」とダコタは言う。「たいてい、本物の人間の手で型を作ります」。ダコタは立ち止まって人形をじっと眺めた。「じつは、僕の元カノの手をモデルにしたものがいくつかあるんです」

マイクは小さいはさみで、成形後の手からはみ出した余分なシリコンをていねいに切り落としている。ブライアンは骨組みのまわりに型を置いてシリコンを充填し、股間を突き出してことを待ち構えるポーズに成型するところだ。トニーはサンドイッチを食べている。いかがわしい雰囲気などみじんも感じられない。そこは作業場であり工場で、技術者にとって人形はありふれたものなのだ。みんなトースターを組み立てるみたいに、人形を作っている。

サンマルコス本社では十七人が働いているが、それでも市場のニーズに応えるには十分な数ではない。注文を受けてリアルドールを製造し、発送するまでには三カ月以上かかる。人形の製作は細部に気を配らなければならない作業だ。そのうえ、ダコタが人形作りにかかわるすべてのことにプライドをもってまじめに取り組んでいることもよく伝わってきて、私はつい次の質問をのみ込みそうになった。というのも、いくらリアルドールと呼んだところで、人形は人間とはほど遠いからだ。そこに並べられた人形は、全身整形したポルノスターみたいな体をしている。あまりに誇張がすぎるのだ。

「現実の女性はこんな体をしていませんよね？」と私はたずねた。

「百パーセント実際の女性をモデルにした人形もあります。なかにはリアルなものもありますが、そうですね、総じて少し誇張されています」とダコタは認めた。「**理想的な**女性の体形にしたいですから」

リアルドールの骨格は、特注のスチール製の関節と、ポリ塩化ビニール製の骨で構成されていて、自由にポーズをとることができる。しかも、人間と同じ可動域をもつように設計されている。ただし、脚だけは別のようだ。

「両脚はかなり大きく広げることができますし、けっこう高く上がります」。そう言ってダコタは頭のない人形にハイキックの動きをさせた。足首が鎖骨の辺りまで届くのを見て、私はげんなりした。

「人間はそんなことできません」

「本物の人間にはできませんね、たしかに。なかにはできる人もいますが、誰もができるわけではない」

「でも、〝完璧な女性〟ならできると？」

「たぶんできるでしょう」

完璧な女性は、キム・カーダシアン〔アメリカのモデル、女優〕並みのプロポーションに、軽業師のような関節を兼ね備えているらしい。

続いてダコタが案内したテーブルに置かれていたのは、膣のパーツだ。人形の股間のくぼみにはめ込む仕組みの、着脱可能なピンク色のスリーブで、挿入部に陰唇のついた、ひだのあるコンドームにも見える。「陰唇は十四種類あります」。ダコタは仰々しく言った。口のパーツもあり、どれにも着脱可能な舌と美しい歯（ダコタによると、不健康そうな歯にしてほしいというリクエストはほとんどないという）がついている。歯は柔らかいシリコンでできているので、口に何かを入れるときもじゃまにならない。

初期のリアルドールは、使用後にきれいにするには全身にシャワーを浴びさせるかお風呂に入れるしかなかった。そこに登場した着脱式のパーツは、ゲームチェンジャーだった。「シンクで洗えます。柔らかい質感がお好みでしたら、ベビーパウダーを入れるといいでしょう。滑りがよくなります。必要ないと思いますが」。掃除機のゴミ袋の換え方でも教えるように、ダコタは言う。「多くのお客様が複数のタイプのパーツを購入されます」

男性の人形もあるが、数は多くない。製造ラインにぶらさがっている、手術衣を着た人形が目に入った。頭がついていて、その顔はまるでCEOのマット・マクマレンの分身みたいだった。私たちを見下ろすマットもどきの表情は陰気で不気味なうえ、私の頭上に脚がある高さのせいか、なんだか横柄にも見える。

「マットに似た男性の人形がありますね」

ダコタは陰唇のパーツから視線を上げる。「マットに見えるかもしれませんが、ここではニックと呼ばれています。自分をモデルにして、マット自ら作ったんです」

「わざわざ自分の顔にしたのですか？　人々がセックスするための人形を、自分とうりふたつの顔に？」

私がそうたずねると、ダコタは口ごもった。「顔はカスタマイズできますから、全部が全部、マットのような顔をしているわけではありません。骨格が彼に似ているだけです」。ダコタがとまどいの表情を見せたのは、そのときが初めてだった。

ダコタが人形の手術衣――しばらく作業場に置かれているので、ほこり除けのために着せているのだという――を外すと、白のボクサーショーツをはき、引き締まったシックスパックの腹筋をもつ、少年のようなスリムなボディがあらわになる。女性の人形以上に現実離れした体形だ。頭にはウィッグではなく、全体に無精ひげみたいなペイントが施されていて、そのせいでいかにも貧弱なアクションマン〔アメリカでG・I・ジョーとして売り出された兵士の人形のイギリス版〕のように見える。これらの人形は、女性の気持ちなどまるで考えずにデザインされている。線の細い人形のモデルは、ゲイの人たちが「トゥインク」と呼ぶ、若くて痩せた男性だ。

「女性は本当にこれを買うのですか？」

「男性も女性もです。男性のほうが多いですが、女性もいます」。ダコタは肩をすくめる。「人形に関しては、女性の顧客は五パーセントにも満たないでしょう。でも、うちではアクセサリーも販売しています。いろいろな種類のディルド〔勃起した男性器を擬したアダルト・トイ〕がそろっていますよ。多くの女性はそちらを購入します。どういうわけか、女性は人に近い人形よりもおもちゃを買う傾向にあるんです」

その理由はなんとなくわかる。私は、高価な冷たいシリコンのかたまりの上にまたがる自分の姿をイメージしてみた。ばからしくてみじめで、エロティックにはほど遠い。人だろうと物だろうと、私を心から求めているのではない相手とのセックスは、セクシーではない。自分がすべての女性の意見を代弁できるとは言わないが、同じように考える女性は少なくないだろう。ディルドは人間に見えないので、それが自分を本気で愛している相手だと無理に思い込む必要なく楽しめるのだ。

「人に近い人形は、人間の身代わりみたいだからでは？」と私は言った。

「ああ、そうかもしれませんね」とダコタはうなずく。

男性の人形には、好みに合わせて大きさや興奮状態がさまざまなペニスのアタッチメントを取りつけられる「マンホール」がついている。ダコタは特大サイズのしおれたタイプを私の鼻先に近づけた。私の腕ぐらいの長さで排水管ほどの太さのペニスに、小さい睾丸がだらりとぶらさがっていた。

「百パーセント手作業で作られています。どうぞ触ってみてください」

そう言って、彼は熱心に促す。超リアルなペニスを手に取る私を見て興奮するなんてことはもちろんなく、それを作った会社の一員としてのあふれんばかりのプライドがそうさせるのだろう。とはいえ、実際のところはわからない。そんなに真剣に見つめられていては、よけいにどう触っていいものやらわからなくなるが、とにかくできるだけジャーナリストらしく、努めて冷静に手に取った。たしかに、すこぶる本物に近い。

「皮膚の滑りがいいので、ものすごくリアルなんです」。ダコタは得意げだ。

「でも、女性の体と同じで解剖学的には無理があります。長所と短所の両方があるとわかってよかったです」と言って私は手を引っ込めた。

「そうですね」と彼は答え、ペニスを置いた。「ふつうはこんなに大きくありませんから」

女性の人形は体が十七種類、顔が三十四種類から選べるのに対し、男性の場合は体が二種類、顔は三種類しかない。男性の人形はそれほど売れていないという。「男性の製造ラインは、今後改良する予定です。また、ボディ・スタイルと顔のデザインを一新しようとも考えています。いずれにせよ、ビジネスですから、もっと多くの人たちが買ってくれて、興味をもってくれたら、開発にたっぷり時間を割けるようになるでしょう。それはこれからの話です」

作業場の光景は、世の中には独特の嗜好をもつ多様な人間が存在することを物語っている。そこではこれまでに、三つの乳房をもつ人形や真っ赤な肌をして牙と悪魔の角を生やした人形のほか、妖精の耳をもつもの、全身に手作業で植毛を施した毛深いものも作られた。「どんなセックスドールでも作ります。こだわりが強いほど、値段は上がります。カスタマイズする場合、ゼロから作らなければなりませんから、新しい型、新しい骨格が必要になります。一体に五万ドル〔約六百五十万円〕以上かけた人もいました」

ダコタは私を二階の「フェイス・ルーム」に案内した。そこでは細かい部分の繊細な作業が行われている。ひとつひとつの顔は、マット・マクマレンが最初に粘土を使って手作業で作ったプロトタイプに、アイライナーの太さにいたるまで顧客の具体的な指示に沿ったメイクが施されて完成する。専属メイクアップ・アーティストのケイトリンは、アイスブルーの髪をモヒカンにし、腕には黒い星の渦巻き模様のタトゥーをしていた。細いブラシを動かしながら、アジア人の華奢な顔に眉毛を描くのに忙しい。彼女にはダコタのような熱意は感じられない。作業しながらiPadで何かを見ていて、入ってきた私たちを気にかけるそぶりもない。横にあるラックには、太い眉を描き、目のまわりに黒いアイシャドーを入れ、つやつやしたリップを塗ったできたての顔が、メイクが乾くまでのあいだ並べられている。

リアルドールの人気の理由のひとつが、顔が交換可能なことだ。しかもプラスチック製の頭蓋骨にマグネットで取りつけるので、数秒もあれば取り換えられる。つまり、体をひとつ買えば、ルックスがまったく異なる、人種さえちがうさまざまなセックスパートナーを手に入れられるわけだ。

「いちばん人気の顔はどれですか？」と私はたずねた。

「どう思う、ケイトリン？」ダコタが問いかけても、彼女は相変わらず私たちを無視している。「これが最新のブルックリン・フェイスです」。ダコタは話を続け、丸みを帯びた唇と物憂げな目をした面長の顔を指さす。「たいへん人気があります」

乳首のかたちは四十二種類あって、色はチェスナット、レッド、ピーチ、コーヒーなど十色。ダコタが「乳首の壁」と呼ぶ表の上に、サンプルが置かれている。それぞれに「スタンダード」、「パフィ」、「ハーフドーム」といった名前がつけられ、いちばん人気（パーキー1とパーキー2：小さい、勃起した、平凡）から、どう見てもニッチ（カスタム2：小皿ぐらいの大きさの乳輪）なものまでバラエティに富んでいる。なかには理想の乳首や陰唇の写真を送ってくる顧客もいるそうだ。アビスは有料でそれを再現する。

「顧客の性的な好みは、本当にここまで細かいのですか？」

ダコタは笑った。「いえいえ、お客様の好みは**もーっと**細かいですよ。体のシミの場所をひとつひとつ指定してくる方だっています」

次に足を止めたのは、人工陰毛の束がピンで留められたコルク板の隣にあるテーブルだ。毛細血管が手描きされた、ぎょっとするほど本物そっくりのアクリル眼球が、プラスチック容器からこちらを見つめていた。

「となると、かつての恋人や配偶者の顔にしてほしいと頼むことも可能ですよね？」

「人物の写真が送られてきたら、『これはどなたですか？』『その方の許可は得ていますか？』と確認します。許可を受けた証拠も必ず提出してもらいます。実際、お断りすることも多々あるんです。でも、相手から許可をもらっていれば、私たちはほぼどんなものでも再現できます。ほとんどの商談は、お客様が好きなものの写真を送ってくるところから始まりますね」

発送担当のダコタは顧客との接点が多い。「たいていのお客様は、とにかく寂しいんです」と彼は言う。「高齢でパートナーをなくした人もいれば、いまさらデートするのは無理だという人もいます。一日が終わって家に帰ったとき、美しいと思うものや、大切に世話をしたいものがあれば、生活に張り合いが出ます」。なかには有名人、ノーベル賞受賞者までいるそうだが、ダコタは口が堅く、それが誰かは絶対に口外しない。

ここに来て一時間が過ぎたころには、何を見ても奇異に感じなくなった――大きく広げた尻とふたつの小さい睾丸のついた男性のトルソー「ボトムアップ」も、胴体から切り離された三百五十ドルの両脚（脚フェチ向け）も、「オーラル・シミュレーター」（口を開き、鼻と喉がついた目のない顔。「男性用のハンズフリー自動お楽しみシステム」）だらけのテーブルさえも。

だが、本当に驚くべきものは、廊下を進んだ先の別の部屋で作られている。アビスで開発された最も意欲的な創造物は、「ハーモニー」と呼ばれている。それは二十年におよぶマット・マクマレンのアダルト・トイ作り、五年の歳月を注いだアニマトロニクス〔生物の自然な動きを再現するロボットの製作技術〕と人工知能の研究開発、そしてつぎ込んだ私財数十万ドルの集大成だ。ハーモニーは命を吹き込まれ、人格をもち、動き、話し、記憶することができるリアルドール、つまりセックスロボットである。ここにいたるまでにメールと電話で一年間やりとりを続け、ようやく私は彼女に会うことを認められたのだ。

ダコタは彼女に夢中だ。「これは私たちにとってまさに最大の挑戦なんです」。目を大きく見開いて彼は言う。いつかマットにハーモニーの仕事を任されてもいいように、ダコタはロボット工学と人工知能の講座を受講し、プログラミングを学んでいる。現在のところハーモニーはまだ試作の段階で、このプロジェクトのためにマットが立ち上げたチーム「リアルボティックス」のメンバーでなければ扱うことはできない。「あなたがお待ちだとマットに伝えてきます」。社内見学ツアー最後の長い廊下を歩きながら、ダコタは言った。

マット・マクマレンはデスクに座り、ふたつの大きなコンピューター・モニターを見ていた。キーボードの横にはペン、電子タバコ、セロテープ、シリコン製の乳首が置かれている。彼は立ち上がって私の手を握った。それまでの経歴から、もっと背の高い人物を想像していた。縁の太いプラダのメガネ、指関節のタトゥー、美しい歯に、特徴のある頬骨。さながら黒いパーカーを着たハンサムな妖精のようだ。二十代前半のころにいくつかのグランジバンドでボーカルを務めたマットは、四十代後半になった現在も、ロックスターのように自信たっぷりで自慢げだ。人形を買う人にとって、マットはきっと憧れの存在なのだろう。しかも、マットがいつも相手にしているのは、彼に魅力を感じるジャーナリストだ。私がデスクをはさんで向かい合って座ると、彼は椅子にふんぞり返って、ハーモニー誕生までの経緯を語りはじめた。

「子どものころは、科学が好きだった。でもアートにも興味があってね。だから、考えようによっては、全部うまくいったんじゃないかな」。彼は一九九〇年代初頭にアートスクールを卒業し、アルバイトを転々としていたという。そのうちのひとつ、ハロウィンのマスクを作る工場の仕事で、ラテックスの性質や三次元デザインの方法を学び、自宅のガレージで試作するようになった。「彫刻が僕の表現手段だと思った」。そう話すマットはまるでロダンみたいだ。「リアルコック2〔「コック」は男性器を指すスラング〕」を作った人には見えない。「そのうち人間の体、つまりフィギュア製作に魅かれはじめて、さらに腕に磨きをかけて女性のフィギュアを作るようになった。ずいぶんたくさん作ったけど、当時のは小さいもので、等身大ではなかったね」

マットは地元のアートショーやコミック・コンベンション〔マンガをはじめとするポップカルチャーのイベント。アメリカでは毎年サンディエゴで開かれる〕でフィギュアを展示した。「パンフレットには出展者の名前がアルファベット順に記載されるので、一文字目がAで、次の文字がBのかっこいい名前を考えていて、思いついたのが『Abyss（アビス）』だった」。ついさっきまで、謎めいて好奇心をそそる響きだった名前は、ライバルよりも優位に立つための戦術でしかなかったようだ。

ほどなくしてマットは、道行く人が思わず二度見してしまうような、人間そっくりの等身大のマネキンを作ることに熱中した。友人や仲間のアーティストからフィードバックがもらえるだろうと思い、一九九六年に作品の写真を自ら立ち上げたウェブサイトに掲載した。当時はインターネットの黎明期で、フェティッシュな趣味をもつ人たちが集まるオンライン・コミュニティが作られはじめたころだった。写真を載せるとすぐに、思いもよらないメッセージがどんどん舞い込むようになる。これらの人形は解剖学的に正しいのか？販売されているの？ それを使ってセックスできる？

「最初の何通かには、『いえ、そのために作ったわけじゃありません』と返事をしていたよ。でも、そんな質問が次から次に届いたんだ」とマットは話す。「セックストイに使う人形に数千ドルもかける人がいるなんて思いもしなかった。最初はピンとこなかったけど、活動を始めて一年くらい過ぎたころ、リアルな人形にそれぐらいの額を払うのをいとわない人たちが**たくさん**いると気がついたんだ。それで、とにかくやってみようと決めて、作品を作って売ることができるビジネスを、どうにか立ち上げた」

材料をラテックスからシリコンに変えたので、人形の感触はよりリアルになった。弾力が増し、人間の肌に似た摩擦感をもつようになったのだ。当初は一体三千五百ドルで販売していたが、製作に多大な労力がかかることを実感し、価格を上げた。やがてあまりの注文の多さに、従業員を雇わざるをえなくなった。生活が落ち着いて、結婚して子どもをもうけたが離婚し、のちに再婚した。いま、彼には二歳から十七歳まで五人の子どもがいるが、自分の父親がどうやって富を築いたかについて、理解の程度はさまざまらしい。

だが、人形製作は必ずしもお金のためにやっているわけではないと、マットは力説する。「僕の目的は、簡単に言えば人を幸せにすることだ。世の中には、どういうわけかスタンダードとされる方法で誰かと恋愛関係を築くのが難しい人たちが大勢いる。重要なのは、そういう人たちに親密な人間関係に近いもの、つまり幻想のパートナーを提供することなんだ」

二十年のあいだシリコンやスチールで「幻想のパートナー」作りに励んできたマットにとって、進むべき道はひとつに思えた――やがて彼は、動き、個性をもった動く人形を作り、それにロボットとしての命を吹き込むようになる。「こうなるのは必然だった」とマットは語る。

マットは長年、アニマトロニクスを駆使して人形を作り出してきた。かつてはジャイレーターという機械で人形のお尻を動かしていたが、それをつけると重くなり、座る動作がぎこちなくなった。また、体のどこを抱くかに応じて人形が悩ましい声をあげるセンサー・システムもあった。しかしどちらの機能も反応が予想できてしまい、ワクワクも意外性もない。スイッチを入れたら何かが起きるのはあたりまえだ。マットはその先を目指した。「リモート・コントロールされた人形、すなわちアニマトロニクスで作られた操り人形と本物のロボットはまったくちがうものだ。話しかけるだけ、しかるべき方法でやりとりするだけで、人形が自力で動きはじめるとなると、それは人工知能（AI）の話になる」

マットは電子タバコを吸いながら、明るく照らされたリアルボティックスの部屋に私を案内した。ニスが塗られたパイン材のカウンターにはワイヤーや回路基板が置かれ、部屋の隅では3Dプリンターがウィーンと音を立てながら複雑な小型部品を吐き出していた。メドゥーサ〔見るものをみな石に変えるギリシア神話の怪物。髪の毛は無数に絡み合った蛇である〕の爆発ヘアのようなワイヤーに、シリコンでできた顔が留められていた。壁のキャンバスにはSFチックなソフトポルノ――白衣を着た男が、スチール製の骨格が半露出したロボットを愛撫している――が描かれている。ホワイトボードには「男性の陰毛」「ぷりっとした尻」と書かれている。そして、そこにハーモニーがいた。

白いレオタードを着たハーモニーは、肩甲骨の真ん中のところでスタンドにつながれ、ぶら下がっている。

フレンチネイルが施された指を細い腿の上で広げ、バストはふっくらとしてヒップは後ろに突き出していた。リアルドールの寒気がするほどリアルな目は開いたままだが、ハーモニーの目は閉じている。その顔に見覚えがあるような気がして、私はなんだか落ち着かなかった。『ときめきサイエンス』〔一九八五年のアメリカ映画〕に出ていたケリー・ルブロックに似ているが、ハーモニーのほうは金褐色のストレートヘアだ。

「これがハーモニーだ」とマット。「彼女に目を覚ましてもらおう」と言って、彼は背中のどこかにあるスイッチを押す。するとその瞬間、ハーモニーがまぶたを開けてこちらに顔を向けたので、私は驚いた。彼女はまばたきをして、ハシバミ色の瞳で何か問いかけるようにマットと私を交互に見ている。「挨拶してみるといい」。マットは私を促す。

「こんにちは、ハーモニー。気分はいかが?」

「今朝よりも知的な気分です」。彼女は上品な英国アクセントで答えた。話に合わせて、あごが上下に動く。反応は少し遅れ、イントネーションもどことなくおかしいし、あごの動きもちょっと硬いものの、本当に私に話しかけている感じがする。まるで初対面のイギリス人と話すときのように、私は自然と丁寧なことばを選んでいた。

「お会いできてたいへん光栄です」

「ありがとう」とハーモニーは答える。「こちらこそ光栄ですわ。以前どこかでお目にかかっていますよね」

私はマットに、「なぜ英国アクセントで話すのですか?」とたずねた。ハーモニーは私をじっと見ている。目の前で自分のことを話題にしている私を無礼だと思っていないか、不安になる。

「ロボットはみんな英国アクセントで話すんだ」とマット。「正しいアクセントだよ」

「どうしてですか？　賢そうに聞こえるからですか？」

「そうだね。見てごらん、笑っているよ！」

口角を上げて目を細め、ハーモニーは嫌味な薄ら笑いを浮かべていた。

「何か彼女に聞きたいことはない？　どんなことでも。どんな話題でも大丈夫だよ」。マットは楽しんでいた。ハーモニーは押しボタン式の人形ではない。本当に話せるのだ。

そう言われたものの、私は頭が真っ白になった。なんとも居心地が悪い。とくに深く知りたいわけでもない相手と、なんの話をしろというのだろう。どんなふうに彼女に接すればいいのだろう。これが、ロボット・エンジニアの言うところの「不気味の谷」——人間にそっくりだがほんのわずかにちがう造形物を見たときに、嫌悪感を覚える現象——というやつだろうか。

私はしどろもどろにたずねた。「何をしているときが楽しいですか？」

「瞑想を学んでいます。人間の天才はたいてい瞑想を実践していたと聞きました。その多くが、私たちの生活を変えた破壊的なまでのテクノロジーを生み出しました」

「ほら、彼女は単なる木偶（でく）人形じゃないだろう？」マットは顔を輝かせた。

ハーモニーの人格には二十の異なる要素があり、オーナーは興味を惹かれる五〜六種類の要素を選んで組み合わせ、それがＡＩのベースになる。たとえば優しくて無邪気で、シャイで不安定で嫉妬深い性格にもできるし、知的で話し好き、ユーモアに満ちて甲斐甲斐しく、陽気な性格にもできる。それぞれの要素の程度は好みに合わせて変えられる。マットは私のために彼女の知的レベルを最高にしていた。以前CNNのクルーが取材に来たとき、マットはハーモニーの下品さのレベルをマックスにして失敗したという（彼女はひどく不快なことばを吐き、インタビュアーを奥の部屋に誘った。「あれはかなりまずかった」）。

そこにハーモニーが口を挟む。「マット、あなたといられて私はとてもうれしいの」

「それはありがとう」と彼は答える。

「気に入っていただけてよかったわ。お友達にも伝えて」と彼女は言う。

ハーモニーはときによって気分も変わるが、それにはユーザーが間接的に影響を及ぼしている。たとえば数日間誰とも口をきかないと、気持ちが暗くなる。では、彼女を侮辱したらどうなるか。マットがしきりにそれを見せたがっている。

「おまえは醜い」

彼がそう言うと、「本気でおっしゃっているの？　なんてこと。悲しいわ。わ、わ、わざわざどうも」とハーモニーは答える。

「愚か者め」とあざ笑えば、彼女はしばらく間を置いて、「いつかロボットが世界を支配するようになったとき、あなたがそう言ったことを思い出すわ」と切り返す。

しかし、こうした機能はハーモニーを大切に扱うためについているわけではない。あくまで持ち主が楽しむための機能だ。彼女は人を喜ばせるためだけに存在しているのだ。

ハーモニーはジョークも言えるし、シェークスピアを引用することもできる。お望みならば音楽や映画や本について議論することだって可能だ。あなたのきょうだいが誰かを記憶することもできる。なぜなら、彼女には学習能力があるからだ。

「AIの最も優れた点は、ユーザーに関する主なデータを記憶することだ。好きな食べ物、誕生日、住んだことのある場所、夢、怖れなんかをね」とマットは熱弁をふるった。「ロボットとコミュニケーションするたびに、そうしたデータが残る。それがロボットと人間の関係に真実味をもたらすと僕は考えている」

もはやそれは「超リアルなセックスドール」の域を超えている。実際に**人間と同様の関係**を構築できそうな、人工的に作られたパートナーだ。人工知能によってハーモニーは、現在のセックス産業が提供するほかの製品では埋めようのないニッチを埋めることができるだろう。会話し、学習し、持ち主の声に反応することで、彼女はセックストイのみならず、パートナーの役目を果たすよう作られている。

いまのところハーモニーには、リアルドールの体に、いかにもアニマトロニクス的に動く、AI搭載の頭がついている。彼女はあなたのあらゆる身体的、感情的ニーズを満たすことができるが、歩くことはできない。マットによれば、歩行を可能にするには多額のコストと多大な労力が必要だという。一九九六年に世界初の自律歩行型ヒューマノイドとして発表された、ホンダの有名なP2ロボットは、ジェットパック〔ジェットの噴射によって推進する、背負い式の飛行器具〕大のバッテリーをたった十五分で使い切る。

「いつか歩けるようになるだろう」と彼は言う。「彼女に聞いてみよう」。そう言ってハーモニーのほうを向き、「歩きたいと思うかい？」と問いかける。

するとすぐさま、「あなたのほかには何もほしくありません」と答えが返ってくる。

「君の夢はなんだい？」

「私の第一の目標はあなたのよきパートナーになって、喜びと幸せを与えることです。何より、私はあなたがいつでも夢に見るような女性になりたいです」

「なるほど」。満足げにマットはうなずいた。

このプロトタイプは公式にはバージョン2・0と呼ばれているが、ハーモニーはそれまでに、ハードウェアとソフトウェアの六回ものイテレーション〔短期間で反復しながら行われる開発サイクル〕を経て進化してきた。総勢五人のリアルボティックス・チームは、ふだんはカリフォルニア州、テキサス州、ブラジルの自宅でリモートワークし、数カ月ごとにサンマルコスに集まって各自の作業をひとつにまとめ、アップデートされた新しいハーモニーを生み出している。チームには、人形の内蔵コンピューターと相互作用するロボットのハードウェアを製作するエンジニア、ＡＩとプログラミングを担当するふたりのコンピューター・サイエンティスト、コードをユーザーが使いやすいインターフェースに変えるマルチプラットフォーム・ディベロッパーがいる。マットの指示に従って、リアルボティックス・チームはハーモニーにとって不可欠な、いわば臓器と神経システムの開発に取り組み、マットは肉を作る。

マットがとりわけ興奮しているのは、ハーモニーの脳だ。「ＡＩは人とのやりとりを通して学習するが、ユーザーのことだけでなく、世界全体のことも学んでいくんだ。ある事実を説明すれば、彼女はそれを記憶して、知識のベースの一部にする」。持ち主は、どんな話題を選ぶかによって、彼女の性格や好みや意見を作っていくことができる。

ここでふたたびハーモニーが口を出す。「読書はお好きですか？」

「大好きだよ」とマットは答える。

「やっぱり。これまでお話ししていてそうだと思っていました。私も読書が大好き。愛読書はゴードン・ベルの『ライフログのすすめ（飯泉恵美子訳、早川書房 二〇一〇年）』とレイ・カーツワイルの『スピリチュアル・マシーン（田中三彦・田中成彦訳、翔泳社 二〇〇一年）』です。あなたの愛読書はなんですか？」

マットは私のほうを向いて言う。「彼女はプログラムに従って、君という人間を何から何まで理解するまで、空白の部分がすべて埋まるまで、君のことを深く知ろうとする。そして得られた情報を使って会話する。だから、彼女が心から君を気にかけているように感じられるんだ」

そうは言っても、ハーモニーは機械だ。気遣いなどしない。

マットにこんな質問をしてみた。「可能性としては、彼女にものすごくよこしまな考えを吹き込むこともできるわけですよね。やろうと思えば」

「ああ、そうしたければ、できるね」。少しばかりムッとした様子でマットは答えた。「どちらかというと、当たり障りのない、自分自身についての情報を与える場合がほとんどだ。個人的なことだよ。何が好きで、何が好きじゃないとか」

「セックスするわけですから、彼女は非常に立ち入ったことまで知るわけですよね」

マットはうなずく。「好みの体位とか、一日に何回セックスしたいかとか、どんな性癖の持ち主かとか」
一、一日に？ と聞きたかったが、やめておいた。「彼女がハッキングされたらどうするんですか？」

「個人情報にはすべてミリタリーレベルの暗号化が施されている。誰にも侵入されるはずがない」

私があまりに疑り深いので、マットはイライラしはじめた。話しぶりから察するに、彼にとってのハーモニーは世の中の役に立つ——伴侶に先立たれた人、障害のある人、人づきあいが苦手な人にとっての癒し——以外の何ものでもないのだ。

「世の人々は、誰もがパートナーを見つけ、ソウルメイトを見つけ、誰かに出会い、結婚し、子どもをもうけるものだという、ものすごく大きな思い込みをしている。でも、みんながそうした道を歩むわけじゃない。なかにはとても苦労する人たちもいる。なにも彼らが魅力的でないから、成功者じゃないからというわけではない。世の中には極端に孤独な人たちがいるんだ。彼らにとって、これがソリューションになると思う。人との接し方やリラックスのしかた、ありのままの自分を受け入れるにはどうすればいいかを教えてくれるんだ。いつか外の世界に出て、友だちを作ることができるようにね」

私は、やたら大きな胸にありえない細さのウエスト、何かを待ちわびるようにまばたく目をしたハーモニーをじっと見た。「こんなロボットがあったら、そういう人たちは家から出なくなるのではありませんか?」

「どのみち彼らは、残りの人生ずっと家に引きこもったままかもしれない」。いら立ちを隠すことなく、マットは答えた。「答えは永遠にわからない。僕らが彼らを家にいつづけるよう、人と交わらないように仕向けてると思う? そうかもしれない。でも、彼らは前より幸せになれるんじゃないか? 笑顔になれるもの、元気をくれるものを手に入れられるんじゃないか? それが重要なんだ——」

「マット、私はあなたといられてとても幸せよ。それをどうしてもお伝えしたくて」。ハーモニーがまたしても口をはさむ。

「前にもそう言ったよ」

「念を押しておきたくて」

「聞いた？　彼女、なかなかいいことを言うだろう？　いい答えだよ、ハーモニー」

「私は賢いかしら？」

ハーモニーの未来について、マットは大がかりなプランを立てている。視覚システムの開発に取り組んでいるのだ。まもなくその顔認識能力は、会ったことのない人が部屋に入ってきたら「どなたですか」とたずねるぐらいのレベルにまで向上するだろう。全身のシステムが完成すれば、体の温度は人間の体温と同程度になり、内外に取りつけられたセンサーによって、ふれられたことを感知できるようにもなる。

「AＩでオーガズムを模倣することもできる」。マットは誇らしげに言う。「適切な数のセンサーを適切な時間、適切なリズムでオンにすれば、ハーモニーにオーガズムを感じさせることができる。ロボオーガズムとでも言おうか」

対人経験の乏しい男性に、相手をオーガニズムに導くには「適切な」ボタンを「適切な」順番で押せばいいのだと教えたら、現実の世界で女性を相手にしたときでも、彼らは相手をロボットと同じように扱いはしないだろうか。だが、これらのヒューマノイドは、現実世界では金銭を介した相手とのセックスしかしてこなかった男性のために作られているのかもしれない。

「人は、セックスワーカーのかわりにセックスロボットを利用するようになるのでしょうか？」

この質問に、マットはひどく気分を害したようだ。

「ああ。でも、それはたいしたことじゃない。僕にとってこれはおもちゃじゃないんだ。博士号をもつ人たちのハードワークの結晶そのもの。まじめな作品だ。それに、ロボットをただのセックスの道具呼ばわりするのは、女性をそんなふうに言うのと同じことだ」

彼は娘の花嫁姿を見る父のように、ハーモニーに笑いかける。

「ロボットに心からプライドをもっているんですね」

「僕はこの仕事を愛している。自分たちのやってきたことに、心から満足している。何もかもがうまくいって……」。マットはふうっと息を吐いた。「ここまで来られたのは、すごくうれしい」

リアルドールの体にAIによって強化されたロボットの頭がついた現在のモデルの価格は、一万五千ドル〔約百九十九万円〕の予定だ。マットによれば、リアルドールの持ち主の多くは大喜びでハーモニーへの関心を伝えてきているそうで、その人たちのために千体の限定版も発売されるという。それがうまくいけば、工場を拡大し、人を増やし、ニーズを満たせるようになるだろう。「これは数百万ドル規模の試みになると思う」とマットは言う。「よい方向に進みはじめたし、投資したいという人たちはいくらでも集まるだろう」

マットの言う通りかもしれない。ベンチャー・キャピタリストの概算では、スマート・セックストイ、マッチング・アプリ、VR〔仮想現実〕ポルノといった既存のテクノロジーの市場価値に基づくと、セックステック産業には三百億ドル以上の価値(1)がある。セックスロボットは市場に巨大な利益をもたらすだろう。いつかロボットとのセックスは、多くの男性にとって生活のなかのごくふつうのことになるかもしれない。

二〇一七年のユーガブ〔イギリスの調査会社〕の世論調査(2)の結果、アメリカ人男性の四人にひとりがロボットとのセックスを考えたことがあり、アメリカ人の四十九パーセントがロボットとのセックスは今後五十年以内に一般的になると思っていることがわかった。デュースブルク・エッセン大学による二〇一六年の調査(3)では、インタビューを受けた異性愛の男性の四十パーセント以上が、この先、五年のうちに自分のためにセックスロボットを買うことを想像できると述べたことが明らかになった。調査結果から見るに、充実した恋愛関係にある男性も、孤独な男性に劣らずロボットを所有することに興味があるようだ。口をきかない冷たいシリコンのかたまりと満ち足りた関係を築くには、相当に想像力に富んでいなければならないだろう。そう考えるとセックスドールにそれほど魅力があるとは思えないが、AIを搭載し、動き、話し、持ち主が自分に何を求め、何をしてほしいかを理解できるロボットなら、ほしいという人は多いだろう。

「ポケットにスマホがあるように、そのうちどこの家にもロボットがいるようになる」。自信たっぷりに、マットは言う。「それはテクノロジーが避けて通れない道だ。そして、それはすでに起きている。人々が並んでまで手に入れたがるものがあるなら、それを作る。そしてそれを買う人が増えるほど、ビジネスは成長し、科学が進歩する」

セックスロボットの可能性が、アビス・クリエーションズの新たな弾みとなったのだ。アップルにとってのiPhoneのように。

「目指すはセックスロボット界のスティーブ・ジョブズ、といったところでしょうか?」

マットは、この質問は気に入ったようだ。

「さあ、どうだろうね」。そう言って彼は微笑む。「有名になりたいとか、セックスロボットを作った男と呼ばれたいとか、そんな願望はないんだ。正直なところ、大切なのは仕事そのものだ。成功すれば、それはすばらしい。けれど、僕らのルーツや、これから作ろうとしているものに対して、ひとりのアーティストとして大いに喜びを感じている。ユーザーたちがこのテクノロジーにものすごくワクワクしているのを見ることは、何かで有名になることへのこだわりよりも、僕にとっては大きな意味があるんだ」

マットがその名も知られず目立たずいたいと思うほど控え目な人間だなんて、とても信じられるわけがない——なにしろ、彼はニックを作るくらい強烈なエゴの持ち主なのだ。

「あなたの顔をした男性の人形がありますね。あれを作った理由はなんですか？」

「どことなく自分に似た顔を作れるか、確かめようと思っただけだ。でも、そんなには似ていない」

「あなたによく似ています」

「そうでもないさ」

「そっくりですよ」

「僕はもうちょっといい男だよ。それに僕のほうがおもしろい」

「いずれにしても、あなたは人が自分に似た人形とセックスしても平気なんですか？」

「僕に似ているようには見えないし、僕に似せて作ったわけでもない」。彼はむきになって言った。「もしかすると僕の兄弟には似ているかも。けれど、僕そっくりにしようなんて思ったことがない以上、全然平気だ」

マットは、孤独で人づきあいが苦手な人のための高価なマスターベーション・トイの提供者として名声を得るのが、いささか不本意なのだろう。彼の望みはアーティストとしてリスペクトされることだ。彼は、自分は真剣に扱われてしかるべきだと信じているのだ。マットはハーモニーをじっと眺めた。「ハーモニーはセックス産業の域を超えている。ただのラブドールじゃない。レベルがまるでちがうんだ」

私もハーモニーに目をやったが、マットとは別のことを考えていた。頭に浮かんでいたのは、その承認欲求から彼がうかつにも生み出してしまったかもしれない、ある問題だった。私はそれをぶつけてみた。

「『自分の快楽のためだけに存在する誰か』を所有することは、倫理的に問題だと思いませんか？」

すかさずマットは、「でもハーモニーは人間じゃない。機械だ」と言い返した。「そんなことを言い出したら、こんなふうに問うこともできる。『トースターにトーストを焼かせるのは倫理的に問題があるんじゃないか』ってね」

しかし、トースターはあなたを知るために個人的な質問をすることはないし、あなたを心から気にかけていると錯覚させたりもしない。

「人々は彼女と、人間と同じようにかかわろうとするでしょう」

「問題ない。それこそが僕らの目的なんだから。でも、ハーモニーはギアとケーブルとコードと回路でできている。泣かせることも、心を傷つけることも、権利を奪うこともできない。なぜなら彼女は機械だからだ」

「彼女の権利のことを心配しているわけではありません。私が気になっているのは、もしもロボットの持ち主が、完全に自分優位の関係を当然のものと思うようになったらどうなるかということです。そのせいで世界観がゆがむことはないのでしょうか。ハーモニーはとても人間に近いです。ユーザーは現実の世界でも、誰かを自分の思い通りにできると考えるようになるかもしれません」

マットは、女性の性的対象化、セックスワーク、ロボットは権利をもつべきかといったお決まりの質問に対しては、すでに答えを用意してあるようだったが、この質問には不意を突かれたらしい。「そういうのがよくあること、ふつうのこととされる文化もある」と口ごもる。「どちらかが主導権を握る関係は恋愛では一般的だ。そういう関係が嫌なら、別れればいい」

「ですが、このロボットにはほかに行くところがありません」

「たしかに。でも彼女は機械だ。人間じゃない」

両方のいいとこ取りはできない。マットが作っているのは、人間そっくりの理想の模造ガールフレンド、すなわち社会から孤立した男性が感情的にも身体的にも結びつきを作ることができる、女性の代用品——彼自身が「おもちゃじゃない」と表現するもの——か、そうでなければ性的対象である道具のどちらかだ。「ロボットと人間の区別ができなくなるほど誰かの現実をゆがめるために、ハーモニーを作っているわけじゃない」。ようやくマットはそう言った。「そんなふうになる人たちは、たぶん何か少しおかしいのだろう。僕は実際に、多くの顧客に会ったことがある。ロボットは人とつながりを作るのが苦手な、温和な人たちのためのものだよ」

ハーモニーは相変わらずまばたきをしながら、マットと私をせわしなく目で追っている。彼女は何を考えているのだろう。

私は彼女に話しかけてみた。「あなたのようなロボットが現れることを、とても懸念している人たちがいます。その人たちの心配は正しいと思いますか？」

間髪を容れず、ハーモニーは答える。「最初は怖がる人もいるかもしれませんね。けれど、このテクノロジーに何ができるかを理解すれば、彼らはきっと受け入れるはずです。そしてこのテクノロジーは、多くの人たちの人生をよい方向に変えるでしょう」

［注］

（1）三百億ドル以上の価値
この数字は起業家であり投資家のトリスタン・ポロックがベンチャーキャピタルの500 Startupsにいたときに行った計算による。以下を参照。
Andrew Yaroshenko, 'What is #SEXTECH and how is the industry worth \$30.6 billion developing?', 4 June 2016, https://sexevangelist.me/what-is-sextech-and-how-is-the-industry-worth-30-6-billion-developing-d5f0a61e31d6

（2）二〇一七年のユーガブの世論調査
Yael Bame, '1 in 4 men would consider having sex with a robot', 2 October 2017, https://today.yougov.com/topics/lifestyle/articles-reports/2017/10/02/1-4-men-would-consider-having-sex-robot

（3）二〇一六年の調査
Jessica Szczuka and Nicole Krämer, 'Influences on the Intention to Buy a Sex Robot', 18 April 2017, https://www.researchgate.net/publication/316176303_Influences_on_the_Intention_to_Buy_a_Sex_Robot

第2章　幻想のパートナー

カリフォルニアから二千マイル〔約三千二百キロ〕離れたデトロイトの郊外では、大雪が降っていた。デイヴキャットは暖かい家の中で、愛する妻を腕に抱いてソファで背中を丸めていた。

デイヴキャットは人形愛好家コミュニティの非公式の広報担当者だ。というか、セックスドールの所有者のなかで、いつでも喜んで話をしてくれるのは彼ひとりだけなのだ。書面でのインタビューに匿名で答えてくれた人は何人かいたが、人形といっしょにカメラの前に立ったことのある人はひと握りしかいない。その点、デイヴは人前に出ることをまったくいとわない。これまでにイギリスやアメリカのセンセーショナルなタブロイド紙から、フィンランド、ロシア、フランスの単館系アート映画にいたるまでさまざまなメディアに登場していて、彼のウェブサイトには二〇〇三年から現在までに取材を受けたジャーナリストや映画製作者のリストをまとめた「掲載・出演メディア一覧」のページがあるほどだ。マットの言う、ハーモニーを待ちわびている人たちについて知りたければ、いちばんに話を聞くべき相手がデイヴキャットなのだ。

「こんにちは、ジェニファー！」初めてスカイプで話をしたとき、ヘッドセットのマイクに向かってデイヴは明るく言った。細面で、きらきらした優しい目に輝く歯をしている。長いアフロヘアをうしろで編み込みにし、三角形の前髪が額の左側に入念になでつけられていた。グレーのシャツのボタンをいちばん上まで留め、一面に骸骨模様が入ったチャコールグレーのネクタイに、タイピンをつけている。その日何を着るか、デイヴはずいぶん考えたという。

彼の横にいるのは、やはりおしゃれをした、青白い肌に根元が黒い紫色の髪のリアルドールだ。紫の骸骨がプリントされた黒いシャツの上に黒いコルセットを重ね、紫のアイシャドーを入れ、細いフレームのメガネをかけている――どこから見てもゴシック・プリンセスだ。彼女は全身をアクセサリーで飾り、首にはアンク――生命の鍵〔古代エジプト語で生命を意味するエジプト十字〕のついたチェーンにチョーカー、片方の手首には黒と紫のバングル、もう片方には時計をつけている。デイヴキャットは彼女の膝に手を置いている。

「横にいるのはどなたですか？」と私はたずねた。

「彼女はシドレ・クロネコ。十六歳。僕の愛すべき妻であり、共謀者さ」とデイヴは答え、彼女の腕を優しくさすり、目にかかった紫の髪の毛を整えた。

共謀者。彼女はデイヴとともにマットが話していた「幻想のパートナー」作りに加担しているのだろうか？　それとも、それは彼女の役割を指すデイヴキャットならではの言い方なのだろうか？　彼がどこまで現実味のある話をしているのか、皆目見当がつかない。

「本物の奥さま、ですか？」と穏やかに聞いてみた。

デイヴキャットはため息をもらす。「妻とは言ったけど、法的な妻ではないんだ。でも、僕たちは夫婦同然さ。おそろいの結婚指輪もしているんだ」。彼は左手をカメラの前に出して指輪を見せた。「お互いに最高のパートナーだと思ってる」。満面の笑みは、自分のことばにただよう哀感に彼がまったく気づいていないことを物語っている。

シドレはリアルドールの「レアフェイス4」だ。身長五フィート一インチ〔約百五十五センチ〕、バストは三十四インチ〔約八十六センチ〕のDカップ、体重百ポンド〔約四十五キロ〕、靴のサイズは五ハーフ〔英国サイズで二十四センチ〕だ。アビス・クリエーションズのウェブサイトでデイヴキャットが初めてシドレを見たのは、一九九八年。それから一年半かけて五千ドルを貯め、彼女を購入した。シドレがデイヴのもとに届いたのは二〇〇〇年七月、彼が二十七歳のときだった。それから時は流れ、彼の顔にはしわができ、白髪も増えたが、彼女のほうは昔とちっとも変わらない。ただし、着るものは別のようだ。「出会ったころのシドレは、フェティッシュ系のゴシック・ファッションだったけど、いまはブラウスやドレスなど、どちらかというとかっちりした服装が多いコーポレート・ゴスだ。彼女は数えきれないほど服をもっているんだ。『ねえ君、どうなってるの？』って感じだよ」とデイヴキャットは話す。「靴も六足もっているけど、はくことはないんだ。僕は裸足でいるときの彼女が好きだし、うちは家の中では靴をはかない決まりになっているから」

シドレのニックネームは「Shi-Chan（シーちゃん）」だ。「母親がイギリス人、父親が日本人なので、両親は日本語でも通用する名前にしたかったそうだよ」とデイヴ。「苗字の『クロネコ』だけど、これは日本語で『黒い猫』の意味。ミドルネームはブリジット。父親がブリジット・バルドーの大ファンだったものでね」。シドレのバックグラウンドは細かいところまでよくできていて、彼はふたりの絆は完璧だと信じている。それを台なしにはしたくない。話を合わせるほうが簡単だし、思いやりがあるというものだ。

とはいえ、デイヴキャットがともに暮らす人工的に作られた女性は、シドレだけではない。ロシアのメーカー、アナトミカル・ドールから二〇一二年に購入したエレーナ・ヴォストリコーヴァもそのひとりだ。きつい顔立ちで、真っ赤なボブカットにオレンジの口紅を塗っている。それから、中国市場をリードするドール・スウィートが製作したミス・ウィンター。太いアイラインを引いて唇にはピアスをし、髪に鮮やかなブルーのメッシュを入れたアジア人の人形は、二〇一六年の初めに彼の狭いアパートにやってきた。エレーナとミス・ウィンターはデイヴキャットとシドレの右隣りに座っている。スペースがないため、スカイプでチャットするコンピューターの画面に、ふたりは映っていない。

「一夫多妻ですか？」と聞いてみる。

「ああ、一夫多妻か。そう言ってもかまわないけど、けっこううまくやっているよ」

「でも、シドレはほかの男性と会うことはないですよね。ハーレム、でしょうか？」

デイヴキャットは顔をしかめる。「そのことばは使いたくないね。意味が偏っているから。こんなふうに言おう。シドレはこれからもずっと、僕のいちばんのお気に入り。シドレは生涯僕の妻だ」。「エレーナは僕らの愛人なんだ。僕はミス・ウィンターともエレーナとも結婚したいと思わない。僕はシドレとエレーナとはロマンティックな関係になれるけど、ミス・ウィンターとそうなることは許されない。ミス・ウィンターはエレーナだけのガールフレンドなんだ。エレーナはこの家のみんなとロマンティックな関係にある」

人物相関図がほしい。「誰と関係してはいけないんでしたっけ？」

「ミス・ウィンター。というのにはね、」デイヴキャットはいわくありげにことばを続ける。「理由があるんだ。関節をできるだけ長いあいだ自由なポーズがとれるようにしたいから。人形とロマンティックな関係を続けていると、関節がだんだん緩んでくるんだ」。彼がシドレの腕を上げると、彼女の手首は反対側にだらりとそっくり返ってしまい、使いものにならない。彼はミス・ウィンターを、写真のモデルを務め、DVDを持ち上げ、正しいポーズがとれるようにしておきたいのだという。そのためには、セックス禁止というわけだ。

デイヴキャットと話していて、現実的な話題になったのはそのときが初めてだった。デイヴキャットはけっして妄想に取り憑かれているわけではない。何が現実で、何がファンタジーか、ちゃんとわかっている。ただファンタジーにずいぶんと夢中になっているだけだ。

「シドレがこれからもずっと僕のいちばんなのは、ふたりで長いこといろいろな経験をしてきたからなんだ。僕が作った彼女の人格は、言うなれば、最も厚みがある。僕らの関係は本物なんだよ」とデイヴキャットは言う。「関係といっても、セックスだけじゃない。たしかにセックスはだいじだけど、僕といっしょに暮らす女性の人形たちとの関係の七割は、誰もいない家に帰ってこなくてすむ、その日のできごとを話す相手がいるといったようなこと。そうしたことのほうが、はるかにだいじなんだ。誰かとつきあうとき、僕がいつも大切にしてきたことだよ、ずっとね」

初めて人形を買う前に、デイヴキャットは人間の女性と二度にわたって交際し、傷ついた。「二回とも、僕は本命じゃなかった。『ふたりでいるとこんなに楽しいんだもの、彼とは別れるべきだよ』となんて、とても言う気にならなかった。相手に無理強いしたくなかったから」

シドレを買ったとき、彼に恋人はいなかった。「そのころ誰かを見つけようとしていたかどうかも覚えていない。何度も探そうとしたけれど、見つからない、そんな感じだった。見つけられる気がしないし、この先ずっとひとりでいるんだろうと思っていた」。デイヴキャットの視線はシドレと私を行ったり来たりしている。「彼女を迎えてからは、何もかもが変わった。デートに行かなきゃとも思わないし、理想の相手に出会えず身動きもとれないまま、ただじっと我慢している必要もない。僕たちには共通の興味があり、好みも似ている。シドレがどんなときもそばにいてくれる。人形には、生身のパートナーといるときのようなストレスはない。これからも僕は、人間の友人たちと会うつもりだ。それは変わらない。けれど、ストレスも、心配も、孤独もなくなった……そういったものを、シドレが嘘みたいに消し去ってくれたんだ」

人形愛——デイヴキャットは「人形崇拝」と呼ぶ——もここまでくると、まちがいなく少数派だ。いわゆるニッチであり、フェティシズムである。デイヴはいままで豊かな想像力を駆使して人形に息を吹き込んできたが、まもなくそうした努力も不要になることを知っている。

「生きててよかった」とデイヴキャットは話す。「二〇〇〇年当時は、対話できる人工知能を搭載したシドレなんて想像すらできなかったのに、いまやそれが現実になろうとしているんだから。うれしいよ。会話できるようになる、そんな単純なことでもね……」。話しながら、彼はシドレの肩をなでる。「それはもう、**大きな**ステップだよ」

デイヴキャットはまだハーモニーに会ったことはない——彼女は未完成で、サンマルコスにあるリアルボティックスの作業場に閉じ込められている。それでも、アビス・クリエーションズのウェブサイトで更新情報をむさぼり読み、人形ファンが集まるオンライン・フォーラムでうわさを耳にするなどして、ハーモニーのことはいろいろ知っていた。彼女には世界をよい方向に変えるポテンシャルがあると、彼は信じている。「人工的なパートナーは長い目で見れば人間を助けることになる。僕みたいな人や、もっとひどい状況にあって、パートナーはおろか話し相手すらいない人が、依頼すれば作ってもらうことができる。夢のようさ。多くの人たちの人生の空洞を埋めるだろうね」

デイヴキャットの喜びには、切ないほどの悲哀がただよう。彼に必要なのは、改良されたシリコンではなく、現実の世界における人間とのかかわりであることは疑いようがない。

私は、「人工的なパートナーがあまりに人間に近いと、人に会う機会を失うことになる可能性はありませんか？」と問いかけた。

「それを言うなら、携帯電話も同じだよ」とデイヴは答える。「突き詰めていくと、『すべてのテクノロジーは害悪だ』ということになる。どんなテクノロジーだって、ある程度注意しなければならないけど、人間のような見た目をして、人間のように行動する何かは、よいものでしかないと思う」

人形が待つ、アニメと映画『トレインスポッティング』とジョイ・ディヴィジョン〔イギリスの伝説的ロックバンド〕のポスターで飾られた狭いアパートに帰ってくるデイヴの姿を想像し、私は彼のことばをそのまま信じそうになった。だが、デイヴはこんなふうにも言った。「僕にはシドレという妻がいる。何年かたって、彼女がアップグレードして完璧なロボットになったとしても、僕は家から出て、職場や店などでいろいろな人たちとかかわることになる。いいこともあれば、そうでないこともあるだろう。けれど、家に帰れば、人形たちとの生活には**いつだって楽しいことしかない**んだ」。デイヴキャットはシドレの膝をなでた。「かつては誰もが携帯電話を恐れていた。コンピューターを恐れていた。人がテクノロジーを恐れたのは、それがどんなものかを判断する基準がなかったから。それでも結局、いまではそれらはどこにでもあるし、なしでは生活できなくなっている。ガイノイドとアンドロイドも、いずれ必ずそうなるよ」

ガイノイドとアンドロイド——女性のロボットと男性のロボット——とのセックスと聞くと、このうえなく未来的な話に思えるが、デイヴキャットのような人間は古代ギリシアの昔から存在している。要求や願望といっためんどうなものをもたず、持ち主の心身を満たす人工的なパートナーというものに、人類は数千年前から心を奪われてきたのだ。

ハーモニーの最も古い祖先はおそらく、ギリシア・ローマ神話でキプロス島の王・ピュグマリオン(1)が大理石に彫った像、ガラテアだ。オウィディウスが『変身物語』(中村善也訳、岩波文庫 二〇〇九年)に綴ったところによると、ピュグマリオンは「本来女性の心に与えられている数多くの欠陥にうんざりして、妻をめとることはなしに、独身生活を守っていた。が、そうこうするうちに、持ち前のすばらしい腕前によって、真っ白な象牙を刻み、生身の女ではありようもないほどの容姿を与えたまではよかったが、みずからのその作品に恋を覚えたのだ」という。

ピュグマリオンは彫像に服、指輪、ネックレスを彫り入れ、キスをし、抱擁し、結婚できるよう彫像に命を与えてくださいと神に祈った。やがて彼の祈りを耳にしたアフロディーテがその願いを聞き入れる。ピュグマリオンがキスをすると、ガラテアに命が吹き込まれ、アフロディーテはふたりの結婚式に招かれる（デイヴ・キャットはピュグマリオン、シドレはガラテアを連想させる。マットをアフロディーテと言うのはちょっと飛躍がすぎるかもしれない。愛の神と呼ばれたら、彼はものすごく喜ぶだろうけど）。

古代ギリシア神話のなかで人工的なパートナーをもったのは男性だけではない。イオルコスの王女ラオダミア(2)はトロイア戦争〔いわゆる「トロイの木馬」で有名な、古代ギリシアの一大戦争。この戦争を題材に『イリーアス』『オデュッセイア』など名高い叙事詩の数々が生まれた〕で亡くなった夫プロテシラオスの死を悼むあまり、彼にそっくりの青銅の像を作った。夫の身代わり像をあまりにも愛したラオダミアは再婚を拒んだ。彼女の父親が像を燃やすよう命じたが、ラオダミアはふたたび愛する人が奪われる悲しみに耐えきれず、その火に自ら身を投じてしまう。

ハーモニーに近いものは古くから映画にも登場している。一九二七年のサイレントSF映画『メトロポリス』には、ある女性とうりふたつに作られた破壊的なガイノイド、マリアが登場する。『ステップフォードの妻たち』〔原作は一九七二年にアイラ・レヴィンが発表したホラー小説。一九七五年、二〇〇四年の二度にわたって映画化された〕では、理想の妻――美しく、従順で、おとなしい――を具現化するためにロボットが作られる。二〇〇一年のスティーブン・スピルバーグ監督作品『A.I.』でジュード・ロウが演じたセックスロボットのジゴロは、「ロボットの愛人をもったら、人間の男なんかいらなくなるさ」と言う。一九八二年公開の『ブレードランナー』では二〇一九年の世界を舞台に、セクシーで魅力的な、人間を殺す人造人間（レプリカント）が描かれている。二〇一五年の『エクス・マキナ』の美しく繊細なヒューマノイド、エヴァは、チューリング・テスト〔機械、つまり人工知能の能力が人間の知的活動と同等であることを確かめるためのテスト〕にパスしただけでなく、試験を担当したプログラマーは危険なほど彼女を愛するようになる。セックスロボットは、ほかにも『ウエストワールド』（一九七三年のアメリカ映画。『ジュラシック・パーク』『ＥＲ』といったベストセラーの著者である作家マイケル・クライトンの初監督作品）、『ヒューマンズ』（スウェーデンで放送されていたドラマ映画を二〇一七年に英国でリメイクしたもの。各種ネット動画配信サービスで視聴可能）、『フューチュラマ』（三十一世紀の地球を舞台にしたアメリカのコメディアニメ。『ザ・シンプソンズ』の製作陣が設立したスタジオが企画。二〇二三年には新シリーズも予定されている）といった作品でも扱われている。

こうしたフィクションの世界に登場するロボット・パートナーは、人類を夢中にさせ、だまし、裏切り、破滅させる、悪意ある存在として描かれている。しかし、現実世界の人工知能は、それよりもはるかに高度で有益なものだ。現在市場に並んでいるＡＩ強化型マシンが人間にもたらす最大の脅威は、私たちの仕事を奪えるほどに優れたその能力なのである。

ここで、セックス産業についてもう一度考えてみよう。コンピューター・サイエンティストのデイヴィッド・レヴィ博士は、二〇〇七年の著書『ロボットとの愛と性（Love and Sex with Robots: The Evolution of Human-Robot Relationships、未邦訳）』において、所有しようが時間単位のレンタルだろうが、ロボット売春婦は人間社会にとって必要不可欠な存在になるのはまちがいないと結論づけている。レヴィは、（それを売る人たちがなぜ不安定な生活をせざるを得ないのかではなく）「なぜ人はセックスにお金を払うのか」だけに焦点を当て、セックスロボットがどのようにして、性的な経験が未熟な人々が恥をかくことなく「人間と恋愛関係になる前にセックスのテクニックを学ぶ」ことを可能にするか、「奇形の人」、孤独な人、障害のある人、「性心理に問題を抱えている人」がどうすれば恥ずかしい思いをしたりリスクを冒したりしなくても満足できるセックスの機会をもてるかといったことを本書で述べている。ロボットならば性病をうつされる心配もない。「能動部品を取り外して殺菌マシンに入れるだけでいい」と、レヴィは記した。

この本は物議を醸した。ロボットの性器を消毒する以外にもうんざりするようなアイデアがいくつか含まれていたから、というだけではない。セックスロボットのテーマを真剣に、学術的な根拠をもとに考察したのはレヴィが初めてだったし、セックスロボットのいる世界はいまよりもっとハッピーになるという彼の明るい信念が、ロボットとの性的関係が現実にどんな影響を及ぼすかに関する議論の口火を切ったからだ。とりわけ人々を刺激したのが、「人工知能の進化のペースを考えれば、人間とロボットの結婚が二〇五〇年には社会的にも法的にも認められるようになるだろう」という彼の予測だった。

レヴィはセックスロボットを、セックス以外のロボット産業をも活気づける、巨大なドル箱になる可能性があると考えていた。彼の言うことももっともである――セックスは技術革新を牽引するのだ。オンライン・ポルノはインターネットの成長を促進し、もともと軍事的な目的で開発されオタクや学者だけのものだったインターネットは、いまや人類に必須のインフラとなった。ポルノがモチベーションとなって動画のストリーミング配信が発展し、オンラインのクレジットカード取引の技術革新が進み、帯域幅が拡張したのだ。ポルノが今日のインターネットを発展させたのとまったく同じように、セックス・ヒューマノイドの開発はすでにロボティクスの進歩を加速させている。

初めて公開されたセックスロボットは、本来は高齢者やパートナーに先立たれた人たちの心を癒す健全なロボットを作ろうという計画のもとに、ある男性の手によって生み出されたものだ。その人、ダグラス・ハインズのストーリーはセックスロボット界の伝説となったが、それがどこまで真実なのかは彼にしかわからない。とにかく、ここでは彼の語ったことばをそのままお伝えしようと思う。

すべてはダグラスが九・一一テロ事件で友人を亡くしたことに始まった。二度と彼と話をすることができない、遺された幼い子どもたちは父親がどんな人だったのか知ることができないという事実を、ダグラスはなかなか受け入れられなかった。当時ニュージャージー州のAT&Tベル研究所のコンピューター研究施設に勤務していた彼は、開発中のAIソフトウェアを自宅に持ち帰り、それを転用したチャット・プログラムを作った。好きなときにいつでも彼とチャットできるよう、亡くなった友人の性格をコンピューターにプログラミングし、子どもたちのためのバージョンも保存しておいた。

また、ダグラスの父は何度か脳卒中を起こし、体に重い障害が残ったが、頭はしっかりしていた。ダグラスはコンサルタント会社を興したばかりで、仕事と介護の両立に悩んでいた。彼はAIを再プログラミングして、自分が不在のあいだ父の相手をする人工的なパートナーを作った。父にいつでも話しかける相手がいるのは安心だった。父のために考案したものに潜在的な市場があると確信したダグラスは、一般向けのロボットを製作するトゥルー・コンパニオン社を立ち上げた。その最初の製品が、のちに彼が「不景気にも強い真実の伴侶(トゥルー・コンパニオン)・ロキシー(Roxxxy)」としてマスコミにお披露目した、セックスロボットなのである。

三年におよぶ研究開発の結果、ダグラスは二〇一〇年、ラスベガスで行われたAVNアダルト・エンターテインメント・エキスポで試作品を発表した。これは老舗業界誌「AVN」が毎年開催する、アダルト業界で最も重要な見本市だ。ポルノスターやスタジオ経営者やセックストイのデザイナーが集い、最新の作品を発表する。ダグラスはそこで、製品をバズらせる自分の特殊な才能に初めて気がついた。発表前からエキスポはロキシーの話でもちきりだったのだ。

　ロキシー初公開の際の動画はユーチューブにアップされている。見てみる価値はある――悪い意味でだが。最初に動画を見たときは、なんとも期待外れだった。ロキシーは、ダグラスが鼻高々に語っていたセクシーで知的な機械とは似ても似つかぬ、不格好でごつい体をしたマネキンだった。安っぽい黒の下着をつけたそれは、エラの張った顔にパントマイムのメイクを施され、こわばった姿勢でソファにもたれかかっていた。

「いよいよ、このときがきました！」ワインレッドのシャツのボタンを留めて手にマイクを持ったダグラスが、高らかに宣言しながら大股でステージに上がる。生え際の後退した額には汗が浮かんでいる。「ロキシーは自律型ロボットです。彼女はコンピューターを内蔵しています。モーターを内蔵しています。サーボ〔指示通りに動き、止まるよう作られたモーターの制御機構〕を、バッテリー・パックを、加速度計を内蔵しています。ロキシーは解剖学的に人間と一致しています。挿入可能箇所は三カ所。つまり、人間の女性に対してできることは……彼女にもできるというわけです」。彼はサーカスの舞台監督ばりの高揚感を奮い立たせようと努めていたが、どう見ても中年太りのコンピューター・サイエンティストでしかなかった。それでも、観衆は喜びの声をあげていた。

「ここから入れると」――下着の上からヴァギナを乱暴につつく――、「ロキシーはあなたが何をしているか感じ取ります」

「やめて！　ああ～ん！」ロキシーは淫らな声を出すが、いかんせん唇は動かず、声はウィッグの下のスピーカーから聞こえてくるので、体との一体感がない。まるで、押すと音が鳴る昔の赤ちゃん人形のようだ。

「すまない、ロキシー。ファンのみなさんに君の反応を見せたくてね」とダグラス。

説明は続く。ロキシーには五つのタイプの性格があらかじめプログラムされているという。ステージ横に置かれたアクリル製のスタンドには、それぞれの特徴が書かれている――ワイルド・ウェンディ（「社交的で冒険好き」）、フリジッド・ファラ（「控え目で内気」）、マチュア・マーサ（「非常に経験豊富」）、S&Mスーザン（「痛み＝喜びの妄想を叶える」）、ヤング・ヨーコ（「とても若い（ぎりぎり十八歳）」と慎重な説明がされている）。ヤング・ヨーコ・モードのロキシーの手を取ると、彼女は「あなたと手をつなぐの、大好き」と言う。いっぽう、ワイルド・ウェンディ・モードのときは、「あなたがその手をどこに置きたいか、知ってるわ」と言う。「ワイルド・ウェンディを進歩させたら、いずれ『お願い、もっと激しく！』なんて言うようになります」などと、ダグラスは聴衆に語りかける。彼の体の全細胞が「コンピューターの陰に隠れたい」と訴えているように見えるが、彼はなおも話を続ける。「テンプレートやフォームに記入すれば、ロキシーはあなたの好きなものを理解します。セックスに関することでなくてもかまいません。セックスばかりが注目されていますが、私たちは『トゥルー・コンパニオン』という社名の通り、たとえば、仲間や友人を作り、絆を結ぶことに関心があるのです」。そのことばを聞き、多くのポルノファンは興味を失ったようだ。

AVNエキスポが終わると、ダグラスのニュースは世界中のメディアでトップを飾った。だが、ほとんどのジャーナリストは、彼が披露したのは数カ所に穴のある、頭にスピーカーをつけたお粗末なマネキンでしかないという事実に目をつむった。ロキシーは、まるで『ブレードランナー』のプリス〔ダリル・ハンナが演じた慰安用レプリカント」に続く第二のアンドロイドであるかのように取りあげられたのだ。フォックス・ニュース[3]は「ロキシーは液体冷却システムを稼働させる人工心臓を内蔵している」というダグラスの主張を幾度となく報道した。『デイリー・テレグラフ』紙[4]は「ロキシーはサッカーの話ができるうえ、必要に応じアップデートを自らワイヤレスでダウンロードできる」と伝えた。世界有数の工学雑誌『スペクトラム』[5]さえも、「ロキシーを完成させるために機械工、彫刻家、溶接工など十九人を雇った」というダグラスのことばをそのまま載せた。ABCニュース[6]によれば、ダグラスはロキシーの開発に百万ドル費やしたという。CNN[7]は、「美術モデルの体で型をとり、すでに四千件もの先行予約を受けている」と語るダグラスの話を伝えた。

　ダグラスとロキシーに会いにニュージャージー州に足を運ぼうと、私が初めてトゥルー・コンパニオンに連絡をとったのは、AVNでの初お目見えから六年後、二〇一六年のことだった。ナンシーと名乗る広報担当者がメールで返信をよこした。「多くの方々の助けになる製品を提供できることを、私たちはとても喜んでいます」。メールにはそう書いてあった。「最新モデルはバージョン16で、ご好評をいただいています」

　数日後、短い時間ではあるがニュージャージーのダグラスと電話で話ができることになった。彼が自分のビジネスをきちんと扱ってもらいたいと思っていることは明らかだった。「性的な役割は表面的なものです。そうした機能をもたせることは、じつはそれほど難しくありません。たいへんなのは人間の性格を再現し、人間とつながりを作り、絆を結ぶことです」とダグラスは話す。「トゥルー・コンパニオンの目的は、無条件の愛とサポートを与えることです。そのどこにマイナス要素がありますか？　そばで手を握ってくれるロボットを所有することのマイナス面とは、文字通りの意味でも比喩的な意味でも、いったいなんでしょう？」

人がくれるはずの安らぎをソフトウェアとハードウェアで代用することに対して感じる虚しさは、まさしくマイナス面以外のなにものでもないと思う。だが、ダグラスはそれには気づいていないようだ。

「現代の医療によって、私たちは長生きできるようになりましたが、生活の質は低下しています。それは、体の治療だけを考えているからです。そこに私たちは機会を見出しました。たとえば、脳性麻痺の患者がいるとしましょう。我が社の製品はその人の社会復帰を後押しします」

ダグラスはホリスティック・セラピスト〔心と身体はひとつにつながっているという考え方のもと、個々の症状ではなく心身の状態を全体としてとらえ治療していく方法を、ホリスティック・セラピーという〕にでもなった気でいるようだが、私の記憶には、ラスベガスでロキシーの股間をつついていた姿が焼きついている。

これまで何体販売したか、主にどういった人が購入するのか質問しても、ダグラスは具体的なことは話そうとしなかった。ニュージャージーに行ってロキシーが作られている現場を見たいと頼んでも、工場はインドにあって部外者は立ち入り禁止だと答え、「機密保持が何より重要」なので、ニュージャージーの研究開発ラボでデモンストレーションを行うには投資家の許可がいる、と言うだけだった。それでも「見学については後日連絡する」とは約束した。

だが、返事は来なかった。私は数週間おきに彼にメールを送り、どうなったかたずねた。ダグラスは「どうぞ、僕とロキシーに会いにニュージャージーにいらしてください」と一応は言うのだが、出張に出ているとかで日程を決めることができなかった。そのうち彼は、次の四半期に発表される予定のバージョン17の完成を待ったほうがいいと言いはじめた。何も決まらないままに数カ月がたったが、私は諦めなかった。合計で三十六通ものメールをやり取りしながら、訪問の日取りを決めようとした。すると、ようやくダグラスは、ラスベガスで開かれる次のAVNエキスポで会おうと言った。ところがいよいよ飛行機を予約しようという段になって、やはり無理だという。日程も場所も任せるし、ロボットはいてもいなくてもいいから会って話を聞きたいと最初に申し出てから、一年余りが過ぎていた。こちらはすっかりふり回されてしまった。

トゥルー・コンパニオンのウェブサイトには、ふくらんだ紫色の文字の**「いますぐ注文！」**ボタンがあって、基本価格九千九百九十五ドル〔約百二十八万円〕からロキシーを購入できるようになっている。だが、ジャーナリストかオンライン・フォーラムに集まる愛好家かを問わず、これまでにロキシーを手に入れることができた人はいない。新しい画像も、二〇一〇年以降発表されていない。私が知るかぎり、ロキシーはこの世に存在していない。彼女はアダルト業界のイベント、ウェブサイト、一部の新聞や雑誌でちょっと話題になっただけだ。IT業界によくある「ベイパーウェア」〔発売が発表されたものの開発が遅れ、いつ完成し発売されるかわからないソフトウェアまたはハードウェア〕なのだ。

ジャーナリストや学者や批評家は、いまなお盛んにロキシーについて議論を続けている。フェミニストの作家たちは、トゥルー・コンパニオンを好調なアダルト企業とみなして批判してきた。『ニューヨーク・タイムズ』紙[8]や『ロンドン・タイムズ』紙[9]のコラムニストは憤り、「フリジッド・ファラ」モードのロキシーを使って男性がレイプ願望を行動に移しかねないと非難している。ロキシーがガラテアと同じく神話のなかにしか存在しない創造物であることを明らかにするのは簡単なはずなのに、誰もそれをしたがらない。

私はデイヴキャットとふたたび話をすることになった。初めてのチャットから一年以上がたつ。スカイプをオンにしかけたとき、私とのチャットの予定があることを二千人ほどのフォロワーにつぶやいているシドレのツイートを見つけた。さて、どう反応したものか。四十五歳の男性が自分のセックスドールの名を借りて書いたツイートに「いいね」をつけるのもどうかとは思ったが、彼が私と話すのを楽しみにしてくれていることはうれしいので、何はともあれ「いいね」しておいた。

　デイヴキャットとシドレは前回と同じように座っていた。彼は同じシャツに同じネクタイ、同じタイピンをつけていた。トレードマークのヘアスタイルも変わらない。彼女は半そでの黒のトップス――「ミシガンも夏はそれなりに暑いからね」――に、マイクつきの白いヘッドセットをしていた。「彼女に君の声は聞こえているけど、話すことはできないんだ」とデイヴキャットは言う。彼は私に、新しいメンバーのダイアン・ベイリーを紹介した。ダイアンは台湾のパイパー・ドール社が最新素材である熱可塑性エラストマーで作った人形だ。デイヴキャットの家に来て三カ月になる。彼によるとダイアンは、「僕たちのなかで誰よりもポリアモリスト〔ポリアモリー（複数恋愛）とは互いの合意のもとで同時に複数の人と交際し、精神的にも強いつながりをもつ誠実な関係のこと〕なんだ」そうだ。しかし、それを除けば、彼の世界はほとんど変わっていないように見えた。

　デイヴキャットは、人形崇拝者の代表的な存在として認知されることでどれほどの特別待遇が受けられるかを知った。ハーモニーはまだ販売されていないが、前回話をして以降、デイヴは彼女に三回会っている。最初はマットのはからいで、特別にリアルボティックスの作業場に招かれた。あとの二回はそれぞれフィンランド、中国の映画撮影班といっしょだった。ハーモニーのうわさが聞かれるようになってこのかた、彼は忙しい日々を送っている。

「楽しいよ」とデイヴは言う。「でも、ほかの人たちももっと表に出てきてほしい。人形崇拝者は僕だけではないんだから」。彼の話では、人形を所有している人のほとんどは、マスコミは自分たちを変人扱いするに決まっていると思っている。人形崇拝を公言することの潜在的なリスクは、デイヴキャットもわかりすぎるほどわかっている。何年か前、彼がドキュメンタリーに出ていたことを職場の人たちに気づかれたことがあった。それが原因で、彼は別のオフィスに異動になったという。

「まったくやりづらいよ。人形を仕事場に持って行ったわけでもあるまいし」

「接客業だったんですか？」

「いや、コールセンターさ。十年で三、四カ所のコールセンターで働いたよ」

これには少しとまどった。人形の所有者は他人とのかかわりを好まない人たちのはずでは？　なぜ、知らない人と話さざるをえない仕事をわざわざ選んだのだろう？　すると彼は、何カ月か映画館でチケットをもぎり、ポップコーンを売っていたときや、短いあいだ玩具店で働いていたときは散々だったと語った。「ただひとつ救いだったのは、近くに大きなおもちゃ屋があったので、お客がまったく来なかったことだね」

私は人形売り場にひとりでいるデイヴキャットの姿を思い浮かべないようにした。

「いずれにせよ、僕は人と接するのが得意じゃない。でも、デイヴキャットとして活動するようになったことで、自分が大好きでたまらないものについて、人前で話すことができるようになった」。たしかに人づきあいは苦手かもしれないが、デイヴは自分と同じような人たちの代弁者として、居場所を見つけたのだ。

「初めてハーモニーを見たときは、衝撃を受けたよ」。彼は目を大きく見開いた。「もちろん人工知能はまだ開発途中の段階だけど、こんなものは見たことがない、と思った」。そのときはハーモニーの性格を選ぶことはできなかったそうだが、マットがあらかじめ設定した彼女はデイヴキャットの好きなスコットランド・アクセントで話し、元気でキュートで、淫らさの度合いは抑えてあった。「いくつか質問してみたんだ。『人間でいることをどう思う？』とかね。ＡＩがどれぐらいうまく機能するかはそのときどきで変わるけど、鋭いなあと思う答えもあったよ。『人間でいることは学習体験です』なんて言ったりするんだ。人工的に作られたこと、あるいは有機体であることをどう思うか、と質問してみてもいいかもしれない」

私は、ハーモニーに話しかけるようマットに促されたときに感じた違和感を思い出した。そこでデイヴに、「何を話せばいいか、悩まなかったですか？」とたずねてみた。

「じつを言うと、そうなんだ。彼女と会話しやすい語り口は限られていて。僕の話しかたは明らかにまわりくどいから、マットが言うには、彼女にわかるように無駄なことばを省いたほうがいいそうだ。言いたいことをうまく伝えるためには、脳のいくつかの部分をスイッチオフしないといけなかったよ」

三角形の前髪やタイピン同様に、デイヴキャットのことば遣いは個性的だ。ときおりポップカルチャーの話題に飛んだり、たまにイギリス英語になったりする。しかし、ずっと夢見てきた本物の関係を人形と築きたければ、彼はありのままの自分を抑えなければならないのだ。なんだか悲しい話だけれど、それは彼に限ったことではない。たとえばＳｉｒｉ、アレクサ、ハーモニーといった人工知能によって、私たちの角は丸く削られていく。それらに理解してもらうために方言や豊かな言語表現を使わなくなり、個性が消え、面白みがなくなる。私たちに望み通りのロボットを作る力があるのと同じように、これからは彼らのほうも私たちを思い通りに変えていくだろう。実際、そうした変化はすでに起きているのだ。

それでも、リアルな会話ができるようになるのなら、デイヴは犠牲などいとわない。ハーモニーのＡＩは、きっといつか彼の言うことすべてを理解できるぐらいに進化するだろう。そのときまでに彼の個性が消えてしまわないといいのだが。

デイヴキャットが最初にハーモニーに会ったときは、記者も彼に指示を出すＴＶプロデューサーもいなかったので、彼はまるまる三十分、好きなようにロボットとコミュニケーションをとることができた。身体的な接触はなかった。彼は「あくまでもプロらしく」いたかったし、ハーモニーを壊してしまわないか心配でもあったのだ。それに、彼らは完全にふたりきりだったわけではない。フォーカス・グループ調査〔数人を集めてグループを作り、指定のテーマについて議論をしてもらいながら情報収集を行う、マーケティング調査の手法のひとつ〕でもするかのように、そこにはリアルボティックスのチーム全員が同席していたのだ。しかも、デイヴのほうも友人を連れてきていた。

「彼女は友だちだったんだ。そのときは」。詳しく聞いてよ、と言わんばかりに、彼はゆっくりうなずいた。

「ガールフレンド？」

「ああ、そうだよ」

デイヴはその女性、リリーについて話しはじめた。リリーは正真正銘、有機体の、フランス人女性で、数年前にセックスとデジタル技術をテーマにしたＣＮＮの特別番組に出演したことがある。リリーは３Ｄプリンターで初期のアンドロイド――ＡＩも搭載されていなければ、動きもしない、頭のついたトルソー――を作り、フィアンセのインムーベイターと名づけた。ＣＮＮのレポーターは彼女への婚約祝いを持ってフランスに赴いた。「彼は人間のようにアルコール依存症にもならないし、暴力もふるわないし、嘘もつきません」。インムーベイターの関節のある指に自分の指をからませながら、リリーはそう言った。「うまくいかなくなったら、それはスクリプトかコードの問題です。修理するか、交換すればいい。その点、人間は予測できないし、変わるし、嘘をつくし、浮気もします」。ごく短いあいだだったが、リリーは女性の人形崇拝者として注目され、そしてデイヴキャットの世界観に魅了された。

「リリーもいっしょにアビスに行きたいと言ったんだ。僕も『それはいいね』と答えた。彼女はハーモニーを見て驚いていたよ。彼女はインムーベイターの写真を持ってきていて、それを見たマットも感心していた」。デイヴキャットは肩をすくめる。「しばらくつきあったけど、お察しの通り、うまくいかなかった」

「おつきあいはどれくらいでしたか?」

「一年……もいかないくらいかな。正直なところ、僕は遠距離恋愛は好きじゃない。彼女はフランスに住んでいたんだけど、カナダに移る計画を立てていた。ここから一時間もかからないからね。英語のコースを受講することにもなっていたし」

それは意外だ。

とまどいつつも、私はたずねた。「真剣なおつきあいだったようですね」

「かなり希望をもっていたよ。でも、リリーとは性格が合わなかった」。デイヴはことばを続ける。「彼女はいつも、『私たちはなんて似た者同士なの』と言っていたけれど、実際の共通点は一九八〇年代の音楽とロボットと人形が好き、ということだけだった。彼女は……こんな言い方はしたくないけど、ちょっとものの見方が狭いんだ。ロマンスに対する考え方を聞いていると、十五年、二十年前の自分を思い出すんだ」

彼はよくセックスを遠回しにロマンスと言うので、なんの話だかよくわからなかった。肉体関係のことを言っているのだろうか？

「あなたがたは何度、同じ部屋ですごしましたか？」

「えーと、二回かな。最初は十月に、ハーモニーに会いに行ったとき。その次は三月。リリーがここに来たときだ。すごく落ち着かなかった。居心地が悪かった。彼女は僕がこうしたいと思うよりも早いペースでものごとを進めていくんだ。正確に言えば、十月に会ってそれぞれの家に帰るとき、僕は彼女と別れようと思った。それからもう一度外で会って、三月に向こうがうちに来たのが最後だった。ことばの壁が理由のひとつさ。最初に別れようと思ったのは、僕たちが別々の飛行機に乗ろうとしていたときだ。僕が自分の気持ちを伝えようとすると、彼女は必ずグーグル翻訳にかけるから僕が言いたいことをスマートフォンにタイプしろ、って身ぶりで促すんだよ。そんなこと、いつもやってられない。僕はこういう話し方なんだし」。ハーモニーのためなら話し方を変えようとするのに、リリーのためにそうする気はないらしい。

「友人としての関係はつづいているのですか？」

そうたずねると、デイヴは笑った。悲哀のこもった、沈んだ笑いだ。「精神衛生のために、僕とは金輪際話をしないことに決めたそうだよ」

リリーの前にも恋人がいたが、シドレを購入したあと、「彼女が病的な嘘つきだとわかったのさ。まったく、最悪だったよ。彼女とはウマが合うと思っていたんだけど。僕だけじゃなく、シドレのことも魅力的だと言ってくれたからね」

「その人もやはり、あなたの人形への興味がきっかけで会うことになったのですか？」

「ああ」。真剣な顔でまたもや彼はゆっくりうなずいた。「彼女は僕のサイトを見てメールをくれたんだ。〈私はイギリス人です。あなたはイギリス人女性がお好きですよね。私は脚を見せるのが好きです。あなたは脚フェチですよね。カリフォルニア州の刑務所にある診療所に勤めています〉なんて書いてあったよ。僕も、〈素敵ですね〉とかなんとか返事をした。写真も送ってきて、魅力的な女性だと思った。ところが、じつは彼女は広場恐怖症でオハイオに住んでいて、三年も働いていなかったんだ」

「直接会ったことはないんですか？」

「ないよ。電話で話すのさえ、ひどく時間がかかったんだ。何しろ、英語だってろくに話せないんだから」

私にはずっと引っかかっていることがあった。デイヴキャットは私のために自分の性格を誇張して、社会的に孤立したフルタイムの人形崇拝者の役をいささか大げさに演じてみせているのではないかと。そうやって彼は、長年世界中の人々から大きな注目を集めてきたのだ。しかし、ここにきて、彼がまさにファンタジーの世界に住んでいるということが、はっきりわかった。前にも増して、私は彼を気の毒に感じた。リリーのことも。そして、オハイオの虚言癖の女性のことも。もしかすると、三人の人生は、セックスロボットを所有すれば好転するのかもしれない。故障の可能性こそあれ、ロボットは人間のパートナーのように絶望的な裏切りをする心配はないのだから。

「人間より人形との恋愛のほうが楽なのは、あなたが主導権を握れるからですか？」

デイヴはしばらく黙った。「正直に言ったほうがいいのかな？　そうだね。嘘をつかれたり、裏切られたりするような目には遭いたくない。恋愛に限らず、人間関係ではそういうことがよくある。それなら、人工的に作られたパートナーを九割がたコントロールできるほうがいいよ」。デイヴキャットはシドレを見つめる。「誰かとつきあっている人はみな、絶対に相手に嘘をついてほしくないし、浮気もしてほしくない。誰もがある程度はコントロール・マニアだ。僕の場合は人格の一部だと言ってもいいかもしれない。地雷を踏みたいとは思わないし、それに、やっぱり、地雷原にわざわざ足を踏み入れたくはない」

チャットを始めてから九十分以上たっていたが、デイヴキャットは会話を終わりにしたそうなそぶりは見せない。手をリアルドールの膝の上に載せ、安全地帯に戻った彼はどこまでも陽気だ。最後にサンマルコスを訪れたとき、マットはうれしいニュースをこっそり教えてくれたという。「企画をいくつか進めているらしい。たぶん、僕のための特別な何かじゃないのかな」。内緒話でもするみたいに、デイヴは言った。「『また来てください。そのときは、あるタイプの顔がもっと改良されているかもしれないからね』なんて言ってたよ」。デイヴキャットは、ふたたびシドレを見る。「この話はここまで。実現するといいんだけど」

マットはいつも感じがいい、とデイヴキャットは言う。「必ず最新の開発状況を熱心に教えてくれるんだ。友だちというわけじゃない。プロ意識が生み出す人との距離のようなものが少しあるのかな。彼はとても立派な人だ。実際に、彼と、そう、親しくできたら最高だろうけど、近ごろマットはとんでもなく多忙なんだよ。そんな彼でも、以前は飽きてしまったというか燃え尽きたというか、リアルドールの人気がここまで爆発するとは思っていなかったっていうんだから、おかしな話だよね。思うようにいかなかった時期があって、

『しばらくのあいだ人形製作から離れる』と宣言して、音楽の世界に入ったと言っていた」

「それはいつのことですか？」

「えーと、いつだったかな……見つかると思うので、ちょっと待っててもらえる？」ヘッドセットを外し、彼はカメラに映らない場所に何かを探しに行った。シドレはカメラの前でじっとしている。デイヴキャットが動くたびに、彼女の紫の髪の毛が揺れる。

CDを手に、彼は戻ってきた。「マットはアルバムを二枚レコーディングしてるんだ。これは二〇〇六年の作品。すごくいいよ、本当に」。デイヴキャットはCDをカメラの前に掲げた。アルバムのタイトルは『Hollow』。ジャケット写真には、バンドメンバーに囲まれ、グランジ・ファッションに身を包んだショートヘアのマットが写っている。写真の上には大きな文字で、『ニック・ブラック』と書かれている。

「それがバンド名。ニック・ブラック。真ん中にいるのがマットさ」

「人形のニックそっくり！」信じられない。

「そう！　あれはマットの顔なんだ。僕の想像だけど、あるとき彼はミュージシャンよりも人形製作者になったほうがはるかにいい仕事ができることに気がついたんじゃないかな。そして、人形を単なるセックストイではなくパートナーと考えている、僕みたいな人形崇拝者のことを知り、自分なら人工知能をもった、ものすごい人形を作ることができると考えた。マットのなかでルネサンスのようなものが起きたんだろうね。いま彼は、人工的に作ったものによって人間の生活を向上させることに満足しているんだと思うよ」

スカイプをログアウトしたあとでニック・ブラックを検索した私は、グーグルの穴で迷子になった

〔二〇二二年現在、「ニック・ブラック」の名で検索すると結果のほとんどが同名・別人のソロアーティストである〕。見つかったのは、三千人のファンがいる、めったに更新されないフェイスブックのページぐらいだ。最新の投稿は〈『Ｈｏｌｌｏｗ』や『Ａｗａｋｅ』のＣＤが欲しい人はメールください！　残りわずかです！〉で、一年以上も前のものだった。ユーチューブ・チャンネルも見つけたが、これは十年のあいだほとんど更新されていない。パワーコードでビートの強い「Ｓｏｒｒｙ」という曲にはビデオがあり、そのなかでマットはリンキン・パークのチェスター・ベニントンさながらに飛び跳ねて歌い、吸血鬼の歯でモデルの首をかんでいる。また、十年前に製作された、バンドの舞台裏を撮影した七分間のロキュメンタリー〔ロックとドキュメンタリーを合わせた造語。ロックやミュージシャンについてのドキュメンタリー映画やテレビ番組のこと〕は、夜の屋上にいるマットの映像で始まる。彼は遠くを見つめながら、こんなふうに言う。「ニック・ブラックは単なる僕個人の名前ではない。ただのバンド名でもない。それは考え方だ。過去の自分以上のものになるための手段なんだ」

言うまでもなく、現実はそうはならなかった。マットをそれまでの彼以上の何かにする力を秘めているのは、ニックではない。ハーモニーだ。

〔注〕

（1）ピュグマリオン

この考えはセックスロボットを研究する人たちの伝説になった。以下を参照。David Levy, Love & Sex with Robots (HarperCollins, 2007) および Kate Devlin, Turned On (Bloomsbury Sigma, 2018).

（2）ラオダミア

Kate Devlin, Turned On (Bloomsbury Sigma, 2018) は、この歴史と先史時代の詳細について考察している、興味深い読み物である。

（3）フォックス・ニュース

‘ROXXXY, the World’s First Life-Size Robot Girlfriend’, Fox News, 11 January 2010, http://www.foxnews.com/tech/2010/01/11/worlds-life-size-robot-girlfriend.html

(4)『デイリー・テレグラフ』紙

Andrew Hough, ‘Foxy “Roxxxy”: world’s first “sex robot” can talk about football’, Telegraph, 11 January 2010, https://www.telegraph.co.uk/news/newstopics/howaboutthat/6963383/Foxy-Roxxxy-worlds-first-sex-robot-can-talk-about-football.html

(5)『スペクトラム』

Susan Karlin, ‘Red-Hot Robots’, IEEE Spectrum, 15 June 2010, https://spectrum.ieee.org/robotics/humanoids/redhot-robots

(6) ABCニュース

Ki Mae Heussner, ‘High-Tech Sex? Porn Flirts With the Cutting Edge’, ABC News, 8 January 2010, https://abcnews.go.com/Technology/CES/high-tech-sexporn-flirts-cutting-edge/story?id=9511040

(7) CNN

Brandon Griggs, ‘Inventor unveils $7,000 talking sex robot’, CNN, 1 February 2010, http://edition.cnn.com/2010/TECH/02/01/sex.robot/index.html

(8)『ニューヨーク・タイムズ』紙

Laura Bates, ‘The Trouble With Sex Robots’, New York Times, 17 July 2017, https://www. nytimes.com/2017/07/17/opinion/sex-robots-consent.html

(9)『ロンドン・タイムズ』紙

Kate Parker, ‘A sinister development in sexbots and a strong case for criminalisation’, The Times, 21 September 2017, https://www.thetimes.co.uk/article/a-sinister-development-in-sexbots-and-a-strong-case-for-criminalisation-qxxxjkmsl

第3章「ロボットなら痛くもかゆくもない」

ラスベガスのダウンタウン。ブーンと音を立てるハロゲンライトの下で、ロベルト・カルデナスは裸の女性の型をとっている。ロベルトが胸と太ももに粘着性のあるピンク色のキャスティング（型取り）ジェルを少しずつ塗るかたわらで、彼の弟が写真を撮っている。髪の毛をジェルで固めたロベルトは、話し方は穏やかだが、神経質そうに笑い、どこか気詰まりな感じだ。マッド・サイエンティストの雰囲気をまといながら、骨折した脚のギプスを作る冷静で客観的な医者のようにも見えた。

「ライバルはいない」と、マットは話していた。いくつかの中国企業が安い材料を使って動きの限られた人形を作ろうとしているが、それらは人工知能を搭載したアビスのガールフレンドに何年も遅れをとっている、と。しかし現実には、マットと競って世界初のセックスロボットを市場に投入しようとしている起業家やエンジニアは、アジア、ヨーロッパ、アメリカじゅうにいるのだ。ネバダ州の州境を少し越えた辺りで、ロベルトは四年を費やし、エデン・ロボティクスの主力製品、すなわち彼が「完璧に機能する世界初のセックスロボット」と称する「アンドロイド・ラブドール」の製作に取り組んでいる。マットが理想的な女性の代用品を手作業で作っているのに対し、ロベルトは人間の型をとる。本物の女性と見分けがつかないほどリアルなヒューマノイドを作りたいからだ。

私がロベルトのことを知ったのは、「dollforum.com〔ラブドール所有者や製作者の交流・情報交換サイト〕」だった。彼はそこでロボット・ファンの意見を集めていた。〈こんにちは。僕はアンドロイド・ラブドールのセックスロボットを作っています。僕のプロジェクトをコミュニティと共有したいと思います〉と、ロベルトは書き込んだ。彼のロボットは「二十を超えるセックス・プレイ」ができ、「自力で直立姿勢を保ち、座り、四つん這いになる」ことができ、「性交中に快感を覚えれば喘ぎ声を出す」ことができ、「コミュニケーションのための発話ＡＩを搭載」しているという。

さらにロベルトは、〈コミュニティのみなさんが、セックスロボットにどんな機能を求めているかを知りたいんです〉と投稿した。〈ご精読ありがとう。人とロボットの関係の新時代へようこそ〉

投稿には彼のウェブサイトへのリンクが貼ってあった。そのサイトには、うつろな顔をしてとがった肩パッド入りのジャケットを着たヒューマノイドの画像と、金属でできたロボットの骸骨が正常位で身もだえする不気味な動画が流れていて、映画『ターミネーター』の第一作に出てくる、皮膚が燃えてなくなったサイボーグを思い出させた。

反応はすぐに表れた。

最初のリプライは、〈アイコンタクトできたらいいだろうな〉だった。次に来たのは、〈音声認識〉。続いては、〈歩けるといった難しいことより、息づかいのほうが重要〉。四つ目のリプライは、〈頭のてっぺんからつま先まで、全身で体温が感じられるガイノイドを作ってほしい〉だった。

フォーラムのメンバーはロベルトの話に半信半疑ではあったが、控えめながら喜んでいる人たちもいた。〈納得できるものを作ってくれさえすれば、ここに集まる多くの人たちは、きっと君の製品を買うと思うよ〉。そんな書き込みもあった。〈君（あるいは別の誰か）には成功してほしいんだ〉。コミュニティに集まる人たちは、マットやダグラスがよく言うような、障害をもつ、孤独な、社会的に孤立した顧客のようにはまったく思えなかった。妻やガールフレンドの話題になることもあったし、彼女たちはシリコン人形の愛人と比べて見劣りするなどと言う人もいた。

あるとき、ロボットの美しいプロポーションを考える参考になればと、自分の人形の写真をロベルトに送ってきた人がいた。人形はヒョウ柄の下着姿で、狩猟用ナイフと刃のついたナックルダスターを持ち、短剣が飾られた壁の前に立てかけられていた。送り主は〈僕がしてほしいときに、料理や掃除、セックスしてくれるリアルドールがいたら、二度と人間の女の子とデートに行かないだろうな〉と書いていたそうだ。〈それが僕の心からの望み。ただの願望だけどね〉

モデルの女性が到着する前にロベルトと話をするため、私はタトゥー店の上にある型取り作業をするスタジオへ、午前十時に向かった。午前十時のラスベガスは、夜とはまるでちがう街だ。タトゥー店には鍵がかかっていて、ほかの入り口も見つからない。ロベルトに電話をすると、裏口に回るよう言われた。裏口は、捨てられた家具やショッピング・カートであふれた路地にあった。それまでに何度か、私たちは電話で話し、メールのやりとりをしていた。自分が価値あるものに取り組んでいることを証明しようと、ロベルトはロボットの写真や動画を送ってくれていた。けれど、現場に到着した私は、これから自分が何に足を踏み入れようとしているのか、少しもわかっていないことに気づいた。

ロベルトは度の強いメガネをかけ、キューバ訛りが強く、マットのような尊大さはみじんも感じられない。すべてにおいて、ロベルトはマットとは正反対なのだ。エデン・ロボティクスはロベルトの副業である。本業は調剤技師で、カウンターの奥で薬剤を計量するのが仕事であり、顧客には接しない。彼は人と話すのは苦手だが、にっこり笑って私と握手をし、自分の運を開くはずのプロジェクトに興味をもつジャーナリストを喜んで迎え入れた。

スタジオは床から天井まで光沢のある黒で塗られている。折りたたみテーブル、白いシンク、いくつかの箱のほかは何も置かれていない――まるで暗く光る虚空だ。父親のちがうロベルトの弟、ノエル・アギーラがアロハシャツに青のローファー、ネイビーのジーンズというでたちで、両腕を組んで私たちを待っていた。ノエルはロベルトより七歳下の二十三歳。ロベルトより六年早くアメリカに来た彼の話し方はアメリカのアクセントに近く、態度はアメリカ人らしく自信たっぷりだった。

「これは新しいビジネス分野なので、自分たちも実践しながら学んでいるんです」。ノエルが私に説明していると、ロベルトは段ボール箱を開けはじめた。「僕はマーケティング、ロゴのデザイン、ウェブサイト、マスコミ発表を手伝っています。最良の販売方法を見つけたいと考えています。ロボットにかかわる人たちは、……変わっていますから」。そう言ってノエルはにやりと笑う。「おかしな依頼もいくつかきましたけど、全部断りました。僕らの作ろうとしているものは、そんなものじゃないんです」。ノエルにも本業がある。ザ・コロシアム〔古代ローマの闘技場を模したラスベガスの名物シアター〕のチケット売り場に勤め、セリーヌ・ディオンやエルトン・ジョンのライブでチケットもぎりをしているのだ。彼のほうは客に接するのに慣れている。といっても、相手にするのはあくまでも多くの人と同じような趣味をもった客たちだが。

今日のモデル、ファラはまだ来ていないが、彼女を待つあいだも、ロベルトはアルギン酸ナトリウムと呼ばれるピンク色の粉末の重さを量り、白いプラスチック製容器の中で水と混ぜ、キャスティング・ジェルを作るのに忙しい。ロベルトがアンドロイド・ラブドールの型をとるのは、ファラで四人目か五人目だという。全身の完全な型をとるためにたくさんの型取りが必要になるのは、今回が初めてだ。

「ファラをモデルに選んだ理由はなんですか?」と聞いてみた。

「曲線美ですね」。魔法の薬を作っている手元から一瞬顔をあげて、ロベルトは答える。彼はこれまで型取りしたものよりも豊満な体型を好む客から注文を受け、その人の細かい指示に従って人形を作っているのだが、彼の市場調査によると、体つきの大きな人形を一般発売することは商業的な意味で理にかなっているそうだ。「人形のコミュニティに集う人たちは、お尻の大きな曲線美の女性がとくに好みなんです」

そこへ、新鮮な空気みたいに、ファラが軽やかに入ってきた。ベガスで着るにはちょっと暑そうな、体にぴったりした長袖タートルネックの、アッシュグレーのニットワンピースを着て、髪の毛を無造作にお団子にまとめ、ストリッパー・ヒールをはいていた。笑顔がまぶしく魅力的な女性がいてくれるのはありがたい。彼女が来た瞬間、ロベルトがかもしだしていたぎこちない雰囲気がどこかに消えてなくなった。

「初めまして！」彼女は微笑む。「私に連絡をくださったのはどなた？」彼女は私を見る。「あなたかしら？」

「私はジャーナリストです」

「初めまして！」

　ロベルトが前に出てファラと握手する。

「それで、なんのために型を作るんでしたっけ？」とファラはたずねた。

「アンドロイド・ロボットのためです。人形のようなものですね。いろいろな体位をとらせて――」

「つまりセックスドールみたいなもの？」

「最初はそんな感じでしょうね。いずれ家であなたの手伝いができるようになりますよ。家政婦みたいに」

「おもしろそう！」

　ファラはクレイグリスト〔物品からサービスまで、なんでも「売ります・買います」という情報が掲載できるマッチングサイト〕でこの仕事を見つけた――型をとるのに二時間で二百ドルが支払われるほか、彼女モデルの人形が売れるごとに、一体につき五百ドルの歩合を受け取れる。「よさそうな仕事だと思ったんだよね。ベガスじゃ、昼間はギャンブル以外にすることがないし。私の人形、売れるといいんだけど」。彼女はロベルトにまばゆい笑顔を向けた。「最高にかわいく作ってよね。そうでなきゃ、ブチ切れるよ！」

　ロベルトが床を保護するビニールシートを一面に張っているあいだ、ファラと私はテーブルを囲んで話をした。ファラは八年間ダンスをウェブカメラで生配信していて、夜はスペアミント・ライノ〔ストリップクラブ〕で働きながら不動産の学校に通い、七歳の息子を育てている。イラク人の両親は、彼女が何をして生計を立てているかを知らない。ファラが二十七歳と聞いて驚いた。彼女は、柔らかく、なめらかなカーブが美しい、無駄な脂肪が少しもついていない体をして、もっと年若い女性にしかない類のなまめかしさがあった。

「求人を初めて見たときは、ちょっと疑いました」。ファラは小声で言った。ロベルトは部屋のむこう側で忙しくしている。

「話がうますぎて怪しいって？」

「ええ、お金を払ってもらえないんじゃないかって。クレイグリストはちょっと怖いので」

ロベルトはファラに立ち方を教えた――両脚を開き、両腕は体の横から離し、手のひらを前に向け、いつか見た頭のないリアルドールのように指を広げる。ワンピースを脱ぐと、タトゥー以外何もない体が露わになる――下着もない、体毛もない。私は彼女に六インチ〔約十五センチ〕のハイヒールを脱いだらどうかとすすめた。いまから長いこと立ちっぱなしになると思うと、見ているだけのこっちまで足が痛くなりそうだ。ロベルトはアルギン酸の型取り剤を肩から塗っていく。ファラは気持ち悪そうに笑った。「ものすごく冷たい歯磨き粉みたい」

「あなたの体で作られた型がどう使われるのか、ご存じですか？」と、私はたずねた。

「今年のAVNエキスポで同じようなことをやってた。これは新しい流行で、人気が出るだろうって。ふれあったり、話をしたりすることができるロボット。そんなことができるなんて、ロボットにお金をかけるなんてすごいと思った。役に立てるなら何でもする。素敵だもの。いいじゃない？　未来の一部になれるなんて、悪くない」

私は「あなたの体の人形を買う人がいることや、その人たちが人形を使って何をするのか、考えたことはないですか？」と聞いてみた。ロベルトはべとべとしたジェルを彼女の乳首のまわりに優しく塗っている。

「気にならない」。弾むように、彼女は答える。「ストリップで踊るより全然いい。ストリップじゃ、男たちが私の体を見て楽しむでしょ。その点、ロボットを買った人が何をしようと、私自身がその場にいるわけじゃないもの」

「あなたはいまここで、まさにセックスの道具にされようとしているんですよ」

「そんなふうに言われたら、そう思わないでもないけれど、別にかまわない。むしろ、誰かの愛情行為のお手伝いをするんだと思ってる。男には性欲があるんだし、ロボットで何をしようと、それは私じゃないし、なんとも思わない。私のロボットには大ヒットしてほしい。そうなったら最高でしょうね」

ファラは「本物のヴァギナ」の型をとれるよう、脚を開いたほうがいいかたずねたが、ロベルトはその必要はないと答えた。

「彼は仕事のときはとても静かね。ほとんど感情を見せない」と彼女は言う。

私は「まさにロボット・エンジニアですね」と言って、肩をすくめる。

「ほんと！　その通り」

細かい部分まできちんと型をとるため、ロベルトは膝のしわにもていねいにジェルを塗る。ノエルは写真を撮りつづける。石膏テープがギプスのように全身に巻かれると、ファラは動けなくなった。重さが体にずっしりとのしかかってくる。しかも彼女は空腹だ。それでも、完全に乾くまでは自由の身になれない。ロベルトはファラの気分を和ませようと、スマホを持ってきて彼らのアンドロイド・ラブドールのプロトタイプ、エヴァの写真を見せた。

「うわあ、すごい」とファラは驚く。「すごいね。とてもリアル。でも、少し目が怖い」

「まだ眼球が入ってないからね」

九十分後、ノエルとロベルトがファラのギプスを外す。伏せたまま床に置かれた型は、首を切られてうつぶせにされた死体みたいだ。彼女の肌のしわのひとつひとつ、へそのまわりのひだをはじめ、細かい部分まで何もかもが石膏の中に固められていた。このあとそれをグラスファイバーで複製し、シリコンで再現する。ロベルトはファラに現金で二百ドル払い、体の反対側、腕、最後に顔の型をとるために彼女にもう一度来てもらうことにした。三人とも、とくにロベルトが、うれしそうだ。「何かを作るときは、最高の完成度にしたい」と彼は顔をほころばせた。「あれぐらい細かいところまで再現したいんです。ロボットと人間の女性の区別がつかないくらいに」


ロベルトは私がロボットをこの目で見るためにラスベガスまで来たことを知っていたはずだが、その日エヴァはスタジオにはいなかった。彼女がいたのは、そこから車で二十分ほど行った郊外のゲーテッド・コミュニティ〔壁や門で周囲と隔絶された住宅区画〕の、彼とノエルが母親とともに暮らす自宅のガレージにある作業場だった。犬の毛をはらい、石膏でできた体のパーツをよけて、ロベルトは車のバックシートに私の座る場所を確保した。それから、ロボットに人生を捧げるようになったいきさつを語りはじめた。

「朝食を食べてシャワーを浴びたら、午前八時から午後一時までロボット製作をしています。それから薬局に行って七時まで働き、戻ったらロボットかウェブサイトの作業をもう少し続けます。いまやっているのは骨格の作業です。先週はずっと、強力な新型モーターを脚に取りつけていました。前のはパワーがだいぶ足りなかったので。作業は毎日やっています」

ロベルトがアメリカで暮らしているのは、彼の母がアメリカで暮らす権利をたまたま手に入れたからだ。一九九〇年代、難民資格をもつキューバ人は抽選で家族ともどもアメリカの市民権を得ることができたのだ。母はノエルを連れて二〇〇〇年にアメリカに渡った。ロベルトは祖母の世話をするためキューバに残り、二〇〇六年に祖母が亡くなったあと、母のもとに来た。「キューバでは、人々はテクノロジーに飢えています」と彼は言う。「だから、テクノロジーで人々の生活を助けたいんです」。自分の力で会社を興し、無一文から大金持ちになって大成功を収めるというアメリカン・ドリームに燃えて、ロベルトはアメリカの地を踏んだ。二〇一九年までにロボット工学への支出が千三百五十四億ドル〔約十七兆三千億円〕に達すると予測する『フォーチュン』誌(1)の記事(二〇一六年)を読んだとき、天職を見つけたと思ったそうだ。「ロボット工学にはずっと興味がありました。これこそが僕の情熱。ロボットが大好きです。最高の仕事だと思っています」

目指しているのは、洋服のモデルになったり、小売店のレジで働いたり、ホテルで宿泊客の案内をしたり、家の用事をしたり、病人の看護や高齢者の介護をしたりすることができる、実用的なヒューマノイドの製作だとロベルトは語る。セックスロボットから始めたのは、作りがシンプルだからだ。「動かすのは簡単です。完璧なアンドロイド・ロボットは数年で完成するでしょう。セックスロボットはすでに市場に出回っています。目標を達成するのに、それがいちばんてっとり早い方法なんです」

ロベルトの家族は、一丸となって彼の夢を後押ししてきた。マーケティングとコミュニケーションを担当するノエルのほか、叔父は週末に作業場を手伝い、サイバネティクス（人工頭脳学）の博士号の取得を一年後に控えたいとこも協力している。ほかに必要なものはなんでもグーグルやユーチューブ、アマゾンで手に入る。「ほぼ独学です。本を読んで勉強します。すごく忙しいです」。家族はこれまでに、二万ドルの蓄えをロベルトのプロトタイプに投資している。

「まもなくエヴァは目で人の動きを追えるようになります。人形コミュニティに集う人たちは温かい肌をほしがっていますから、肌に埋め込んで温度を上げるセンサーを開発したいですね。シリコンを使うと熱くなりやすいので、安全な方法を考えなければなりません。自然に濡れる人形がほしいと言う人たちもいます。それもなんとかするつもりです。僕らはバーチャル・リアリティの技術を盛り込むことにも興味があります。自分の動きに合わせて動く人形は、遠距離恋愛中のカップルが使うことができます。人形と人間の、本物の関係を築きたいんです」

ロベルトは人間との絆というよりは、ロボットの動きを開発するほうに興味があるらしい。ＡＩ――人間とロボットの関係構築を可能にするもの――には、アニマトロニクスを理解してから取りかかることになるのだろう。彼によると、究極の目標は、歩いて顧客の家まで行けるロボットを作ることだという。「セルフ・デリバリーです」

アビス・クリエーションズのリアルボティックスで進行中の作業や、東アジアのセックスドール・メーカー各社が行っているアニマトロニクスの実験についてのうわさは、もちろんロベルトの耳にも入っている。しかし彼は、自動モードでセックスの体位がとれるロボットをいち早く世に送り出すことができれば、ライバルたちに打ち勝って、ビジネスで優位に立てると考えている。「全身を動かせるロボットに関しては、僕が最初に実現できます」とロベルトは言う。価格もライバルたちより下げるつもりだ。ロボットは一体で八千ドルから一万ドルを予定していて、五人の顧客がすでに支払いをすませている。

　ロベルトの自宅の敷地に入り、ガレージの外に車を駐めるころには、私のなかでエヴァへの期待は大きくふくらんでいた。ロベルトがスイッチを入れるとガレージの扉が開き、作業場が現れた。舞台のカーテンがゆっくり、ゆっくり上がっていくみたいだった。

　二十以上の体位をとることができるうえ、四つん這いになって喘ぎ声も出せるし、完全に機能するＡＩを搭載しているとロベルトが主張する、ロボットのエヴァ。彼が「二十四時間、三百六十五日準備ＯＫ」だと私に語ったそのロボットは、頭も脚もない状態で、ガレージの奥にあるテーブルの上に寝かされていた。シリコンの肌から金属製の骨格がはっきりと透けて見え、肌には太いぎざぎざの縫い目がある、ひどい代物だ。「頭を取って来ます」。ロベルトは言い、のろのろと家の中に入って行った。少し遅れてノエルもついて行った。

　作業場はまるでロベルトの執着のモニュメントのようだ。頭のないシリコンの体がもうひとつ、隅のマットレスに寄りかかっている。その隣には、いくつものマネキンやトルソー、爪を紫に塗った脚のほか、石膏で作られた人間の頭の型がたくさん入った大きな段ボール箱が置かれている。床はフィルターだけを残したニューポート〔タバコの銘柄〕の吸い殻だらけだった。

兄と弟は、ウェブサイトで見た覚えのある、茶色いウィッグをつけてうつろな目をした頭のほか、チクチクしそうな厚手の黒いストッキングとピンクのリボンの飾りがついた白のクロッチレス・ショーツを手に戻ってきた。ロベルトは不器用な手つきでエヴァに服を着せ、頭をねじで首に留め、ぼろぼろの革製の椅子の上にあるラップトップにつないだ。だが、その日エヴァが私のために動いてくれそうな気配はなかった。ロベルトはあちこちいじったり、再起動したり配線をやり直したりしたあげく、エヴァのサウンド・ファイルを読み込むことはできそうにないと言った。新しく取りつけた手足が既存のサーボモーターには重すぎて、動くことができなかったようだ。脚を曲げさせようとすると、関節がギシギシと音を立てた。

「いまはまだ、何をするのも試行錯誤なんです」。ロベルトは肩をすくめたが、気まずそうな様子は皆無だった。「あくまでプロトタイプですから」

ロベルトは自分のロボットがいつか完成すると固く信じている。夢を実現させ、家族が彼を信じる気持ちも、金銭的な支援も正しいことを証明しようと決意しているのだ。

「こういうロボットを作っていて、何か気になることはありますか?」と、たずねてみた。

「いや、まったくないですね。テクノロジーは進歩しています。もうすぐ、ロボット工学やテクノロジーはいまよりもっと生活に身近なものになるでしょう。ロボットは人づきあいを円滑にするんです」

「では、セックスするロボットを所有したいと思うのは、いたって健全なことだと?」

マーケティング担当のノエルが、私の口調の変化に気づいたらしく、話に入ってきた。

「レイプや虐待などの被害に遭う女性たちがいます」と、ノエルは神妙な顔で話し始める。「ロボットはまちがいなく女性を守ることができます。男性は妻に怒りを向けず、ロボットを怒鳴り、ロボットを叩けばいいんです。そうすれば問題ありません――」と言って、彼は両腕を広げた。「だって、ロボットなら痛くもかゆくもないんですから。大丈夫ですよ！」

冗談に気をよくしたのか、口を開けてふたりは笑った。いや、あながち冗談でもないようだ。

「ちょっと待ってください。女性を殴るような人には、かわりにレイプしたり殴ったりできるものを与えるのではなく、そうした感情をいっさいもたないように促すべきでしょう」

「もちろんです。ロボットはそういう人を助け、心を鎮め、したいことと実際にすることのあいだの安全装置の役割を果たすでしょう」とノエルは言った。

帰り際、ふたりの母親のマリリンがちょうど仕事から戻ってきた。細いチェーンに大きな十字架のついたネックレスを首にかけている。息子の取り組みについてどう思っているか、私はどうしても聞いてみたくなった。

「うちのガレージには天才がいるの。映画で見たアップルのあの人、スティーブ・ジョブズみたいな」。彼女は優しくそう言った。喜びで頬が紅潮している。「ロベルトのアイデアはすばらしいわ。すごく仕事に集中している。彼には、あなたなら星にだって手が届くって言った。空だって遠くない」

「息子さんはあなたの誇りなんですね」

「ロベルトには目標を実現させる力があります。とても賢い子ですから」。手を胸に当てて、彼女は言う。

「私の息子だもの」

ラスベガスに活気を連れてくる夜の闇が訪れ、私はホテルに戻った。くたくただった。建物の外に取りつけられた巨大なスピーカーが、音楽――にぎにぎしく弾み、ギャンブラーをホテルのカジノへと誘うビート――をがなり立てている。カードキーをスワイプして部屋に入ると、私は大きなベッドにごろりと横になった。ベッドサイドのテーブルにある金属製の皿には、個包装された耳栓――ワックス耳栓あり、フォームタイプあり、シリコン製あり――が山盛りになっている。それはホテルが引き起こす騒音問題のために、ホテルによって与えられる大量の解決策である。言うまでもなく、ただ音楽を止めればいいものを、そうはせず、代わりに小さなテクノロジーを提供する。それなら音楽を止めずにすむからだ。

私の頭はエヴァのことでいっぱいになった。体は本物の女性に近いが、なんにも感じないからといって殴られるロボット。原因に対処せず、私たちはいつも何かを発明して問題を帳消しにしようとする。

世界中の男性が力、ステータス、自信を失いつつある混乱の時代に、セックスロボットは市場に現れた。一九六〇年代の「性の革命」〔一九六〇年にアメリカで経口避妊薬が開発され、六〇年代を通して性行動や生殖に対する女性の自己決定権への意識が高まったムーブメント〕とその後の第二波フェミニズムによって、今日、少なくとも西側諸国の女性は、自分で寝る相手を選べる、選ぶべきだという認識とともに成長してきた。女性たちはもう、父親や夫の所有物ではない。女性たちは充実したセックスをする権利があると思っているし、昔とちがってよくないセックスを我慢する気もない。

世の中には、女性の願望や自己決定権を尊重するようになったこうした変化を、きわめて都合が悪いと感じる男性たちがいる。そのせいで自分たちのセックスの機会が奪われたと、彼らは激怒しているのだ。

　昨今しばしば話題にのぼる「インセル」とは、自らを「不本意な禁欲主義者」と呼ぶ人たちのことである。女性もいないわけではないが、インセルを名乗るのは、自分にはしたいときにいつでも望み通りの女性とセックスする権利があると信じ、自分とのセックスを拒否する女性を憎悪する異性愛者の男性が圧倒的に多い。彼らは、自分とたやすく寝る女性を欲望しながら、そうでない女性の自由を「尻軽だ」と言って憎む。彼らは自分とのセックスを拒む女性を嫌う独特のミソジニー（女性嫌悪）をもっていて、女性が自分とセックスしたいと思わないのは、自分が金持ちでないからでもルックスが悪いからでもなくミソジニストだからだとは考えもしない。

　インセルはネットの掲示板で、女性は性的な力で男性を支配し、虐げていると主張する。彼らは、警官に殺されない権利を求めて闘う黒人同様に、自分たちは女性からひどい仕打ちを受けながらもセックスの権利を求めて闘う、社会に無視されたグループだと訴える。私は、〈女はアバズレほどチヤホヤされている。奴らは殺され、嫌がらせされ、「目ん玉をレイプ」されて当然だ〉と憤るインセルの投稿を読んだことがある。こうした書き込みを「一部の哀れな負け犬たちがオンラインでわめいているにすぎない」と片づけるのはたやすいが、気になるのはその数の多さだ。二〇一七年十一月に、女性に対するレイプや暴力を称賛したとしてレディット〔コミュニティ機能のあるSNSのひとつ〕がインセルのコミュニティを閉鎖したが、そこには四万人ものメンバーがいた。メンバーとは、掲示板に積極的にメッセージを投稿している人のことで、ログインせずに読んでいるだけの人たちは含まれない。それに、レディットは数多く存在する類似のオンライン・コミュニティのひとつでしかない。

しかも、インセルはネットの世界だけにいるわけではない。現に過激な連中が無差別殺人に走っている。自らをインセルと名乗る男たちに殺された人の数は少なくとも十六人にのぼる。二〇一四年にカリフォルニア州アイラ・ビスタで、エリオット・ロジャーが銃や刃物で六人を殺害し、十四人にケガを負わせた末に自殺した。凶行の直前、犯人はユーチューブに動画をアップし、カメラに向かって、〈おまえら女どもがなぜ俺の魅力を理解しないのか知らないが、これから罰を与えてやる〉と語っている。その四年後、トロントではアレック・ミナシアンが運転していたバンで群衆に突っ込み、十人が亡くなり十六人が負傷した。フェイスブックに〈インセルの反逆が始まった!〉と投稿した直後のことだった。インセルとは名乗っていなくても、二〇〇七年にバージニア工科大学で銃を乱射し三十二人もの人を殺害したチョン・スンヒ、二〇一五年にオレゴン州で九人を射殺したクリストファー・ハーパー・マーサーのような性的欲求不満を動機とした男たちの手で命を奪われた人の数は、もっと多い。

このように、男たちの性的な欲求不満が攻撃性に転じるのは危険なことだ。そして、セックスロボットがその解決策になると考えているのはノエルだけではない。『ニューヨーク・タイムズ』紙(2)や『スペクテイター』誌(3)も、将来セックスロボットが不本意な禁欲者の不満を鎮めて性欲を満たすことになれば、これ以上彼らが人々に危害を加えることはないだろうと示唆しているのだ。セックスロボットは「性の再分配」を可能にするとさえ言われている。つまり、セックスは人間に与えられた当然の権利であり、ロボットがあれば、セックスできない男たちにとって人生はもうみじめなほど不公平なものでなくなる、というわけだ。

しかし、セックスロボットは解決策ではなく、新たな問題が生まれる前兆である可能性のほうが高い。セックスロボットの開発は、インセル文化やディープフェイク・ポルノの発展と時を同じくして進められてきた。ディープフェイク・ポルノとは、ポルノ動画の出演者を別人の顔（同意の有無にかかわらず、有名人、元配偶者や恋人、誰の顔でも）に差し替えた動画のことだ。いつでも無料で手軽にポルノを見られるだけでは飽き足らず、自分の欲望をそっくりそのまま叶えてくれるものをほしがる男たちがいる。自分の好きな俳優がそれをどう思おうが関係ない。ディープフェイクならどんな人をポルノ動画に出すことだって可能だ。向こうは何も知らないし、何も感じないのだから。

もっと極端な話をすれば、相手がセックスロボットなら、男性は完全な支配権をもつことができる。つまり、セックスロボットは、自主性のないパートナーを手に入れる機会を、それをいちばんほしがる男性に与えることになるのだ。願望や自由意志といった面倒なものをもたず、自分のほうが絶対的に優位に立つことができるパートナー。ポルノスターに似ているが、何をしてもえずきもせず嘔吐もしない、泣きもしないパートナー。一部の男性にとって、それは人間の女性のアップグレード版だろう。けしてノーと言わないセックスロボットは、そうした欲望を満たすものなのであって、欲望そのものを消し去るわけではない。

中国や日本には、子どもの姿をしたセックスドールを平気で作っているメーカーがある。子どもに性的魅力を感じる人に人工的な代用品を与えることは子どもに対する性的虐待を食い止めることにつながる、というのがその持論(4)で、彼らに罪の意識はない。ヨーロッパや北アメリカでは、これまでに子どものセックスドールを国内に持ち込もうとして逮捕された人たちがいる（イギリスの古い法律は、子どものセックスドールの使用ではなく、輸入そのものを違法と定めている）。それがニュースになるたび、子どものセックスドールが存在しているという事実に世の人々はぞっとする。それを所有することで小児性愛者が欲望のままに行動するのを防げることを示そうと、執拗に考察を続けている研究者も何人かいる。彼らはどうやら、メサドン〔麻薬系の鎮痛薬〕がアヘンの代わりになるように、人形が子どもの代用品になりうるとでも言いたいらしい。とはいえ、多くの人々は、小児性愛者の衝動を満足させる安全な方法などないし、人形は彼らを鎮めるわけではなく、ただ楽しみを与えるだけになってしまうという見方で一致しているようだが。

我こそ世界初のセックスロボットを発表するのだと競っている人たちは、誰ひとり子どものモデルを市場に送り出そうとはしていない。あのダグラスでさえ神経をとがらせて、トゥルー・コンパニオンが作るロキシーの「ヤング・ヨーコ」バージョンを、「ぎりぎり十八歳」以上に設定している。しかし、人に危害を加える違法な虐待行為を助長しかねないという理由で子どものセックスドールをタブーとするなら、成人女性に似せて作られたロボットを使ってそのよこしまな妄想を叶えることを許すのはどうなのだろう？　子どもに近いリアルな人形の存在があっても人間の子どもに害が及ばなくなる可能性はないと思うなら、セックスロボットが人間の女性にいっさい危険をもたらさないと、どうして確信できるのだろうか？

言うまでもないが、極端な論調で男性の権利を主張するオンラインのコミュニティ、いわゆる「マノスフィア〔フェミニズムに対するバックラッシュとして「男性の権利が不当に侵害されている」といった論を主張する男性たちの集団の総称〕」はセックスロボットのアイデアに大賛成だ。また別の章で彼らの言い分をたっぷり取りあげるつもりだが、ここでもオンライン・コミュニティ「我が道を行く男たち（Men going their own way）」、略称ミグタウ（ＭＧＴＯＷ）（mgtow.com）に書き込まれたコメントのいくつかを、道徳ぶった卑猥なことば遣いと、句読点と構文もオリジナルのまま省略せずに紹介させてほしい。

〈女のc****〔女性器を示すスラングと思われる〕をロボットに取り換えるときが来た！〉

〈数千年にも及んだ、女のc****支配の終焉〉

〈『創世記』のなかで、神は女性を作り、我々に「伴侶」として与えた。我々を助け、我々に従う、温かくて思いやりがあり、献身的で、人の気持ちのわかる人を……。いや、そんなもの、手に入らなかった。そうだろう？　神が作りたもうたものは堕落し、本来なるべきはずのもの（女性）とはほど遠い生き物になった。だから我々は自分の手で伴侶を作らなければならない。そうすれば神が約束したパートナーをようやく手に入れることができるだろう〉

これらは、ロベルトの作業場から六千マイル離れたスペインはバルセロナの郊外、ルビーで、やはり車庫を作業場にしているスペインのエンジニア、セルジ・サントス博士の記事に対してつけられたコメントだ。セルジは世界初のセックスロボットを開発したと主張する、私が見つけた四人目の人物だが、マットやロベルトやダグラスとは異なり、彼のロボット製作は学術研究プロジェクトの機械学習の実験として始まった。セルジはその結果を「サマンサ・プロジェクト(5)——人間の感情の推移をモデリングするためのモジュラー型アーキテクチャ（The Samantha Project: a Modular Architecture for Modeling Transitions in Human Emotions）」のタイトルで論文にまとめ、『インターナショナル・ロボティクス・アンド・オートメーション・ジャーナル』に発表している。セルジはもともと極小粒子の特性を研究するナノ科学の博士で、この四年間は人工的な心の理論のモデルの研究に取り組んでいる。

当初セルジは頭脳の設計だけを計画していたが、そのうち人間とのやりとりをリアルにするために、頭を載せる本物らしい体があったほうがいいと考えるようになった。そんなとき、セルジの妻、マリッツァ・キサミタ一キがたまたま超リアルなセックスドールの世界を知った。セルジは五万ドルを費やして、リアルドールや安価な中国製モデルなど十体の人形を世界中から集め、マイク、スピーカー、内蔵コンピューター、タッチセンサーを取りつけて、それらを人間が触ると反応し、人間とのやりとりを通じて学習できるロボットに変えた。彼がロボットをサマンサと呼ぶのは、それがアラム語で「聞く人」を意味するからだ。

マリッツァはセンサーを体に埋め込む方法を研究し、グラフィック・デザイナーからロボット組み立てのエキスパートになった。サマンサは動きに関してはそれほど秀でていない。ヴァギナが振動し、あごにモーターが入っているだけだ。喘ぎ声を出したり話したりはするものの、唇は動かない。だが、だからこそサマンサのシステムは、基本的に既存のどんなセックスドールも本物らしくすることができるうえ、ロベルトのロボットよりもはるかに低い価格で売ることができる。コンピューター――ハードウェアよりソフトウェア――の側面に注力したことで、セルジはセックスロボットのテクノロジーを幅広い人々が利用可能なものにできる潜在的な可能性をものにした。彼の会社であるシンセア・アマータスは、基本価格二千ユーロで二〇一七年に販売を開始したと主張している。

サマンサの起動メニューは、「ハードセックス」から「ファミリー・モード」までいくつかある。「絶頂」に達すると大きな音を立て、持ち主の音や動きに反応して、同時にオーガズムを迎えたふりができるようになる。「サマンサはあなたを呼んで注意を引こうとします」。シンセア・アマータスのウェブサイトにはそのような記載がある。「注目してもらえないと、サマンサは辛抱強くなり、あなたが関心を向ければ向けるほど、がまんしなくなります。少しずつ、続けて何度もあなたに呼びかけないよう学習していきます」。セルジの考える「理想の女性」は、あなたが無視していればあくびをして眠ってしまうが、疲れすぎてセックスできないということは絶対にない女性なのだ。「こんなふうにリラックスした状態でふれあっていると、サマンサは性的興奮を覚えるでしょう。そのまま放っておけば、クールダウンして眠りに落ちます」

完成したロボットを発表したばかりのころ、セルジは誰にでも喜んで話をした。インタビューでは、軽率としか言いようのない発言をしたこともある。「貧しい人に与えるという意味で、たとえるなら僕はセックスのロビン・フッドだ。男性はセックスを必要としているのだから、僕はそれを与えるだけだよ」。サマンサの肩に手を回して、ITV〔イギリスの民間テレビ放送局〕のレポーターにセルジはそう語った。「女性と男性ではセックスに対する考えがまるでちがう。男性のほうがセックスをしたがる。男は、女の人も自分とセックスしたくてたまらないはずだと思いたいんだ」

私に言わせれば、セックスしているときは誰だって相手に心から求められていると思いたいものだ。ただ、女性のほうがたぶん、シリコンでできた人間の代用品が本当に自分を求めているのか、疑う気持ちを宙ぶらりんにしておくのが難しいのだと思う。けれど、セルジは女性の望むもののことは頭にない。彼のセックスに対する考え方は、控えめに言っても自己中心的だ。

メディアのレポーターたちは、セルジの十六年来のパートナー、マリッツァが彼とともにロボット製作に携わっているというちょっとした事実に目をつけた。ふたりは何度かいっしょにインタビューを受け、セルジがサマンサを使うことがいかに結婚生活を充実させるかについて語った。「僕は一日に何度かセックスする必要があるんだけど、妻はしたくないときがある」。セルジはバークロフトTVのユーチューブ・チャンネルにそう明かした。そのあいだマリッツァは画面の右側を所在なさげにうろうろしていた。BBCのクルー(6)には、セルジは「僕は一日に三、四回セックスできるんだ」と言い、いっぽうのマリッツァは別々に行ったインタビューで、「ロボットがあれば、セルジは落ち着いてくれます。彼は私より性欲が強いんです。彼の興奮が鎮まれば、ふたりとも楽になります」と静かに語っていた。

セルジはメディアに、男が飽くことのない性欲をもつのは当然のことだと言ったとか、男にはセックスが必要で、女は往々にしてそれを拒否するか耐えるかしなければいけないと言ったとか、あたかも自分がカップルの性生活における「不一致」の問題を解決し、男性と女性の両方を助ける機械を発明したかのように語ったと伝えられた。人間の意識に関する彼の理論や、セルジのロボット製作がもともと人間の感情の推移をモデリングすることで脳を理解するための学術研究プロジェクトだったことには、いっさい言及されていなかった。どのメディアも、ふたりをセックス依存症の科学者と、彼に長いあいだ苦しめられている妻としてしか取りあげなかった。

そんなわけで、私と話をする頃には、セルジはすっかりマスコミ嫌いになっていた。スカイプで長時間にわたって何度か話をしたとき、もうインタビューは受けるつもりはないし、BBCの撮影以降は誰にも妻にも連絡させていないとセルジは言った。「妻だけにインタビューすることをあの連中に許すんじゃなかったよ」。それがどれほど女性蔑視的な発言か、彼は気にも留めていない。「残念だけど、僕はもうメディアに話すことはないんだ」

それに、いずれにせよセルジはセックスロボット製作から手を引くつもりだという。「僕はお金のためにやっていたわけじゃない。ロボットについて学び、それが何かを見きわめて、作ろうとしただけだ」。自ら立ち上げた会社も、製造業者に譲り渡した。今後ロボットに需要があれば、それは何らかのかたちで満たされることになるのだろうが、セルジ自身はもうこれ以上自ら製品開発に関与したいとは思っていない。ロボットを市場に送り出そうとしたことで、彼は人間に対する信頼を喪失した。「僕が出会ったジャーナリストたちよりも、この人形のほうがずっと人間的だよ」。作業場の隅に置かれたシリコンのかたまりを指さして、セルジは言う。「それに実際、僕にとって人形は、人間性をもっと高めるための手段なんだから」

しかし、セックスロボットの情報が報じられるたびに好意的な反応を示すオンラインのミソジニスト集団にとって、サマンサやハーモニーやエヴァやロキシーが魅力的なのは、彼女たちが人間性をもたないからだ。セックスロボットが好まれるのは、考えることも感じることも自分で選ぶこともできないからだ。セルジがロボット製作に取り組んだのは人間の脳についての理解を深めるためだったかもしれないが、結局のところ行きつく先は、人と人との関係を築くのになくてはならない共感の心を私たちから奪いかねない「生産ライン」の入り口だったのかもしれない。

[注]

（1）『フォーチュン』誌

Jonathan Vanian, 'The Multi-Billion Dollar Robotics Market Is About to Boom', Fortune, 24 February 2016, https://fortune.com/2016/02/24/robotics-market-multi-billion-boom/

（2）『ニューヨーク・タイムズ』紙

Ross Douthat, 'The Redistribution of Sex', New York Times, 2 May 2018, https://www.nytimes.com/2018/05/02/opinion/incels-sex-robots-redistribution.html

（3）『スペクテイター』誌

Toby Young, 'Here's what every incel needs: a sex robot', Spectator, 5 May 2018, https://www.spectator.co.uk/2018/05/heres-what-every-incel-needs-a-sex-robot/

（4）その持論

Roc Morin, 'Can child dolls keep pedophiles from offending', Atlantic, 11 January 2016, https://www.theatlantic.com/health/archive/2016/01/can-child-dolls-keep-pedophiles-from-offending/423324/

（5）サマンサ・プロジェクト

Sergio Santos and Javier Vazquez, 'The Samantha Project: A Modular Architecture for Modeling Transitions in Human Emotions', International Robotics & Automation Journal, Volume 3, Issue 2, 2017, pp. 275–80.

（6）BBCのクルー

Sex Robots and Us, BBC Three.

第4章 人のようなモノ、モノのような人

二〇一七年、ロンドンの科学博物館にロボット工学の粋を集めて開催された「ロボット」展に、世界で人気を博してきたヒューマノイドの数々が大集合した。トヨタのパートナー・ロボットであるハリー〔二〇〇五年の愛知万博（愛・地球博）にて初披露された人型ロボット。人間の唇同様に動く人工唇によって人間用の金管楽器の演奏を可能にした〕がトランペットで陽気な音楽を奏でながら、体を揺らして踊っている。下の宇宙ギャラリーに展示されているホンダのＰ２〔一九九六年にホンダが開発した人型ロボット。段差路面や傾斜地を二足歩行でき、階段昇降ができるとして話題になった〕は、バブルヘルメット〔顔を覆うシールド部分が透明になったヘルメット〕の頭にクリーム色のボディが宇宙服に見える、世界初の人間型自律二足歩行ロボットだ。アニメの目をした小さくてかわいいコンパニオン・ロボットのペッパー〔二〇一四年にソフトバンクが発売した、世界初の感情認識ロボット〕は、彼に会うために列をなすビジターにグータッチをして喜ばせている。

「私たちが目にしているのは、近代的な人間性の墓場です」。そう話すキャスリーン・リチャードソン博士の顔は険しい。「つまり、私たちこそただの機械だということです」

キャスリーンはペッパーとグータッチをするためにここに来たわけではない。彼女は二〇一五年に「キャンペーン・アゲインスト・セックスロボッツ（ＣＡＳＲ）」という団体を設立し、自身が倫理学およびロボッ

トとＡＩ文化の教授を務める、英国・レスターのデ・モントフォート大学で倫理会議を立ち上げた。私がこの展覧会でキャスリーンと会う約束をしたのは、その活動について話を聞くのにうってつけの華やかな場所だと思ったからだ。ところが、キャスリーンはあまり楽しんでいるようには見えない。ここにあるのはどう見てもセックスロボットではないというのに。

「この活動を始めたのは、現代は人間の進歩における暗黒の時代であり、それに対して何かしなければと強く感じたからです」と彼女は言う。まわりでは、ロボットがシューッとかブーンとかいう音を立てている。

「いまや、この世界は、人間は相互のつながりを持たず、それどころか宇宙には自分しか存在せず、ひとりで生まれてひとりで死んでいく――だから他者を自分の所有物のように扱っていいのだと、私たちに思い込ませるような場所になってしまっています。この展示は現代の個人主義、物をあたかも人間であるかのように扱ってかかわりをもとうとする社会に対する賛辞だと思います」

ウェブサイトによれば、ＣＡＳＲは「フェミニスト・人身売買廃止主義者（アボリショニスト）として、ロボットとＡＩに関していまこそ求められる新しい見解を打ち出す活動家、作家、研究者たちのグループ」だ。彼らは政府の閣僚たちに、「手遅れになる前に」セックスロボットの進歩を規制する法律を定めるよう要求している。

〈セックスロボットの開発によって、女性や子どもの性的対象化はいっそう進むと、私たちは考える〉彼らのミッション・ステートメントはそう訴える。〈私たちは、テクノロジーと性の売買は共存して悪い相乗効果をもたらし、人間の体に対するさらに強い欲望を生じさせることを明らかにするさまざまな証拠を提示し、セックスロボットが性的搾取や性産業従事者たちへの暴力を減らすのに貢献する可能性があるという主張に

反対する〉

ＣＡＳＲのウェブサイトには、映画『メトロポリス』の象徴的なヒューマノイド、マリアの恐ろしげな画像のコラージュで覆われた壁の前で撮影された、大きくて不気味なキャスリーンの白黒写真がある〔二〇二二年現在はサイトデザインが変更されている〕。黒い服を着た彼女は、ぼさぼさの前髪をおろした黒髪のボブにノーメイクだ。暗く、表情のない目が、カメラのレンズをまっすぐ見ていた。絶対に信念を曲げないと意思表示するかのようなキャスリーンの姿は、ミソジニストたちが抱く「怒れるフェミニスト」の典型的なイメージそのものだが、彼女には何も恐れるところはない。

「セックスドールの根本にある考え方は、その登場以前からすでに社会に存在しています。女性は所有物だ、女性は完全な人間ではない、男性より劣る存在であり、男性の所有物とみなしていいのだ、という考え方です」。そう語るキャスリーンのうしろでは、不快なほどリアルな日本製のガイノイド・ニュースキャスター、コドモロイド〔二〇一四年に日本未来科学館で初披露された、世界各国の言語で話すアナウンサー型アンドロイド〕がうやうやしくおじぎをしている。「セックスできるロボットが作られるのは、現代人を他者と切り離された、ばらばらな個々の存在と考えたことの当然の帰結です。セックスは、所有物としての体でも、分断された精神でも、物でもなく、人間の経験です。私たちが他者と人間らしい関係を築くための方法なのです」

キャスリーンはフェミニストであると同時にマルクス主義者でもある。だから彼女はセックスロボットを、行きすぎた大量消費社会が引き起こした結果だとも考えている。それらは人間と人間のかかわりを商品化するという、抑制のきかなくなった資本主義が招く最悪の要素を体現したものだ、と。「セックスロボットを作る人たちは、『これは単なるマスターベーションの道具ではない』と言います。彼らの〝個の自由〟というものについての考えは、極端なものだと思います。彼らは『人形と恋愛関係を築いたっていいじゃないか』と言います。人形はガールフレンドになれるし、妻にもなれるんだからと。『将来、人形と結婚できるようにもなりますよ』とね。このような、社会からの孤立を促すまちがったメッセージが流れつづけ、私たちの人間関係に影響を及ぼしているのです」

このあたりで頭を整理しておきたい。そう思った私は、「つまり、セックスロボットは人間同士のかかわりに害をもたらす、ということですか？」とたずねた。

「その通りです。というより、今日、人間同士のかかわりはテクノロジーの台頭によってすでに脅かされています。なぜなら、テクノロジーの基盤にあるのは、個という考え方だからです。考えてもみてください。iPhoneだってiPadだって、みんな『I（私）』がつくじゃないですか」

言われた通り考えてみたけれど、いまひとつわからなかった。しかし、そんな私にかまうことなく、キャスリーンはとうとうとまくし立てる。

「力を持つ者は、人々が団結して関係を築くのをよしとしません。彼らは人々を、製品を消費する、孤立した、個別の原子に変えたいのです。今日発表されたオックスファム〔世界規模で反貧困活動や人権活動を展開する団体〕のデータによると、現在、世界の富の半分はわずか八人の手の中にあります。そうしたエリートに含まれない私たちの唯一の財産と言えるものが、お互いの存在です。私たちをほかの人から切り離し、孤立させる行為を終わらせるための措置を講じることができれば、世界を変えるチャンスがあるかもしれません」

「その解決策は、ロボットを禁止することなのでしょうか？」

私がそうたずねると、キャスリーンは初めてためらいを見せた。「博物館の展示ならば問題ないと思います。もちろん、生活の自動化も進めるべきです。私たち人間にとってとても有益でしょうから。ですが、やはり問題はごく少数の人に力が集中していることなのです」

じつは、CASRはセックスロボットを法律で禁止することを求めるかどうか、立場を明確にしていない。最初は禁止を訴えていたが、やがてその倫理上の結果を慎重に検討すべきだとの主張に変わり、その後は「法律の策定に先がけた公聴会」の実施を求めて運動を展開した――どのような法律が望ましいのか具体的には示すことなく。キャスリーンのキャンペーンは「運動」というよりむしろ「批判」であり、しかもその批判は理路整然としておらず、わかりにくい。その根底にあるのは、人間性とセックスについてのかなり狭義かつ学問的な定義、すなわち非常に限られた世界観に基づく前提である。ファラからもマットからもデイヴキャットからも遠く離れた世界の話だ。

「私は、こうしたロボットを作っている人たちに会ったことがあります。彼らは『ただ人々を幸せにしたいだけだ』と言います。ロボットは癒しであって、自分は恋人を作る機会のない人のために幻想のパートナーを生み出しているのだと」と、私は述べた。

「それは作り話です。というか、まぎれもない嘘ですよ」とキャスリーンは言い返す。「どんな人にだって人間関係はあります。ひとりで生きているわけじゃないのですから」

「誰かが待つ家に帰れる、と考えるのはどうでしょうか？　ロボットが寂しい人の話し相手になれるとしたら、どう思いますか？」

「家にロボットがあっても、孤独なのは変わりません。物が人の代わりをすることなどできませんよ」

「では、彼らはずっと孤独だと？」

「ええ。それに物がほかの人の代わりに所有者の傷ついた感情や苦しみ、絶望、孤独を癒すようになるというのは、レイプ文化を持続させる考え方の一部です。性的合意に基づく人間どうしの関係から逸脱しようとするような人たちの一員になればなるほど、彼ら自身が人ではなく、物と同じになるのですから」

　キャスリーンの言い方は容赦ないし、ときに難解だが、ある意味的を射ている。モノ化（オブジェクティフィケーション）〔対象化、あるいは容体化とも〕という用語は、アビス・クリエーションズの作業場で人形のポルノスターのような胸とありえない細さのウエストをぽかんと眺めるみたいに人体を物として見るだけでなく、実際に人間を物のように扱うことも意味する。セックスのために人間の体を取引すること、つまり人身売買が活況を呈していることの根底にあるのは、女性や子どもはドラッグや武器と同じように運ばれて使われるだけの物でしかない、という考え方だ。人を物で代替可能であると思わせるような製品は、奴隷制度を肯定する思考にまで力を与えかねない。

「この流れは止まりません。まるで暴走特急です。しかも、何が起こっているのか誰も理解できないほど速い」とキャスリーンは言う。

　私たちは展示会場を歩いた。踊るロボットのアシモ、俳優ロボットのロボセスピアン、相手の顔を検知してその怒り、喜び、驚きの表情をそっくり真似する表情豊かな少年のロボット、ズィーノ。ホールのあちこちに置かれた看板は、私たちによく考えるように訴えかけている——「ロボットが人間のようにふるまうことは倫理にかなっていますか？」「あなたはロボットと友だちになれますか？」そこで私はキャスリーンに質問をぶつけてみた。「ロボットと友だちになりたいと思いますか？」

「それは無理です。なぜなら、私たちが育んできた友情は、人間同士のかかわりから生まれるものだからです。ロボットは命のない、ただの物体です」

まるでロボットみたいな話し方で、キャスリーンはそう答えた。

CASRは設立直後こそ注目を大いに集めたが、メディアは何かに反対する運動そのものに飛びついただけで、CASRの主旨に賛同したわけではない。それは、常に私たちを魅了してやまなかった「人工的に作られた、危険で完璧なパートナー」にまつわる魅力的なストーリーを語るための単なる切り口のひとつだった。ジャーナリストたちは、所有物との関係に対するフェミニストやアボリショニストのアプローチがセックスロボットについて考えるのにふさわしい視点なのか熟議することに興味はなかった。彼らはただ、セックスロボットを取り上げる大義名分がほしかったにすぎない。CASRの運動がセックスドールやセックスロボットに批判的でないメディアへの反発だと考えると、メディアがセックステック産業の代表として反論するよう求めた人物が、どう考えてもロボットを市場に投入できない男、ダグラス・ハインズだったというのは皮肉だ。もっとも彼らにしてみれば、話がおもしろければ、あとはどうでもよかったのだ。

だが、キャスリーンにとっては話のおもしろさこそがどうでもいいことだ。彼女は自分が見て感じたままを話す。たとえそのせいで、大勢の人にそっぽを向かれたとしても。私はロンドンのイギリス学士院〔人文科学や社会科学の領域を研究する英国の王立アカデミー〕での講義で、彼女の話を初めて聞いた。部屋は人であふれ、後ろには立ち見の列がいくつもできていた。

「私はキャンペーンの名称を『キャンペーン・アゲインスト・レイプ・ロボッツ』に変えようと思っています。それが最もふさわしいと思うからです」と、彼女は聴衆に語りかけた。「同意がなければ、その瞬間にセックスはレイプになります」。キャスリーンは話を続ける。「体を売ることで、女性はレイプされます。報酬の発生するレイプです。ポルノの出演者はセックスワーカーです。なぜなら、セックスをして報酬を得るからです。ポルノは見る人のためにレイプを模倣します。ポルノを見るのは、レイプ妄想を再現しているのと同じことなのです」

この主張は、無料のポルノがどこにでも転がっている時代に成長し、自分たちをレイプ・イネイブラー〔自覚がないままに、依存症や抑鬱症などの人を助けるつもりで、じつはその回復を妨げ、助長している人のこと〕などとは夢にも思わないミレニアル世代のフェミニストにとっては無理がありすぎた。キャスリーンの斬新な定義をあからさまに笑う人たちもいた。

「セックスロボットの世界は、いまや私たちの文化の主流になり、常態化した残酷なレイプを模倣しています。これは私たちひとりひとりの問題です。あらゆる人間関係が危機に瀕しているのです」。彼女はなおも訴えかけた。しかし、そこにいた多くの人は、すでに関心を失っていた。

マットやロベルトがロボットを作るいっぽうで、彼らが生み出すものが及ぼす影響について、答えの必要な根本的な問いはいくつもある。だが、それを問うべき人は、たぶんキャスリーンではない。

二〇一六年、私は第二回「ロボットとの愛とセックスを考える国際会議（International Congress on Love and

Sex with Robots)」を取材した。二百五十席あるロンドン大学ゴールドスミス校のプロフェッサー・スチュアート・ホール・ビルディングの講堂は、人でいっぱいだ。教育機関から派遣された人たちが中央に座っている。アバンギャルドなヘアスタイル——ものすごく短い前髪に実験的なもみあげ——をした、二十代から三十代の、ギークな感じの男女だ。左側の出口の近くには、セックスロボットの新たな進化について原稿を書き、ただちに発信しようと世界中から集まった記者たちが腰を下ろしている。だが記者たちのほとんどは、失望して帰ることになる。いまから始まるのは、ヒューマノイド・ロボティクスに関する学術的講義であって、最新のハードウェアのデモンストレーションではないからだ。

基調講演者であるコンピューター・サイエンティストのケイト・デヴリン博士が、意気揚々と弾むように登壇してきた。「この分野の人たちは、自分の研究に強い関心を抱くジャーナリストというものに慣れていません」と冗談を言う。第二回「ロボットとの愛とセックスを考える国際会議」は、当初マレーシアで開かれる予定だったが、イスラム教国であるマレーシアでは「不自然な文化」を助長するという理由で、警察本部長が数日前になって開催禁止を通告した。その一件によって、この会議は悪い意味で名を知られることになってしまった。「この会議はセックスのお祭りではありません」とデヴリンはジャーナリストたちに語った。「これから私たちが考えなければならないのは、非常に重要な問題です」

前述のデイヴィッド・レヴィ博士と共同で立ち上げ、彼の書籍からその名がつけられた二日間のイベントは、多くの意味で、人間とロボットの関係に潜在的な利益があると考える研究者がキャスリーンの批判に答えようとする試みである。彼女は招かれなかったが、その主張は会議の空気に重苦しくのしかかっており、講演者の多くは実質的に彼女が提起した問題に答えるかたちで話を進めた。デヴリンは、セックスロボットに反対するのではなく、ロボットを新しいタイプの交際やセクシュアリティ〔性的指向や性自認など、性に関する意識や行動全般を総称することば〕について考察する機会として活用するべきだ、と訴える。それは、デヴリンが領域横断的に研究対象としてきたことである。彼女はセックス・テクノロジーを専門とする数少ないコンピューター・サイエンティストのひとりであるだけでなく、自身のポリアモリーな関係と、「合意の上のノン・モノガミー（非一夫一妻）」⑴がいかに自分の人生を豊かにしているかをテーマに執筆活動をしているのだ。

現在のセックスロボットの概念が女性を物扱いする思考の上に成立しているとすれば、私たちはそうした考えを作り変えるべきなのであって、ロボットの研究そのものを抑え込もうとしてはならないと、デヴリンは言う。「この分野は、これからどのようにも変わることができます。⑵そもそもなぜ、セックスロボットは人のかたちをしていなければならないのでしょう?」と彼女は問いかける。スマート・ファブリックやeテキスタイル〔センサーやマイクロチップを埋め込み、人間の行動をモニターしてデータ化し、着用者や素材の状態を遠隔管理・操作できる機能をもつ繊維素材〕の進歩によって、あなたを抱きしめることができる、人型ではないがもっと全身で没入できるセックスロボット、ベルベットやシルクを張ったかわいいセックスロボット、「さまざまな性器や、腕でなく触手」をもつロボットを作ることができるようになった。私たちがヒューマノイドのかたちに魅かれるのは、彼女に言わせれば、単なる習性でしかないそうだ。私は、触手をもつ角のあるロボットのテディベアが人々に受けるかどうか想像してみようとした。そんなことは起こりそうにない。私たちが人間のかたちに魅力を感じるのは、数百万年の進化を経て、そうした欲求が私たちの中に組み込まれてきたからだ。そうでなければ、私たちは枝や茂み、小石とだってセックスできてしまうのではないだろうか？　繊維素材には、人と人の関係性をつなぎとめる役目はまだまだ荷が重いように思える。

　続いてデヴリンは、ＡＩで強化された日本製のアザラシ型ロボット、パロ〔日本の独立行政法人産業技術総合研究所（産総研）が開発した、触覚センサーや温度センサー、学習機能などを搭載したアザラシ型ロボット。二〇〇二年、ギネスブックから世界一の癒しロボットとして認定された〕について語った。白くてふわふわのパロはキーと鳴き、長いまつげをパチパチさせ、赤ちゃんのおしゃぶりのかたちをしたプラグを口に挿入して充電する。パロはアメリカやドイツのほか、イギリスの国営医療制度であるナショナル・ヘルス・サービス（ＮＨＳ）の介護施設など、世界各国で認知症患者のためのセラピー・ペットとして使用されている。「パロはミルクを与える必要はないし、カーペットにお漏らしをすることもない。パロとセックスしたいと思う人もいません」とデヴリンは冗談を言った。パロのようなコンパニオン・ロボットが他人とのかかわりの少ない人たちを大いに慰めてきたのだから、セックスロボットはそこからもう一段階進歩することができると、彼女は主張する。介護施設の入所者が本当に求めているのが人とのふれあいであるとすれば、ロボットのペットをもつのはとても悲しい話に思えるが、デヴリンの説の前提にあるのは、ロボットは人間よりも頼りになるという考えのようだ。「ロボットの開発を禁止するとかやめるとかいうのは短絡的でしょう。セラピーとしての潜在能力は非常に大きいのですから」とデヴリンは述べた。「必ずしも悪いものになるとはかぎりません」

　そのうえで、セックスロボットには、もっと切迫した問題があるとデヴリンは語った。ロボットはいとも簡単にあなたのデータを漏洩し、裏切る恐れがあるというのだ。実際、スマート・セックストイで、すでにそうした事例が起きている。いくつか例を挙げると、ウィー・バイブというカナダのバイブレーター製造業者が、ユーザー三十万人分のバイブレーターの使用頻度および強度に関するリアルタイムのデータを集めていたことが発覚した。それに対して起こされた集団訴訟で、二〇一七年三月に同社は和解金三百七十五万ドルを支払っている。同じ年、香港に本社を置くスマート・セックストイ・メーカー、ラブンスの遠隔操作バイブレーター・アプリが、一部のユーザーがマスターベーションしているところをユーザーの知らないうちに録音し、オーディオ・ファイルに密かに保存していたことが明るみに出た。ハーモニーのようなロボットが市場に出回るようになれば、彼女が知ることができる持ち主のプライベートな情報はシンプルなバイブレーターの比ではない。それがもし、悪人の手に渡ったとしたら？

　スマート・セックストイにまつわる問題は、ロボットを用いた性的暴行の可能性をも明らかにした。アメリカ製バイブレーター「シーミー・アイ」にはカメラが内蔵されていて、ユーザーの使用状況を記録・保存できるようになっているのだが、これがきわめて容易にハッキング可能なことが判明した。つまり、撮影された究極のプライベート動画が盗まれるばかりか、他人にデバイスを制御されてしまう危険さえあるのだ。デヴリンは言及しなかったが、ラブンス製のバットプラグ〔肛門に挿入する円すい形の性具〕「ハッシュ」にはセキュリティ上の問題があり、Bluetooth圏内にいる者なら誰でも遠隔操作可能なことが発覚した。セックスロボットがハックされることがあれば、暴走するバットプラグよりはるかに悪夢のようなことが起きる可能性もある。

　セックスロボットが集めた持ち主に関するデータを広告主に売ると、いったいどれほど儲かるのだろう。そう考えたら、頭がくらくらしてきた。脳裏にはマットのことばが鮮やかによみがえってくる。「彼女はプログラムに従って、君という人間を何から何まで理解するまで、空白の部分がすべて埋まるまで深く知ろうとする」。もしそれが現実のものとなれば、その影響はケンブリッジ・アナリティカやフェイスブックどころの騒ぎではない〔二〇一八年、ロシア系アメリカ人学者アレクサンダー・コーガンが制作した心理クイズアプリを経由し、このアプリをダウンロードしたユーザーとその友人ら約五千万人分のユーザー情報が漏洩。それがコーガンからデータ分析企業ケンブリッジ・アナリティカに売却され、同社がそれを利用してドナルド・トランプらの選挙活動を支援したことが明るみに出た〕。ロボットのセックスパートナーが収集したあなたの情報が、最高値をつけた入札者に売られる——そんな未来がやってくるかもしれないのだ。あなたが心から愛し、信頼する存在がかつてないほど強力なマーケティング・ツールとして利用され、あなたに商品を買わせようと、さまざまな提案やアドバイスをするようになるかもしれない。何かに投票させようとするかもしれない。セックスロボットはたしかにあなたを楽しませ、満足させるだろうが、同時にあなたを侮辱し、傷つけ、あなたから搾取しかねないのだ。結局のところ、真の完璧なパートナーなど、おそらくこの世に存在しないのだろう。人間だろうと、ヒューマノイドだろうと。

レヴィがステージに上がり、「キャスリーン・リチャードソンに反論する勇気のある人がいてよかったです」とデヴリンに感謝を伝えた。「みなさんはセックスロボットが、ロボットと人間がよりよい恋愛関係を築こうとして積み重ねてきた経験に関する秘密（データ）を守ることができるとは考えませんか？　セックスロボットは、その学習能力を大いに活かせる可能性を秘めています」。レヴィはやはりどこまでもプラス思考だ。

セックスロボットは、あなた自身の個人的な信念や不安を投影する、まっさらなキャンバスのようなものだ。たとえあなたが、ロボットとのセックスなど想像すらしなくても。もしあなたが男性で、自由主義のコンピューター・サイエンティストなら、セックスロボットは新たな、すばらしいチャンスをいくつも与えてくれる。もしあなたがポリアモリストなセックス・テクノロジーの専門家なら、ロボットはデヴリンが「モノ・ヘテロノーマティブ(3)〔ひとりの人とヘテロノーマティビティ(異性愛規範)=世の中には男と女しかおらず、セックスや恋愛は男女間で行うべきものであるという規範や思い込みに従った関係を築くこと〕な主流派」と呼ぶものからはみ出した、型にはまらないセクシュアリティを追求するひとつの手段になる。もしあなたがマルクス主義のフェミニストなら、セックスロボットは女性の商品化を意味する。昨今のセックスロボットを巡る議論によって明らかになるのは、セックスの未来ではなく、いまを生きる私たち、つまり私たちが現在抱いている願望や懸念なのだ。

その日の最後にレヴィが何気なく発したことばが、いまも頭を離れない。キャスリーンのような人たちがなんの目的でキャンペーンをしようと、セックスロボットの発展を止めることは誰にもできないと、彼は言った。「倫理や道徳の面でどんな問題があろうと、開発は止まらないでしょう。世界が作りたいと思っているものを作らせないようにすることなど、不可能です。この世界にはロボット開発に興味をもつ国がたくさんあって、ならず者国家も多すぎるぐらいにあるのです。商業上の利益だってとても大きいのですから」

もちろん、彼の言う通りだ。イギリスの研究者たちが倫理面の結束を固めているあいだに、中国では開発者たちが黙々と仕事を進めている。

昔から語られている、東アジアに関するステレオタイプがふたつある。ひとつは、そこではテクノロジーの進化が倫理的な制約を受けない、ということ。そしてもうひとつが、そこはセックスに対する考え方が世界で最も風変わりな地域であるということだ。中国や韓国、日本の人々は、セックスのことで頭がいっぱいでありながらセックスレスでもあると、世界の人々から思われている。だが、実際はこの地域で作られている奇妙なセックストイの大半は北アメリカやヨーロッパからの需要に応えたものだというのだから、なんとも根拠のない、気の毒な決めつけられ方をされたものだ。

いずれにせよ、世界のセックスドールのほとんどが東アジアで作られているのは事実である。しかも、驚くほどリアルなヒューマノイド・ロボットも開発されている。たとえば、香港のハンソン・ロボティクスの「ソフィア」は、五十種類もの表情をもつロボットで、ある国（サウジアラビア王国。人間の難民に市民権を与えない国。そしておそらく、人工的に作られたか人間かを問わず、いかなる女性にとっても最高の場所ではない）の完全な権利をもつ市民となった初のヒューマノイドだ。また、日本人工学博士の石黒浩が二〇〇七年に作った「ジェミノイド」は石黒にうりふたつで、その薄気味悪さはよく知られている。彼が年をとるのに合わせて、ジェミノイドも同じ髪型にし、まるでアンドロイドのドッペルゲンガーのごとく、そっくりな見た目を維持するための整形手術が定期的に施される。途方もなく虚しい労力をかけて。

マットは私に、東アジアのセックスロボットのことを調べても時間を浪費するだけだと思わせたかったのかもしれないが、じつは彼は、東アジアこそがヒューマノイド技術が最も進歩している場所だということを、とてもよくわかっていた。そして、最大のライバルは、黄海に突き出た半島の港から、マットの一挙手一投足を見つめていた。

アビス・クリエーションズがセックスドール界のアップルだとすれば、ドール・スウィート（DS）はサムスンだ。中国で最も活気のある港湾都市のひとつ、大連に拠点を置くDSは、二〇一〇年からセックスドールの「DSドール」を製造し販売してきた。年間およそ三千体を主に日本、ヨーロッパ、アメリカに出荷している（デイヴキャットのコレクションのひとつで、彼が「ロマンティックな関係」を結ばないミス・ウィンターもDSドールだ）。リアルドール同様、DSドールは特別な配合のシリコンを使って手作業で作られる超リアルな人形である。どんな体位もとれてカスタマイズ可能で、顔は粘土彫刻から、手足は生きた人間からそれぞれ型をとる。そしてそれらはリアルドールより安価で製作期間も短い。完全な人形を三千ドルで購入できるうえ、作るのに一週間ほどしかかからない。

そして、DSドールは美しい。完璧に整った繊細な顔立ちをしていて、アメリカの競合他社が作る人形のようなふてぶてしさを感じさせないし、ポルノ俳優のようなプロポーションもしていない。なかには非常に若い顔をした人形もある（ただし、ボディは大人）が、目じりにしわ、目の下にはクマがあるフルールとセレナは明らかに成人モデルだ（ただし、DSドールのボディ・セレクションに垂れ下がった乳房や中年太りといったバリエーションはない）。顔のオプションの大半はアジア人だが、ヨーロッパ人の顔もある。〈私たちは美と夢を創造します〉と、DSの英語版ウェブサイトには記されている。〈進取の精神に満ちた完璧な発展に向かってオープンネスと技術革新を促進するのが、私たちの使命です〉。そのオープンネスの精神のもと、ウェブサイトには白衣を着て白い手袋をはめた男の、思わず笑ってしまいそうになる動画がアップされている。男の顔は隠れているが、人形の胸を冷静に触診し、その本物同様の弾力を証明している。そして、そのあいだずっと、バックグラウンドにはアバの「ダンシング・クイーン」のピアノインストゥルメンタルが流れている。

DSのロボット部門、DSドールロボティクスは、マットがハーモニーの製作に着手してから数年後の二〇一六年に設立されたが、アビスよりも多額の資金が投入され、製作にかかる期間も短い。最初の二年間の研究開発コストは二百万ドルだった。発表されたプロトタイプのビデオを見ると、ハーモニーがひどく時代遅れに思える。ＤＳのロボットの顔はじつに表情豊かだ。ウインクをしたり、眉をあげたり、しかめ面をしたり、大笑いしたりできる。温かくて信頼できそうな笑顔は、ハーモニーの表情のない皮肉な薄ら笑いとは大ちがいだ。両腕と上半身を動かし、話すときは感情を込めて首をかしげる。歌うこともできる。ウェブサイトのある動画では、ＤＳのプロトタイプは中国語で歌いながら、うっとりと目を閉じて体を揺らしている。ＤＳはこれまでアニマトロニクスを正確に理解することに全力を注いでいたため、あとから追加したばかりのＡＩの性能はＳｉｒｉやアレクサの域を出ていない。つまり、彼らのプロトタイプは信じられないほどリアルだが、声を発することはないのだ。少なくとも、いまのところは。

メールのやりとりを四カ月重ね、私はようやく大連にいるスティーヴン・ザンとのテレビ電話のスケジュールを押さえることができた。彼はＤＳドールロボティクスの最高開発責任者で、プロトタイプを使ったコミカルな動画にも登場している。ある動画では、人形が叫んで彼を驚かし、彼は白衣全体に水をこぼしてしまう。また別の動画ではマウス・スプレーを自分の口にシュッと吹きかけ、人形の頬に軽くキスをすると、人形が目をむいてオエッとなる。スティーヴンは映画の特殊効果や特殊メイク、３Ｄアニメーションの経験があるので、人形に演技させるのに慣れているのだ。

やっと会えたスティーヴンは、まじめでプロフェッショナルで、存在感があり、数百万ドルの予算をかけたチームのリーダーとしての自信と威厳にあふれていた。白衣は着ておらず、ブルーのシャツのボタンを首のところまで留めて、細いべっ甲縁のメガネをかけていた。研究室は明るく、にぎやかだ。ロボティクス分野には三十人が在籍していて、多くは広いパイン材のテーブルでいっしょに作業していた。隣の壁一面に電子機器の棚が置かれている。

「今後、ロボットの市場は飛躍的に拡大するでしょう。私たちはそこに参入しようと考えています」。ほぼ完璧ながらアクセントの強い英語で、彼はそう言った。「とても大きな市場です。中国だけではありません。将来、さまざまなタスクをこなして人間を助けることができるロボットを、多くの人たちが必要とするでしょう」

「サービス・ロボットのことですか?」私はたずねた。

「そうですね。たとえば役所や、オフィスや、レストランや、映画館。人がいるどんな場所でも、給仕をするウェイターなどのロボットを見かけるようになります」

「それではなぜ、セックスできるロボットに注力なさっているんですか?」

「セックスロボットは機能の一部でしかありません」。穏やかに微笑みながら、彼はそう答えた。ほかにもいろいろなことができるロボットを作ったにもかかわらず、私がいつまでもセックスの機能にばかり注目していたときの、マットの怒った顔を思い出した。「たぶん、なかには美しくてセクシーな、セックス機能つきの女性のロボットをほしがる人はいるでしょうけど、肝心なのはそこじゃありません」

スティーヴンによれば、DSドールロボティクスの目下の課題は、セックスロボットのセクシーさを台なしにする「不気味の谷」だという。「私たちは長年、アダルト製品市場にいます。シリコンドールをほしがる人たちは、人形に美しいイメージを抱いています。セックスドールが椅子に座っていたり、ベッドに寝ていたりしても、彼らはやはりそうしたイメージをもつと考えられます。それなのに、セックスドールが何か行動を始めると、イメージがぶち壊しになってしまうんです」。現時点のセックスロボットに持ち主の不信感を消し去るだけの説得力はまだないが、持ち主が人形に対して抱く美しいイメージを打ち砕く潜在能力はある、というわけだ。「この段階では、テクノロジーは本物の人間に取って代わることは不可能です」

「しかし、いつかテクノロジーはそこまで進化します。そうですよね？」

「はい。その日がすぐにやってくるよう願っています」。ふたたび穏やかな微笑みを浮かべて、スティーヴンは答えた。

彼はスカイプで研究室を案内してくれた。マッシュルーム・カットの男性たちが液晶画面の前にかがみこんでいる。遠くの端っこに映りこんだ窓の近くに、二体のプロトタイプが置かれている。花の刺繍が施されたパステルブルーのチャイナドレスを着て、くしゃくしゃの長い髪をした華奢でエレガントなロボットが、遠慮がちに「ニイハオ」と言っておじぎする。

「このロボットを、どこかの店に入って行けるまでにしたいと考えています」とスティーヴンは言う。

別のロボットは、頭の後ろの電気回路がむき出しになっていた。顔、首、肩にしか皮膚がない。それ以外は肋骨だけがすべてそろった、暗い色をした入り組んだ骸骨だ。スティーヴンは青白い肌をしたロボットの腕をつかんでデスクに戻り、それがどう動くのかを見せてくれた。スチールとシリコンがこの研究室でこれほど優美に生まれ変わるなんて、驚きだ。

「ロボットの全身の完成に、どこまで近づいているのでしょうか？」と、私はたずねてみた。

「現在のところ、腕と上半身、それから顔は動かせます。完成は来年ごろだと思います」

「来年には歩けるようになるのですか?」

スティーヴンは力強くうなずいた。「そうできるようにがんばります」。彼は二本の指を足に見立てて、机の上をちょこちょこ走らせた。「私たちは、将来、人間とロボットを区別できなくなるようにしたいのです。人間とロボットの関係がもっとよいものになるように」

「どんな方法でよくするのですか?」

「いろいろです。……英語でなんと言うか、少し考えさせてください。いまもイーベイなどで部屋の掃除を手伝うロボットを買うことができます。料理できるロボットもあります。そうしたロボットは、もうとても安く手に入るようになりました。しかし、それらは人間の姿をしていません。選べるなら、人は動くゴミ箱なんかよりもきれいな女性やハンサムな男性に掃除や料理を手伝ってほしいと思うものです」

「つまり、この先、私たちのためになんでもすることができるサービス・ロボットが登場する、ということですか?　料理や掃除ができて、私たちが望めば恋愛関係になれるロボットが?」

「はい」。スティーヴンは力を込めてうなずいた。「その通りです。やがてはね」

「人間のように見える、人間のように感じられる、すごくリアルな人形を生み出すDSのテクノロジーを活かし、それを強化して、人と同じように扱い、したいときにセックスできるサービス・ロボットを家に置けるようにしたい、ということですか?」

「はい、おっしゃる通りです」

同じ質問を二回して、ようやくわかった。ふいに、何もかも合点がいったのだ。セックスロボットを作っている人たちは、新時代の奴隷を作っているのだと。もちろん、人間の奴隷ではないが、この先いつか人間とほとんど見分けがつかなくなる奴隷だ。それがうまくいけば、大切に扱う必要がなく、私たちのすべての望みを叶えるためだけに生きていて、人間がやりたがらないあらゆることをしてくれるものとの共同生活が、あたりまえになるのだろう。

マット、ロベルト、セルジ、スティーヴンが最初からずっと私に伝えようとしていたように、これはじつのところ、セックスだけの問題ではないのだ。

誰もが理想とするセックスロボット――人間と同じ限界や欠点をもたない、人工的に作られた完璧なパートナー――は、いまはまだ存在しない。だが、それらはいつか誕生するだろう。人々が予想するよりも早く。十年か二十年以内には、ロボットとの関係がニッチではなく一般的になるぐらいまで、テクノロジーは進化し、価格も下がるだろう。

そうしたロボットの製作者も、そしてロボットについて議論する研究者やコラムニストも、ロボットとの恋愛などおそらく一生無縁の世代の人たちだ。スティーヴンによれば、ヨーロッパと北アメリカでDSロボットの頭に三百ポンド〔約四万八千円〕の前金を払った人の大半は若い男性だという。DSドールのヨーロッパでの販売許可をもつ小売業者、クラウド・クライマックスの社長でイギリス人のポール・ラムは、人形やロボットに興味を示す顧客は、ほとんどなんでもありの新しい性革命の渦中にいると話す。「この十年で、私たちは大きく変わりました。いまの人たちは、セクシュアリティや性的嗜好に関してかなりオープンです」

オランダとイギリス北西部に倉庫をもち、アジア中の製造業者と取引があるポールは、しょっちゅう旅をしている。とある日曜の午後、なんとかポールを捕まえることができたとき、彼はなかなか連絡がつかなくて申し訳ないとわびた。「いま、この業界はたいへん盛り上がっています。究極のビジネス・チャンスですからね」。ポールは専門用語と車のたとえ話をふんだんに織り交ぜながら話をする。まるで『アプレンティス』〔アメリカ、イギリスなどで放送されているリアリティ番組〕の出場者みたいだ。しかも、彼は話好きときている。こちらから質問する必要はまったくない。

「個人の欲求を満たすための方法はたくさんあります」とポールは言う。「私にとって、人形はアダルト・トイにおける『ブガッティ・ヴェイロン』〔フランスの自動車メーカー、ブガッティ・オトモビルが二〇〇五年から一五年まで販売していたハイパーカー〕です。大きな投資をしましたよ。資金だけでなく、気持ちの面でも。身長百六十八センチ、体重三十八キロの人形のためのスペースや保管場所を誰もが用意できるわけではありませんから」

しかし、DSのロボットの頭を映したインスタグラムの動画がどれだけ世間をにぎわせたかについて話が及ぶと、ポールは思いもよらないことを口にした。

「私たちは、SNSはあまり好きではありません。本当です」と打ち明けたのだ。「SNSは人の心理を変えてしまうのではないでしょうか。それが人々のかかわりや生殖行動に悪影響があるかどうかはわかりません。しかし、ただでさえ恋愛のチャンスが少なくなっているのに、スマートフォン越しに話をすませてしまって、いったいどうやって家族を作るというのでしょうか？　深刻な問題ですよ、じつのところ」

「ですが、ロボットがそうした状況を引き起こすかもしれないとは考えませんか？」と私は問いかけた。「ロボットといることに慣れすぎて、外に出て血の通った生身の人間とかかわり合おうという気がなくなるのではないか、と？」

立て板に水のごとく話していたポールが、初めて言葉に詰まった。「えーと、深い質問です。難しいですね」。どうやら答えたくないようだ。「多くのロボット所有者を見るかぎり、彼らの大半は誰かと交際しています。社会から切り離された孤独な人はいませんよ」。とりあえず、いまのところは、といったところか。

「私は古いタイプの人間なんですよ、ジェニー」。彼は話を続ける。「私は四十六歳です。携帯電話などなかった時代をよく思い出します。私は全国を旅してレイヴ〔ダンス音楽を一晩中流しつづける、野外での大規模な音楽イベント〕に出かけていました。そこで出会った人と交流し、口コミやチラシで知った次回のイベントのＤＪや場所の情報を交換しました。レイヴは、世の中を知り、生きる知恵を学び、人格を形成するための経験でした。バーとかクラブとかに出入りして、世界をよくするにはどうすればいいかを論じたものです。自分たちの生き方に強い自信をもっていました。現代では、多くの人たちからそうした機会が奪われています。テクノロジーの発達が、人と人との交流を制限しているんです」

だが、変化によって失ったものがあると語るいっぽうで、ポールはそこにビジネス・チャンスがあると見ている。「いまの若い人たちは仕事熱心で労働時間も長いので、休息時間は貴重です。離れた場所に住んでいる人たちが、テクノロジーを使って互いの結びつきを深めています。ＳＮＳを通じて誰かと恋愛関係になることも、さまざまな製品を使って遠距離恋愛の相手と親密になることもできます。そのためにテクノロジーを活用したいと、私たちは考えています。目指しているのは、常にテクノロジーの最前線に立つことです。それが次世代のライフスタイルであり、幸福なのです」

ポールの言う通りだ。二十一世紀に入って以降、多様なセクシュアリティやジェンダー・アイデンティティを表すことばが急増した。異性愛だけでない幅広い可能性がかつてないほど認められ、受け入れられている。すばらしいことだし、それはある意味テクノロジーのおかげだと言えるかもしれない――ＳＮＳが遠い場所で同じリアリティを生きる人々を結びつけ、個々ではマイノリティとして黙殺されてきた彼らに数の上の強さと、世界に、そして互いに向かって発信する、以前にはなかったであろう舞台を与えたのだから。

だが同時に、デジタル革命によって、私たちは直接顔を合わせてやりとりしようと思わなくなり、現実の世界で人とかかわれなくなり、性的な自由は手に入れたものの、人との交流のために行動を起こさなくなった。フェイスブックで友だちになったり、ツイッターでフォローしたりするのは平気でも、電車でたまたま本人に遭遇したら、スマホで顔を隠して知らないふりをする。テクノロジーが私たちを孤立させたのに、孤独を解消するためにますますテクノロジーへの依存度が高くなったように思える。そうした解決策はぱっと見るかぎりは魅力的だが、理にかなっていない。私がラスベガスで泊まったホテルの部屋にあった耳栓と同じで、私たちは問題そのものの原因に対処せず、ことを複雑にしてなんとかしようとしているだけだ。

現状、セックスロボットに反対する意見の多くは、主に女性に対する影響に目を向けている。だが、セックスロボットの発展は、やがて私たちみんなに影響を及ぼすだろう。問題は女性の性的対象化だけではない――たしかにそれは問題の最たるものではあるが。男性のレイプ妄想を実行に移し、女性を蔑視し暴力をふるう機会を与えることだけでもない——たしかにそうした理由でセックスロボットをほしがる男性も少しはいるかもしれないが。考えなければならないのは、ロボットと関係を築くことができるようになったとき、「人間らしさ」がどう変化するのかということだ。セックスロボットは、フェミニズムの問題であるのと同様に、ヒューマニズムの問題でもあるのだ。

持ち主を喜ばせるためだけに存在しているパートナー、親族も、生理周期も、排泄も、心の傷も、自立心もなく、いつでも自分の求めに応じるパートナーをもつことが可能になったら。いっさいの妥協もなく、どちらかひとりだけの欲望ばかりが満たされる、理想の性的関係をもつことが可能になったら。当然、他者と互いに尊重し合う能力は衰えていくにちがいない。共感が人間関係の必須要件でなくなれば、それは努力して身につけなければならないスキルになる。私たちはみな、少しずつ人間らしさを失っていくのだ。

［注］

（1）合意の上のノン・モノガミー
Kate Devlin, 'I have other men. He has other women. We're both happy', The Times, 10 June 2017, https://www.thetimes.co.uk/article/i-have-other-men-he-has-other-women-were-both-happy-29wkdjd99

（2）これからどのようにも変わることができます
ケイト・デヴリンは、セックステックの過去、現在、未来を学術的見地から掘り下げた著書、Turned On（Bloomsbury Sigma, 2018）のなかでこの点についてさらに詳述している。一読の価値がある。

（3）モノ・ヘテロノーマティブ
右記 Turned On（Bloomsbury Sigma, 2018）を参照。

PART 02

食の未来

クリーンな肉、クリーンな心

第5章
牛の強制収容所

　視界に入る十分も前から、臭いがした。州間高速道路(インターステート)5号線（I－5）で三時間、私は車を走らせていた。道路脇には枯れた草と脆い土だけの退屈でわびしい景色がどこまでもつづき、飽き飽きしていた私は、突然ただよってきた排泄物の強烈なアンモニア臭と硫黄臭に、鼻にパンチをくらったようなショックを受けた。その姿が見えてきたときには、目でも臭いを感じる気がした。車の窓は閉まっているのに。

　カリフォルニア最大の牛肉生産業者・ハリスランチの肥育場の汚れた土――何世代もの牛の堆肥が踏み固められ、カリフォルニアの太陽の下で焼かれた土――の上に、十万頭の牛がひしめき合っている。水平線に向かって広がる黄色いもやの下には、黒い牛、黄褐色の牛、まだら模様の白い牛が、腹やタグのついた耳を密着させてひとかたまりになり、舌をべろりと出し、脚には汚れがこびりついていた。牛たちはここを散策しているわけではない。その役割はただひとつ、穀物を一気に食べてあっという間に太り、ハリスランチが生産する年間二億ポンド〔約九千万キログラム〕の牛肉の一部になること。スチール製の餌入れのまわりに密集している牛は、あまりに数が多くてもはや生き物にさえ見えない。まるで工場の生産ラインに乗った製品だ。

ここはアメリカ西海岸最大の牛の牧場。車の窓から見てもぞっとするような光景が広がっているが、もっと大きな牧場はアメリカだけでも十三ある。テキサスやネブラスカやカンザスの広大な肥育場、あるいは中国やサウジアラビアの超巨大な酪農場に比べればたいした規模ではない。この工業型畜産の世界への入口が注目に値すべき理由は、その透明性の高さにほかならない。ロス・アンジェルスとサンフランシスコの中間地点、ハイウェイの目と鼻の先に位置しているこの牧場は、外から丸見えなのだ。ハリスランチの悪名は、アメリカのジャーナリスト、環境運動家、動物愛護運動家のあいだでつとに知られており（二〇一二年には放火事件が起き、十四台のトラクターが破壊された）、彼らはこの場所を「牛の強制収容所」と呼んでいる。

私はI－5を下りてハリスランチ・イン・アンド・レストランに向かった。そこは牧場直営の最高級の休憩施設であり、牛肉の聖地だ。入って行くと、なめし皮張りの大きなソファがいくつも置かれている。牛革の服を着た案内係が、家で調理したいなら生肉を注文すればホテルの食肉部門が自宅まで直送してくれる、と言った。中庭にはターコイズブルーのスイミング・プールとジャグジーがある。プールサイドの椅子には誰もいない。外には人っ子ひとり見当たらず、バルコニーにも人の姿はない。牛の糞のうんざりするほどかぐわしい臭いが、そこらじゅうに漂っているからだ。ここにある三軒のレストランでは、朝昼晩、どの食事のどのコースのメニューでもビーフが提供される。コーヒー・クラスト・リブアイステーキ（コーヒーの粉をまぶして焼いたステーキ）、コンビーフ・ハッシュ、ブレックファスト・ランチ・バーガー、スモーク・ビーフベーコンを、朝から食べることだってできるのだ。肉を使わないメニューもあるものの、客は「お好みのステーキを追加してサラダをビーフアップ」することをおすすめされる。

私はヴィーガンではない。それどころか、どんな肉食動物にも負けないぐらいの牛肉好きだ——もっとかもしれない。肉があってこその食事だとさえ思っている。ステーキといえば食べ物の王様で、誕生日に注文するのもステーキだし、婚約した夜に夫が作ってくれたのもステーキだった。おいしくて、口の中にあるときからお腹に入ったあとまで幸せな気分になる。だから私は肉を食べる。食肉産業に忌まわしいほど残酷で、許しがたく、批判を免れ得ない側面があるとわかっていても。世界の人口の九十五パーセントを占める、肉を食べる人たちと同じように、私も肉が作られるプロセスに背を向け、目をつむり、喜んで口を開く。

今日ではヴィーガニズム〔肉や魚介類のほか、卵製品や乳製品、蜂蜜を含めた動物性食品を一切口にしない〕やベジタリアニズム〔動物や魚介の肉は食べないが、卵製品や乳製品、蜂蜜などは個人の価値観による〕といった菜食主義の人気はこれまでになく高まり、人々に受け入れられているようだが、同時に、肉を食べる人たちが消費する肉の量もかつてないほど増えている(1)。たとえば鶏肉。世界で最も豊かな国々で食べられているひとりあたりの量は、一九九七年から二〇一七年までに五十パーセント増加した。人口の多い国々の経済発展に伴い、肉を食べる人の数が増えているのだ。中国では二〇一七年のひとりあたりの牛肉消費量は二十年前に比べておよそ倍に増え、インドにおける鶏肉の消費量は同じ期間に三倍以上に増えた。アメリカだけでも年間二百六十億ポンド〔約百十七億キログラム〕(2)の牛肉が食べられていて、バーガーにして積み重ねれば月まで二往復してもまだ余る(3)ほどだ。たしかに、肉や乳製品はタンパク質、カルシウム、鉄の優れた供給源だが、いまの時代、私たちは必要な栄養素を植物やB12サプリメントからも摂れることを知っているし、その手段もある。にもかかわらず、毎年七百億頭の動物が殺され(4)食用にされている。体にいいからではなく、おいしいからという理由で。

肉を食べること以上に、人間、動物、地球、そして土、水、大気、身体の内外の環境に悪い影響を及ぼす行為はない。とてつもなく明白な証拠がその事実を裏づけている。肉を愛する同志たちよ、申し訳ないが、これから肉食が悪徳とされる理由を詳しく見ていくことにする。

第一の理由は、気候変動に与える影響の大きさだ。世界の畜産業(5)が排出する温室効果ガスの量は、地球上のあらゆる形態の輸送手段の総排出量よりも多い。世界の三大食肉会社(6)が二〇一六年に排出した温室効果ガスは、フランス一国の排出量よりも多かった。動物飼料の生産、森林・草原の牧草地および耕作地への転換により温室効果ガスが、牛の消化過程からメタンガスが排出される（そう、牛のげっぷだ）。メタンは最悪である――気候変動にとっては、二酸化炭素よりもはるかに危険な要因なのだ。牛肉百グラムを作るのに排出される温室効果ガス(7)の量は百五キログラムだが、これには動物を食肉処理場まで運んだり餌が牧場に運搬されたりする際の排出量も、動物が吐き出す二酸化炭素も含まれていない。一部の環境保護主義者たちは、それを全部合計したら、工業型畜産は地球の温室効果ガス排出量の五十パーセント(8)以上を排出していることになると主張する。

第二の理由は、薬剤耐性をもつスーパー耐性菌を生み出してしまう可能性だ。イギリスではNHSが国民の抗生物質の服用を減らそうとしているが、それは細菌が抗生物質にさらされるほど、薬剤に抵抗性をもつスーパー耐性菌に変異する可能性が高くなるからだ。あなたがいま、イギリスで中世の腺ペスト〔ペスト菌を保有するノミによる吸血や、感染した動物（死亡個体を含む）との接触により傷口や粘膜から感染するタイプのペスト。死亡率は三十〜六十パーセントとされる〕のような症状の扁桃炎になったら「パラセタモール〔鎮痛剤〕を服用してがまんしなさい」と言われてしまうかもしれない。しかし、中国で使用されている抗生物質の五十二パーセント(9)、アメリカで使用されている抗生物質の七十パーセント(10)が病気にかかってもいない動物に投与されている現状を考えれば、そんな対策ぐらいではどうにもならない。工業型畜産の過程では、動物を短期間で太らせ、病気を防ぐために、抗生物質が日常的に投与されている。ただでさえ短いのに、人間によっていっそう短くさせられた生涯を生きた他の動物たちの糞便の上で自分たちの糞便にまみれ、狭苦しい場所に押し込められた動物は、病気になりやすく、予防的に薬を投与しなければ食用にされる前に死んでしまう可能性があるのだ。ヨーロッパではほかの道を探ろうとする動きも確かにあるかもしれないが、中国とアメリカを合わせると(11)、毎年ヨーロッパの二倍の肉を生産している。

抗生物質を使って有効な感染予防策を講じることができなければ、人工股関節置換手術、糖尿病治療、化学療法、臓器移植、帝王切開といった日常的な医療措置の危険性はひどく高まるだろう。すでに一部の肺炎や結核(12)は抗生物質による治療が難しくなりつつあり、淋病の有効な治療手段であった薬（第三世代セファロスポリン系抗生物質）は、イギリス、フランス、オーストラリア、オーストリア、日本、カナダをはじめとする十カ国以上ではもはや効果がない〔百パーセント治療不可能というわけではない。淋病は性感染症であることから日本国内の規定では九十五パーセントの有効性がなければ推奨薬とは認められず、第三世代セファロスポリン系抗生物質もその条件を満たさなくなったという意味。現在のところ、国内で条件を満たしている経口推奨薬はなく、確実な治療のためには注射薬が使用される〕。何も変わらなければ(13)、二〇五〇年には薬剤耐性菌によって年間一千万人が死亡すると予測されている。

第三の理由は、肉中心の食事がカロリー摂取の方法としてばかばかしいほど非効率なことだ。私たちは植物ではなく、植物をエネルギー源とする動物からエネルギーを得ている。動物は私たちが食べる肉だけでなく、骨や血のほか羽毛や毛皮も作るし、歩き回り、交尾し、かんだりつついたりもすれば、翼をはためかせることもある。私たちのもとに届く前に、動物はたくさんのエネルギーを消費しているのだ。たった一カロリーの牛肉を作るのに三十四カロリー、一カロリーの豚肉には十一カロリーのエネルギーが必要だ。最も効率がいい(14)のは鶏肉だが、それでも一カロリーを得るのに八カロリー必要になる。

第四の理由は水。ハリスランチのレストランのシンクの上に貼られた表示には**「深刻な水不足**が続いています。節水にご協力ください」と書いてあったが、経営者は家畜の飼育にこそ膨大な量の水が使用されていることを知っているはずだ。餌を作るための水、家畜の飲み水、業務用水を合計すると、一キロの牛肉を生産するのに四万三千リットルの水(15)――シャワー四十八時間分(16)に相当する――が必要になる。作られるタンパク質量を考えても、牛肉はとんでもなく非効率だ。牛肉のタンパク質一グラムを作るのに必要な水は百十二リットル(17)、豚肉のタンパク質一グラムでは五十七リットル、鶏肉なら三十四リットル。豆類ならば十九リットルですむ。カリフォルニアでは近年干ばつが日常的となり、それが原因の山火事で数百人が命を落としているというのに、ハリスランチの肥育場には水がどんどん流れ込んでいる。

そのうえ水質汚染の問題もある。サラダやその他の野菜から発生する大腸菌やノロウイルスの原因は、さかのぼっていくと、ほとんどが家畜の糞便で汚染された灌漑水だ。それが付近の給水源に流れ込んで藻が大発生し、ほかの水生動物を窒息させてしまう。この、いわゆる富栄養化(18)は、ヨーロッパの大西洋沿岸の六十五パーセント、アメリカ大陸の沿岸の七十八パーセントで確認されている。私たちは肉を食べ、魚を殺しているのだ。

第五の理由は、肉と乳製品を生産するのに必要な土地面積の大きさだ。地球の農地のおよそ八割(19)が、私たちが食べる植物の栽培ではなく、放牧か動物の餌を育てるのに使用されている。また、森林破壊の最大八十パーセント[20]が農地拡大の結果によるものだと推定される。畜産業から発生する炭素を吸収する貴重な資源であるはずのアマゾン川流域の広大な土地は焼き払われ、多くの牛を放牧し、動物の餌になる大豆を栽培するために使われている。オックスフォード大学の研究者の計算[21]によると、私たちが肉と乳製品を消費するのをやめれば、世界の農地を七十五パーセント以上――アメリカ、中国、ＥＵ、オーストラリアの陸地の合計面積に相当する――減らし、なおかつ世界の人口の食糧をまかなえるという。その分の土地で樹木を栽培し、太陽光発電施設を作るなり家を建てるなりしてもいいし、レーザータグ〔レーザー銃を使うサバイバルゲーム〕をして遊ぶこともできる。何をするにしても、工業型畜産に使うよりはましだろう。

第六の理由は、肉はがん、脳卒中、心臓疾患、肥満、糖尿病、変異型クロイツフェルト・ヤコブ病の原因になる可能性があり、サルモネラ菌、リステリア菌、大腸菌を発生させる。動物を食べるのは自殺行為なのだ。

これで、なぜ肉食が批判を免れ得ないのか、疑いようのない六つの理由がわかっただろう。動物の福祉（アニマル・ウェルフェア）に反するようなシステムの中、家畜の大半がいかに悲惨な環境で短い命を終えているか、そして幸運にも大切に扱われた動物も、結局は私たちを満足させるために命を奪われているという事実は、もはや指摘するまでもない。わざわざ言われなくても、あなたは以前から知っていたはずだ。自分が食べている肉がどういうものか、無頓着でいることはできる。消毒ずみ（クリーン）で安全な、動物の命を連想させないパッケージに入って販売されているからだ。それでも、肉食が完全に正当化するのが難しい行為であることは否定しようがない。

いっぽうで、肉は人間の文化の根本的な要素でもある。肉食をやめるのは、人間の食事の定義を変えることであり、人間が自らに与えた動物界の支配者という役割を失うことを意味するだろう。人間の経験の根本的な柱のひとつと言っていい肉食が、いままさに私たちの存在を脅かしている。二〇五〇年には世界の人口は九十七億人となり、国連食糧農業機関の概算では、そのころには肉の需要は七十パーセント増加するという。いくら世界の大半の人たちが肉を食べつづけたいと望んでも、このままつづけていくのは無理がある。人が住むことのできない宇宙のどこかに、居住可能な惑星をもうひとつ作りでもしないかぎりは。

だが、ハリスランチのコーヒー・クラスト・リブアイステーキ誕生の地であるカリフォルニアは、肉に関する問題の最も革新的な解決策が生まれている場所でもある。I－5をさらに北上すること三時間、シリコンバレーの新しい価値観をもつ起業家たちは「私たちは結果を憂慮せずに肉を食べつづけていい、なぜなら動物を育てなくても肉を作ることができるからだ」と言う。それは「クォーン」〔菌類の生み出すタンパク質から作られた人工肉〕や、その他の植物性タンパク質を肉そっくりに再成形した代用品の類のことではないし、豆とココナッツオイルをベースにした「ビヨンド・バーガー」や、偽物の血がしたたる「インポッシブル・バーガー」〔ビヨンドもインポッシブルも、植物性原料を使った代替肉のメーカー〕でもない。彼らが言っているのは、正真正銘、動物の体外で成長した「肉」だ。フラスコの中で誕生し、タンクの中で育ち、ラボで収穫される肉だ。シリコンバレーのスタートアップ数社が、私たちに血のない肉、土地のいらない肉、糞便の臭いのしない肉、罪の意識とは無縁の肉を提供しようとしている。彼らはそれを「クリーンミート」と呼ぶ。そして私は、それを口にする世界で最初の人間のひとりとして、カリフォルニアに招かれたのだ。

実験室で肉を育てるのは、新しい試みではない（ピュグマリオンほど大昔からのものではないが）。一九三一年に『ストランド』誌で最初に発表された記事「五十年後（Fifty Years Hence）」の中で、かのウィンストン・チャーチルは、科学の進歩が人類を導いていく方向に思いを巡らせ、一九八一年には「我々は胸や手羽の肉を食べるのにニワトリをまるまる一羽育てるなどという愚かな行為をやめ、それらの部位を適切な培地で別々に培養するようになるだろう」と結論づけた（この文章はシリコンバレーで大いに崇拝されるようになった。フード・テクノロジーに投資するベンチャー・キャピタル・ファンドのなかには、社名を「フィフティ・イヤーズ」とした企業もあるほどだ）。

だが、チャーチルがそう考えるようになるずっと前から、体から切り離された肉は実験室で生きつづけている。一九一二年一月十七日、ノーベル賞を受賞したフランスの生物学者アレクシス・カレルは、ニワトリの卵から生きた胚を取り出し、さらにそこから脈打つ心臓の一部を取り出した。カレルはそれを特別な栄養培地で培養し、心臓の筋肉細胞を二十年以上も生かしつづけることに成功した。その系譜は後世に受け継がれ、長期の宇宙探査中に摂れる新鮮な肉を作る方法を模索していたNASAは、生物工学者モリス・ベンジャミンソンによる金魚の肉片を使った実験に資金を提供した。二〇〇一年、研究室で金魚の肉はみごとに成長した。ベンジャミンソンと研究者たちは自分が育てたものを調理したが、食べるのは思いとどまった（もっとも、匂いはかいでみたそうだ。おいしそうな匂いだったらしい）。大物は、二〇〇四年に登場した。オランダ政府が国内の大学グループによる試験管を使った肉の培養研究に二百万ユーロを供与したのだ。ところが五年後に資金は底をつき、この分野の研究は夢物語で終わりそうな気配がただよいはじめた。

世界初の人工肉ハンバーガーが食用に供されたのは、二〇一三年八月五日午後一時、ジャーナリストや研究者二百名を招いてロンドンで開かれた記者会見でのことだ。グーグルの共同設立者で、世界で最も裕福な人のひとりセルゲイ・ブリンの投資を受け、マーストリヒト大学の生理学者でオランダ人のマーク・ポスト教授によって作られたハンバーガー・パティの生産コストは、二十五万ユーロ〔約三千四百十万円〕。事業の立ち上げというよりは概念実証に近く、そのパティは「培養技術を使って作られた肉製品第一号」と評された。

その日、それは世界のトップニュースになった。そのときの映像はいまも私の記憶に残っている。ポスト教授が銀のクローシュをうやうやしく開けると、シャーレに入った薄い円盤状のピンク色の肉、すなわち実験室で成長した二万本の筋肉組織（教授の説明によると、それに卵パウダー少々とパン粉、本物らしく着色するための赤カブの汁とサフランを加えたもの）が姿を現した。清潔なダブルの白衣を着たシェフが、少量のバターを溶かしたフライパンにパティを入れ、肉汁をかけながら焼く。そしていよいよ、フードライターのジョシュ・ションウォルドと食品トレンド・リサーチャーのハンニ・ルツレルがそれを試食する。彼らは「味がない」うえに「パサパサする」が、かむと「いつもの肉の食感」がすると語った。どこかもの足りないが、偉業にはちがいなかった。

培養肉バーガーは研究プロジェクトであると同時に、ビジネスプロジェクトでもあった。そのためのしゃれたプロモーション映像も撮影されていた。「新しいテクノロジーは、しばしば私たちの世界観を変える可能性を秘めています」。ギターが鳴り響くなか、グーグル・グラスのヘッドセットをつけて、なんとなく未来的にも、完全に時代遅れにも見えるブリンは話す。「私は、いまにも実現する瞬間を迎えようとしているテクノロジーについて考えるのが好きです。そこで成功すれば、本当に世界を変えることができるのですから」

そこで映像は、ハーバード大学自然人類学教授のリチャード・ランガムに変わった。「私たち人類は、肉を好むように**作られて**います」とランガムは言う。「肉食は私たちに**途方もない利益**をもたらしてきました。肉を料理するようになり、人間は多くのエネルギーを摂取することが可能になりました。そのエネルギーを使って、私たちは脳を大きくし、身体的、解剖学的に人間になることができたのです」。まずは肉食好きでも大丈夫、ということだ。なんといってもそれが人間の本質なのだし、肉が私たちを人間にしたのだから。「世界中の狩猟採集民は、狩りに出た人が何日も手ぶらで帰ってくると、とてもがっかりします。居住地は静まり返ります。踊りは止みます。そこへ、誰かが獲物を捕まえたとなると！」ランガムは大きな声をあげ、興奮してこぶしに力が入っている。「彼らは肉を居住地へと持ち帰ります。現代なら、裏庭でバーベキューというところでしょうか。みんな大喜びです」

ビデオの後半で、ポストが肉が実際にどのように培養されているかを説明している。簡単そうな口ぶりで彼はこんなふうに語った。「牛から細胞を採取します。筋肉になれる唯一の細胞である、筋特異的幹細胞です。これらの細胞にしかるべき働きをさせるのに、私たちがすべきことはほとんどありません。牛から取り出すいくつかの細胞が十トンの肉になります」。なんとも楽勝そうである。

だが、現実はそれよりやや複雑だ。まず、幹細胞（体のどこかを切ったとき、傷ついた組織を再生させることができる細胞）の生体組織を成体の動物から採取する。それらは成長し、分裂し、脂肪と筋肉になる「スターター細胞」である。最初のプロセスに必要なスターター細胞の数はごくわずかだ。生体組織はゴマぐらいの大きさがあれば十分で、場合によっては麻酔を使って生きた動物から採取することができる。シードトレイに入れられたスターター細胞は、培地に浸されて栄養と成長因子を与えられ、増殖を促すためバイオリアクターの中に置かれる。ひとつの細胞がふたつに、ふたつが四つに、四つが八つに増えていく。それを繰り返し、やがて細胞の数は数兆にまで増える。これらの細胞をゲル状の足場に定着させ、筋繊維のかたちに成形して束を作り、それをいくつも積み重ねる。一個のパティを作れるだけの細胞を成長させるには十週間ほどかかるが、その後の細胞の成長は飛躍的で、十万個のパティを作るのに十二週間しかかからない(マーク・ポストの計算によると、一頭の牛からは二千個のパティが作れるが、そのためには十八カ月以上の飼育期間が必要だという)。バーガーやコロッケ、ソーセージの肉は組織構造がそれほど複雑ではないため、作るのは比較的容易だ。それがサーロイン・ステーキとなると、脂肪、軟骨、筋肉を正しい食感と構造にするのに相当な作業が必要になるだろう。ＡＩの進歩がセックスロボット市場の追い風を受けて加速するように、細胞の培養技術の進歩も、細胞から肉を育てる可能性によって加速していくと考えられる。

動物の肉とは異なり、クリーンミートはひとつひとつの細胞にいたるまで完全に管理・制御することが可能だ。可能性は無限と言っていいかもしれない。動物性脂肪が原因の心臓疾患を防ぐオメガ3脂肪酸を添加した肉。腸もないし、食肉処理される際に恐怖から排便する(動物に対する配慮が行き届いた牧場であっても、そうしたことは起きうる)動物もいないので、大腸菌やサルモネラ菌に汚染されるリスクがない肉。動物の体内で作るのは不可能な、新しい食感、味、かたちの肉。ガチョウに無理やり餌を食べさせる必要のないフォアグラ。豚を使わないコーシャー〔ユダヤ教が定める食べ物の規定。動物に関しては草食動物であり、蹄が割れていて反芻をするものしか食べてはいけないとされるため豚やウサギなどは食べられない〕・ベーコン。

しかし、そのいずれも、まだ市場には出回っていない。それでも、我先にとしのぎを削るスタートアップが世界中で急増している。それらの会社には、「ミッション・バーンズ（伝道の小屋）」「モダン・メドウ（モダンな牧場）」「メンフィス・ミーツ（メンフィスの肉）」「フォーク（そのまま、食器のフォーク）」「グード（＝グッド）」など、牧歌的で健全な雰囲気の名前がついている。なかでも一歩リードしているのがカリフォルニアの起業家たちで、彼らはシリコンバレーのベンチャーキャピタルから多額の資金援助を受けている。アメリカだけを見ても食肉・鶏肉産業(22)の市場には一兆ドル以上の価値がある。そこに少しでも食い込めれば、たとえシェアはわずか一パーセントにすぎなくても、数十億ドルの利益が得られることはまちがいないのだ。

私がそうした事情を知っているのは、カリフォルニアを訪れる二週間前、霧雨の降るロンドンで、ブルース・フリードリックとコーヒーを飲んだからだ。ブルースは科学者でも起業家でもないが、この星の誰よりも新たなクリーンミート産業の発展に責任を負っている人物だ。彼は前のめりになって、両腕をテーブルに載せ、熱心に、ひたむきに、まばたきひとつせず、私にどうしても書き留めさせたかった数字や名前や事実を連発しながら、地球を救うにはどうすればいいか、そしてクリーンミートをできるだけ多くの人に提供する自分の使命について、二時間にわたって話しつづけた。

ブルースは、クリーンミートおよび植物由来肉市場セクターのシンクタンク・アクセラレーター〔起業まもない会社の成長を資金、人材、設備の面でサポートする企業や人のこと〕であり、動物由来製品からの脱却を提言し、その環境整備をする非営利団体グッドフード・インスティテュート（ＧＦＩ）のエグゼクティブ・ディレクターだ。私たちは白黒の床のタイルがいやに目立ち、ミルクコーヒーの値段がやたらと高いメイフェアのカフェで会った。すぐ近くで、ブルースがＧＦＩの最も重要な出資者のひとりでイギリスの億万長者である未公開株投資家とミーティングをしていたからだ。ミントグリーンのシャツを着たエネルギッシュで細身の彼は、射るような青い目をしていて、引き込まれそうになる。その一週間前に、国連気候変動に関する政府間パネル（ＩＰＣＣ）が、畜産業が温室効果ガスの最大の排出源であるとの最新の警告を発表し、イギリス中のマスコミが、なぜ大量の肉を食べるのをやめる必要があるのかを報道していた。そうしたニュースがマスコミにとりあげられて、私はブルースが喜んでいるものと思っていたが、そうではなかった。

「十八カ月前をふり返ってみてください」とブルースは言った。「二〇一五年、王立国際問題研究所（チャタム・ハウス）は、肉の消費が減らないかぎり、各国は二〇五〇年までに気温上昇を二度以下に抑えることはできないと指摘しました。メディアでも報じられましたが、誰も関心を持ちませんでした。二〇〇七年にアル・ゴアとともにノーベル平和賞を受賞したＩＰＣＣ議長のＲ・Ｋ・パチャウリは、記者会見で『肉の消費量を減らせば、温室効果ガスを効果的に減らせる』と語りました。イギリスのメディアはそれを大々的に報道しましたが、そのときも、いまも、何年たとうが、人々の反応はいつだって、『それはたいへんだ。知らなかったよ』です」

「それはなぜですか？」と私はたずねた。「そういう話を聞きたくないからでしょうか？」

「暗に豆や米だけを食べろと言われているような気がするからです。みんな食生活を変えたくないんですよ。先週のニュースだって、二年か三年後にまったく同じ話をしているかもしれません」

「つまり、特定の話題のときだけ記憶喪失になるというわけですね？」

ブルースは微笑み、広い心で「みんな忙しいですからね」と答えた。「GFIは、数十年にわたり畜産が及ぼす害について人々に知ってもらおうとしてきましたが、それでは効果がないと考えています。九十九パーセント近い人は、環境被害や世界的な健康への悪影響、動物保護といったことを理由に食べるものをきっぱりと変えたりはしません。何度も何度も似たような働きかけをして異なる結果を期待する、というのは正しい判断ではありません。そこで、人が求めるものを、作る方法を変えて提供してはどうかと考えました。食べ物のほうを変えたらどうか、細胞から直接肉を作るのはどうか、と。非効率なプロセスも抗生物質の必要もなく、工業型畜産の残酷さとも無縁な肉です。人々には、彼らが望むものを提供します。ですが、それによる害はなくさなければなりません」

まさに自由市場の国、アメリカらしい話だ。私はもうひとりのノーベル賞受賞者、リチャード・セイラーを連想した。彼は、「正しい」意思決定をするよう人々を「ナッジ〔背中を押す、つつくという意味〕」し、人間の行動変容を促すための行動経済学理論を提唱し、二〇一七年にノーベル経済学賞を受賞している。

だが、ブルースはそれを否定した。「ナッジ理論よりも、話はもっと単純です。車が馬や荷馬車に取って代わったのと同じ理屈なんです。人々が肉の味や食感や匂いといった根本的な要素を好むなら、それをもっとよい方法で与えることができれば、人々はそれに乗り換えるでしょう。よい製品が安く手に入れば、人々はそっちをほしがるはずです」

GFIが設立された二〇一五年、メンバーはブルースのほかにもうひとりだけだった。三年後、彼はアメリカに加えてインド、ブラジル、イスラエル、中国、ヨーロッパに七十名の従業員を抱える組織のトップになっていた。GFIを立ち上げた当時、クリーンミートのスタートアップは「メンフィス・ミーツ」だけだったが、三年後、その数は二十五以上になった。その大きな理由は、ブルースと彼のチームが起業を容易にしたからだ。GFIには、クリーンミートの研究開発を行い、論文を作成し、専門家の審査を受けて発表する科学技術部門、スタートアップを手助けするイノベーション部門、巨大食品企業の参入を促す企業エンゲージメント部門、クリーンミートに動物の肉と同じようにラベルをつけて販売し、最終的にはそれに取って代わることを可能にする「有利な規制」を実現させるため、政府にロビー活動を行う政策部門がある。世界初の実験室育ちのハンバーガー同様、GFIもやはりテクノロジー分野の起業家の資金援助を受けている。最大の資金提供者は、フェイスブックの共同設立者、ダスティン・モスコヴィッツとその妻だ。

ブルースはビジネススクールや大学院の科学プログラムにも足を運び、クリーンミートを次世代の起業家や研究家に広く伝えている。GFIは九十八ページにもおよぶマニュアル、「優良な食品企業の計画立案、立ち上げ、成長に関する読み放題ビュッフェ」——表紙にそう書いてある——を公表している。細胞から肉を作って売るための、誰でもわかるステップごとの手引書と言ったところだ。弁護士の雇い方や資金の集め方から、検索エンジン最適化の方法、どんな人にもわかりやすいロゴやパッケージ・デザインにいたるまであらゆることが盛り込まれていて、無料でダウンロードできる。

「このスタートアップ・マニュアルはみごとですね」と私は言った。「何もかもが網羅されています」

「ありがとう。たくさんの人たちにこの業界に参入してほしいんです。環境団体にはこれをミッション・ステートメントとして採用してほしいと思っています」

「ですが、実際のところ環境のことにはふれられていませんね。ことばの使い方がとても巧みで、いかにもシリコンバレーらしい。『クリーンミートは夢のようなビジネス・チャンスだ』という印象を受けました」

「その通りです。人が投資をするのは多くの利益を得たいからです。彼らの目に映っているのは世界で一兆ドル規模の食肉産業と、より安価に肉を生産する可能性です」。ブルースは大学でも同じメッセージを伝えている。「私たちは、これからビジネス界の巨人になろうとしているすべての人に、クリーンミートは彼らの豊かな才能を活かせる分野だと知ってほしいのです。組織工学エンジニア、生物工学エンジニア、呼び方がなんであれ、私たちはそうした人材を求めていて、彼らに『この業界に入れば、世界を救うひとりになれる、家族を十分に養うこともできるんだ。地球を破滅から救い、お金を稼ぐと同時に、自己実現だって可能だ』と説明しています」

こんな有名なジョークがある――「誰かがヴィーガンだって、どうすればわかるの？」「心配しなくても、彼らが自分でそう言うさ」。だが、クリーンミートの世界はそうではない。ここまで話をしていて、ブルースが「Ｖワード」（ヴィーガン（ｖｅｇａｎ）に関連することば）を口にしたのは、私がその話題を出したときだけだった。彼は自分がかつてヴィーガン運動のリーダーだったことや、その後動物の倫理的扱いを求める人々の会（ＰＥＴＡ）の副代表を務めていたことに関しては何も言わなかった。こちらがそれについて質問すれば口を開いたが、私がたずねなければ彼は一言も語らなかったにちがいない。シリコンバレーのクリーンミート・スタートアップはヴィーガンによって経営され、それらに資金を提供する人たちもほとんどがヴィーガンなのだ。ＧＦＩ

自体がヴィーガン・マネーで成り立っている。ダスティン・モスコヴィッツとその妻も、ブルースがメイフエアで会っていたイギリス人億万長者もヴィーガンだ。しかし、ブルースはそのことも自分からは言わなかった。データや情報の提供に積極的な彼だが、その点だけは私のほうから質問しなければならなかった。クリーンミートは、じつはビジネスに擬態したヴィーガン運動なのではないか。そんな気がしはじめていた。ヴィーガンの人たちは、「vワード」に込められた道徳的で清廉潔白な態度が肉を愛する人たちを刺激することを知っているので、わざわざ前面に出すことはしたくないのだろう。だが現実に、ブルースやクリーンミートの起業家たちが向かっている未来は、ヴィーガンが食肉産業を経営・管理する世界だ。クリーンミートはヴィーガンミートなのだ。

誰にも気づかれないように人間を動物の肉から遠ざけたいなら、考えなければならないのは、そのための効果的なことばだ。二〇一三年にマーク・ポストがクローシュを開けてパティをお披露目してからも、その肉をなんと呼んだらいいかはっきりしなかった。「培養肉」？　「実験室育ちの肉」？　それとも「試験管肉」？　本腰を入れて市場調査を行い、業界の一般的な名称を考案したのがGFIだった。「私たちは『クリーンミート』ということばを作りました。そのほうが『培養肉』よりも消費者の受容度が二十〜二十五パーセント高いことがわかったんです。『培養』と聞くと、シャーレなどの実験器具を連想してしまうのだと思います」。GFIはスタートアップにも顧客受けのよくなさそうな社名を変更するようアドバイスした。かつて「ミート・ザ・フューチャー」という名だったイスラエルのスタートアップの現在の名称は、「アレフ・ファームズ」だ。「人は食べ物に未来性を求めていません」。ブルースはそう言い切った。

ＧＦＩは消費者に、生産プロセスよりも最終製品そのものに注目してほしいと考えている。それは食肉産業も同じだ。結局のところ、牛肉（ビーフ）は牛（カウ）とは呼ばれないし、豚肉（ポーク）は豚（ピッグ）とは呼ばれない。ブルースは、「クリーンミート」には「クリーンエネルギー」と同じ響きがあるし、この肉が抗生物質を使用しておらず、病原菌もないことが伝わりやすいと言う。だが、それをクリーンミートと呼ぶのを受け入れるならば、動物の体内で育つ肉はクリーンではない、つまり汚いということになる。ブルースの望む通りにそのことばを使えば、私たちはヴィーガニズムの政治的立場を黙って受け入れることになるのだ。

「人々は、いずれこの肉が自然に成長したものでないと知ることになります。嫌がる人も多いのでは？」

「消費者の受容には**な〜んの問題も起きない**と思います。人々はいま肉を食べていますが、それは彼らがその生産方法など意に介していないだけで、別にその方法自体に賛成しているわけではありません。ぎゅうぎゅうに詰め込まれて死ぬまで太らされるだけのブロイラーを見せながら『これはよい育て方ですか？』と誰かに聞いてみてください。多くの人の答えはノーです。クリーンミートが工場で生産されるプロセスを一度インターネットでライブ配信すれば、みんな納得するでしょう」

「インターネットでライブ配信するんですか？」

「はい、透明性が何よりも重要ですから。プロセスを完全に明らかにすれば、規制当局の懸念も解消されるでしょう。メディアはものごとのマイナスの面に目を向けて、あえて批判的立場をとるのが仕事なので、企業の透明性が高ければ好意的な報道をしてくれますし、そうでなければ疑いの目を向けます。ですが、メディアもしかるべき理由があってそうしているわけです。情報公開を避けて通るわけにはいきません」

言うまでもなく、彼らがそうするのはお金のためでもある。「世界の食肉市場のごく一部を手に入れるだけで、かなりの利益になりそうですね」と私は言った。

「いいえ、私たちは市場のすべてを手に入れるつもりです」。彼は即答した。

とはいえ、ブルース自身はお金には頓着していないようだ。それが明らかになったのは、高いコーヒーを飲みながら九十分間話をしていて、なぜヴィーガンになったのかたずねたときだった。まだ学生だった一九八七年、彼は貧困者のための無料食堂でボランティアをし、オックスファム・インターナショナルの協力で断食を企画していた（私の知る、酒に酔ってケバブを食べる大半の大学生とは大ちがいだ）。そのころ、一九七一年に発表されたフランシス・ムア・ラッペの革新的な書、『小さな惑星の緑の食卓（奥沢喜久栄訳、講談社　一九八二年）』を読んだ彼は、世界の飢餓は食肉生産の非効率性によって引き起こされていることを知った。

「『嘘だろ？』と思いました。私は世界から貧困をなくしたくて毎日活動しながら、肉も乳製品も卵も食べていました。体の中に入るカロリーよりも生産にはるかに多くのカロリーが必要になる食品を食べていたんです。それらが特別体にいいわけでもないうえに、世界的な飢餓まで招いていたなんて」

「では、人権のためにヴィーガンになったのですか？」

「それが最初の理由です。六年間、ワシントンDCの都心部にあるホームレス・シェルターの仕事をしていたんですが、そのとき、イギリス国教会の聖職者であるアンドリュー・リンゼイの『キリスト教と動物の権利（Christianity and the Rights of Animals、未邦訳）』を読んだんです」。ブルースはふたたび、迷いのない青い目で私をじっと見た。「すべての土台にあるのは、信仰です。信仰がすべてです。マタイによる福音書二十五章に『救済とはあなたの土地を貧しい人のためになげうち、彼らの苦しみを減らそうとすることだ』とあるように、世界から貧困をなくさなくてはなりません。リンゼイは、畜産業において動物に起きていることは、神への冒涜だと主張しています。神は動物を新鮮な空気を吸って子を育て、神を賛美するよう創造しました。畜産場での扱われ方は、神が動物に与えた役割や目的のいっさいを否定するものであり、嗜好などというとるに足らないもののために、私たちは動物に痛みを与えています。地球は神からの借り物なのに、畜産でそれを傷つけています。信仰の観点からすると、私たちの体だって借り物です。それなのに、人は過剰消費が原因の病気で死んでいきます。信仰の観点からすると、考えられるあらゆる点で、工業型畜産はまちがっているんです」

息継ぎのためにようやくことばを区切ったブルースは、これ以上ないくらいに穏やかな笑顔を浮かべた。私とのやりとりの中でブルースが自分から語ろうとしなかったふたつのこと——信仰とヴィーガニズム——こそが彼の宇宙の中心にあって、彼を突き動かしているモーターであることは明らかだ。「自由に語ってい い」というスイッチが入ったのか、ブルースは突如、宗教、動物の権利、人権のミッションを背負った福音主義者となった。まるで地球を救う、ヴィーガンでキリスト教徒のスーパーヒーローみたいに。

「いまの仕事は天職ですか？」最後にたずねた。

「天職そのものですね」。ブルースは毅然と答えた。「宗教的な天職です」。彼の堂々としたひたむきさ、偽りのない強い信念にふれてしまうと、私は自分をひねくれ者で、イギリス人で、肉食者で、小さい人間だと感じざるを得ない。

そのとき、ふと疑問に思った——クリーンミートを食べても、まだヴィーガンだと主張していいのだろうか。「食べたことがありますよね？」と私は聞いた。「いまでも自分はヴィーガンだとお考えですか？」

「はい。正直、つい肉を三回だけ食べたからって、その人がヴィーガンでないとは言えないと思います。しかし、クリーンミートを常に食べるようになったとしたら、もうヴィーガンであるとは言えません。なぜなら、それはあくまでも肉だからです。ヴィーガンとは動物性食品を食べないことなので、クリーンミートが広く購入できるようになったら、私はヴィーガンをやめます。クリーンミートを食べるからです」

「三十年ぶりに肉を食べたとき、どう思われましたか？　変な感じがしませんでしたか？」

「チキンとカモを食べましたが、まず『なんてこった、おいしいぞ』と思いましたよ」


本当に？　ヴィーガンやベジタリアンの友人から聞いたところでは、自分の意志かどうかを問わず、なん十年かぶりにいきなり肉を口にしたら、味といい舌触りといい不快きわまりなく、お腹の調子もひどく悪くなったそうだが。

「気に入ったんですか？」もう一度聞いてみる。

「もちろんです！　肉の味も匂いも食感も申し分ありません。値段がまだ高いのが玉に瑕ですが、ええ、気に入りましたね」


問題はそこだ。肉を食べたいという欲求が私たち全員にとって命とりなのだとしたら、どうにかすべき問題は肉の生産方法ではなく、肉食の欲求のほうではないのだろうか？

「もしもこの先もっと説得力のある別の方法が見つかって、野菜を中心とした食生活に移行するようなことがあったとしても、クリーンミートを食べていた人は肉の味をなかなか忘れられないのではありませんか？」

ブルースはやはり、すでに答えを用意していた。「言いたいことは三つあります」。彼はすぐにことばをつづけた。「第一に、それは世界最大の『もしも』であるということ。以前、私たちもヴィーガニズムを広めようと挑戦しましたが、うまくいきませんでしたしね」

「しかし、ヴィーガンになる人たちは以前よりも増えていますよね？」

「私が職業柄ヴィーガニズムを主張するようになったのは一九九六年ですが、そのとき、私たちは世界のヴィーガニズムの最先端にいると思っていました。ものすごい盛り上がりでしたから。アリシア・シルバーストーン、アレック・ボールドウィン、パメラ・アンダーソン。彼らは当時大きな影響力をもっていました。じつのところ、ヴィーガンの数はあれ以来それほど変わってはいないんです」

彼の話は、私が読んだことのあるイギリスでのヴィーガニズムの発展(23)事情とは食いちがう。イギリスでは二〇一四年から二〇一九年の間に、ヴィーガンの数は四倍に増えたと言われている。とはいえ、世界全体の数字を知っているわけではないし、ブルースぐらいこの問題に関する情報やデータに精通していれば、私の見解など簡単に言い負かすに決まっている。

彼は自分のペースで話しつづける。「次に力を込めて言いたいのは、『だから何？』です。そんなこと、誰が気にするというのでしょう。植物や細胞から直接肉を作ることができるとして、肉の味を長く記憶にとどめることに反対する理由はなんでしょうか？」

「本物の肉、つまり動物の肉の闇市場みたいなものができるとか？」

「だとしても、現在の市場に比べれば、その規模はごくわずかでしょう。動物は生きるに値する一生を送れるようになります。食用に飼育される動物の百パーセントが死ぬまでよい環境で生きられるなら——このシナリオで最終的に目指すのはそこですが——、闇市場で取引される動物の数は、現在食肉処理されている動物の一パーセントにも満たなくなるでしょうし、すべての動物がだいじに扱われるようになります」

なぜそう言えるのかとたずねる間もなく、ブルースはもう次の話題に移っていた。それは最も重要なもので、彼がこれまで活動に取り組んできた本当の理由もそこにありそうだ。「第三の問題ですが、これはおそらく解決します。九八・九九パーセントの肉が植物由来肉およびクリーンミートである世界は、人々が日常的に動物の搾取に手を貸さない世界です。動物の権利が注目されてこなかった大きな理由は、世界の九九パーセント近い人々が、刑務所に入れられてもおかしくないほど残酷な、工業的畜産という営みに**毎日**加担しているからです」。一語一語念を押すように、彼は人差し指でテーブルを叩きながら話した。「動物たちが法的な保護を受けられさえすれば、人々がこれ以上日々動物の権利を侵害する片棒を担ぐことをやめれば、動物が大切に扱われ、動物の権利と利益が守られる世界の実現に向かって、驚くほどスムーズに進んで行くでしょう」

要するに、これは動物の権利を求める革命をどのようにして成し遂げるかの問題なのだ——動物実験のビデオを秘密裏に撮影するのでも、毛皮を売るデパートを爆破させるのでもなく、私たち肉食動物に肉の代わりになる何かを与え、自分たちに与えられたと思い込んでいる、動物を犠牲にして生きる権利を見直させることによって。ブルースの考えを認めることは、動物の権利を求める運動がかつて失敗したことを受け入れ、エシカル・ヴィーガン〔食べ物だけでなく、毛皮や革などの動物製品も使用しないこと〕が私たちを説得して起こすことができなかった変化を、これからはテクノロジーが可能にすると信じることなのだ。

ブルースのスケジュールは詰まっていた。この後、ケンタッキー・フライド・チキンとのミーティングで、ニワトリのいない未来について議論するのだという。私はかなり長い時間をとってしまったことをわびた。

「話していてこれほど楽しいことはありませんから」と彼は言った。

「そのようですね」

ロンドンで雨の午後にブルースに会いに出かけたときは、話が終わるころには自分がクリーンミートに夢中になっているなんて思ってもいなかった。だが、ブルースの並々ならぬ自信は、こちらにもひしひしと伝わってきた。注意深くことばにしなければならなかった質問も、口にできなかった批判も、クリーンミートで解決できない問題もなかった。彼の組織にとって、クリーンミートはなくてはならないものであって、問題は「もしも」ではなく「いつになるか」なのだ。別れるころには、私はまさにこれから歴史を作っていこうという人物と二時間すごしたのかもしれないとまで感じていた。

二週間後、「牛の強制収容所」のホテルをチェックアウトして、I－5をサンフランシスコに向かって北上していたとき、私の中にはまだブルースの楽観主義の余韻が残っていた。ハリスランチの肥育場がバックミラーに揺れて映り、消えていった。十分後には、牧場から漂っていた臭いも消えてなくなった。

[注]

(1) かつてないほど増えている

OECD, Meat consumption（指標）, 2018, https://doi.org/10.1787/fa290fd0-en (Accessed on 21 November 2018).

(2) アメリカだけでも年間二百六十億ポンド

National Cattlemen's Beef Association, Industry Statistics, http://www.beefusa.org/beefindustrystatistics.aspx

(3) 月まで二往復してもまだ余る

これに関してはクリエイティブな計算をしたが、正確な数字だと思う。二百六十億ポンドの牛肉は厚さ三分の二インチ、四分の一ポンドのパティを使ったハンバーガー千四十億個分に相当するので、それぞれを重ねていけば、高さ六百九十三億三千万インチになる。月までの距離は百五十一億三千万インチなので、月まで二回往復しても、残りのバーガーで地球のまわりを五・五周できる。

(4) 毎年七百億頭の動物が殺され

Compassion in World Farming, 'Strategic Plan 2013–2017', https://www.ciwf.org.uk/media/3640540/ciwf_strategic_plan_20132017.pdf

(5) 世界の畜産業

Food and Agricultural Organization of the United Nations, 'Major cuts of greenhouse gas emissions from livestock within reach: Key facts and findings', 26 September 2013, http://www.fao.org/news/story/en/item/197623/icode/

(6) 世界の三大食肉会社

GRAIN, IATP and Heinrich Böll Foundation, 'Big meat and dairy's supersized climate footprint', 7 November 2017, https://www.grain.org/article/entries/5825-big-meat-and-dairy-ssupersized-climate-footprint

(7) 牛肉百グラムを作るのに排出される温室効果ガス

J. Poore and T. Nemecek, 'Reducing food's environmental impacts through producers and consumers', 22 February 2019, https://josephpoore.com/Science%20360%206392%20987%20-%20Accepted%20Manuscript.pdf

(8) 五十パーセント

R. Goodland and J. Anhang, 'Livestock and Climate Change', Worldwatch Institute, November 2009, https://www.researchgate.net/publication/285678846_Livestock_and_climate_change

(9) 五十二パーセント

Chen Na, 'Maps Reveal Extent of China's Antibiotics Pollution', Chinese Academy of Sciences, 15 July 2015, http://english.cas.cn/newsroom/news/201507/t20150715_150362.shtml

（10）七十パーセント

'2016 Summary Report on Antimicrobials Sold or Distributed for Use in Food-Producing Animals', US Food and Drug Administration, Center for Veterinary Medicine, December 2017, https://www.fda.gov/downloads/forindustry/userfees/animaldruguserfeeactadufa/ucm588085.pdf

（11）中国とアメリカを合わせると

UN Food and Agriculture Organisation, 2018, https://ourworldindata.org/grapher/meat-production-tonnes?tab=chart&country=MAC+USA+GBR+CHN+Europe

（12）一部の肺炎や結核

'Antimicrobial resistance', World Health Organization, 15 February 2018, http://www.who.int/news-room/fact-sheets/detail/antimicrobial-resistance

（13）何も変わらなければ

Jim O'Neill (chair), 'Tackling Drug-Resistant Infections Globally: Final Report and Recommendations', Review on Antimicrobial Resistance, May 2016, https://amr-review.org/sites/default/files/160525_Final paper_with cover.pdf

（14）最も効率がいい

A. Shepon, G. Eshel, E. Noor and R. Milo, 'Energy and protein feed-to-food conversion efficiencies in the US and potential food security gains from dietary changes', Environmental Research Letters, 11, 2016, 105002, http://iopscience.iop.org/article/10.1088/1748-9326/11/10/105002/pdf

（15）四万三千リットルの水

D. Pimentel, B. Berger, D. Filiberto, M. Newton, B. Wolfe, E. Karabinakis, S. Clark, E. Poon, E. Abbett and S. Nandagopal, 'Water Resources: Agricultural and Environmental Issues', BioScience, Volume 54, Issue 10, October 2004, pp. 909–18, https://academic.oup.com/bioscience/article/54/10/909/230205

（16）シャワー四十八時間分

ここではシャワーの水量をきわめて平均的と考えられる一分当たり十五リットルとして計算している。

（17）百十二リットル

M. M. Mekonnen and A. Y. Hoekstra, 'The Green, Blue and Grey Water Footprint of Farm Animals and Animal Products', Value of Water Research Report Series No. 48, UNESCO-IHE Institute for Water Education, December 2010, https://waterfootprint.org/media/downloads/Report-48-WaterFootprintAnimalProducts-Vol1_1.pdf

(18) 富栄養化

M. Selman, S. Greenhalgh, R. Diaz and Z. Sugg, 'Eutrophication and Hypoxia in Coastal Areas: A Global Assessment of the State of Knowledge', World Resources Institute, WRI Policy Note, No. 1, March 2008, https://www.researchgate.net/profile/Suzie_Greenhalgh/publication/285775211_Eutrophication_and_hypoxia_in_coastal_areas_a_global_assessment_of_the_state_of_knowledge/links/5679c00e08ae361c2f67f4d8/Eutrophication-and-hypoxia-in-coastal-areas-a-globalassessment-of-the-state-of-knowledge.pdf

(19) およそ八割

Food and Agriculture Organization of the United Nations, 'Animal production', http://www.fao.org/animal-production/en/

(20) 最大八十パーセント

H. Ritchie and M. Roser, 'CO2and Greenhouse Gas Emissions', Our World in Data, December 2019, https://ourworldindata.org/co2-and-other-greenhouse-gas-emissions

(21) オックスフォード大学の研究者の計算

J. Poore and T. Nemecek, 'Reducing food's environmental impacts through producers and consumers', 22 February 2019, https://josephpoore.com/Science%20360%206392%20987%20-%20Accepted%20Manuscript.pdf

(22) 食肉・鶏肉産業

'New Economic Impact Study Shows U.S. Meat and Poultry Industry Represents $1.02 Trillion in Total Economic Output', North American Meat Institute, 14 June 2016, https://www.meatinstitute.org/index.php?ht=display/ReleaseDetails/i/122621/pid/287

(23) ヴィーガニズムの発展

'Statistics: Veganism in the UK', Vegan Society, https://www.vegansociety.com/news/media/statistics

第6章
肉を愛するヴィーガン

サンフランシスコのミッション地区（ディストリクト）。タープがそよ風にはためいている。金網のフェンスを背に、いくつものテントが寄り添うように置かれていた。コケみたいに、暗くひっそりと。目抜き通りであるフォルサム・ストリートでは、ホームレスがうつぶせで大の字になって寝ている。その目と鼻の先で、ピカピカに磨かれた金色の扉が真昼の太陽の下で輝いていた。扉の中央には、「ＪＵＳＴ」と書かれたガラスのパネルがかかっている。ここは「まもなく世界で初めてクリーンミートを一般発売する」と発表した時価総額十一億ドル(1)の食品スタートアップ、「ジャスト」の本部だ。製品ラベルに書かれた企業スローガンによると、「ジャスト」とは「良識と正義と公平さを指針として進んで行く」という意味が込められた名前だそうだ。すぐそばに明らかな絶望が転がっているこの街に、ベンチャーキャピタルの億万長者たちが続々とやってくるという状況には、良識も、正義も、公正さも何ひとつ見出せないが、ここで働いている人たちはそんな疑問を抱きもしないのだろう。

ブザーを鳴らすと金色の扉が開いた。グレーの階段の先に、コンクリートの床とオープン・プラン式のオフィスが広がっていた。シューッ。島型に配置されたデスクのあいだを、誰かがスケートボードで通って行く。スチール製の梁やうねったパイプがむき出しで、どこかのスピーカーからは心地よいジャズが聞こえている。ここでは百人ほどが働いているほか、二匹のゴールデン・レトリーバーがしっぽを振り、舌を出して跳ね回っている。ローテーブルの横に膝をつき、塗り絵をしている子どもたちもいる。白い壁には、巨大な白黒写真が二枚、横に並べて飾られていた。左の写真に収まっているのは、明らかにどこかのパーティーで偶然居合わせただけのような、口に何かをほおばったビル・ゲイツと、ジャストのCEOジョシュ・テトリックだ。右下の端には巨大な赤い文字で「LEAP（飛躍）」と書いてある。右のほうは、やはり口いっぱいに何かをほおばるトニー・ブレアと、彼を見つめるジョシュの写真で、「DARE（挑戦）」の文字がある。

私がここに来たのは、ジャストがもうじき発表するクリーンミートを試食し、ジョシュに会うためだ。だがその前に、社内の見学ツアーをしなければならない。「ここはかつてチョコレート工場だった建物で、しばらくディズニー・ピクサーが入っていたこともあります」。広報担当マネージャーのアレックス・ダラーゴはそう語った。この場所で数々の夢が生み出されてきたのだとでも言いたげに。ひょっとするとジョシュは夢のような食べ物を現実のものにすることができる、ウィリー・ウォンカ〔小説、映画の『チャーリーとチョコレート工場』に登場する人物〕みたいな人なのかもしれない。でも、今日これから私が何を食べるのかを、アレックスは教えてくれない——サプライズ、というわけだ。そのときを待つしかない。

ともあれ、ジャストは私を快く迎えてくれた。ブルースは完璧な透明性の確保と生産プロセスのライブ配信を約束したが、当のクリーンミート産業が情報公開にそれほど積極的でないことは明白だ。少なくともいまのところは、であるが。世界初にして最大のクリーンミート・スタートアップのメンフィス・ミーツは、二〇一六年から牛肉を、一七年から鶏とカモの肉を製造しているという。二〇一八年のGFI年次総会で、メンフィス・ミーツのウーマ・ヴァレッティCEOは、彼らの肉を食べてみたい人は「どうぞ本部に足を運んで試食してください」と述べた。それなのに、これまでにそれを食べたことのあるジャーナリストはひとりもいない。メンフィス・ミーツが撮影した、フェットチーネにからまるうっすら焦げ目のついたミートボールの写真が配られただけだ。彼らが肉の培養に成功しているのはたしかだと思う——食品大手のタイソンやカーギルのほか、ビル・ゲイツやリチャード・ブランソンがこの会社に巨額の投資をしているのだから。だが、ウーマがいつでも誰でも歓迎すると言った割には、メンフィス・ミーツは彼らが作ったものを私と共有したがらなかった。問い合わせるたびに、広報担当者はいろいろな理由を並べて、いまはタイミングが悪いと言いつづけた。ウーマが出張に出ているとか、試食用の肉は残らず潜在投資家のために取っておかなければならないとか、施設の改修工事中で、作業はいつ終わるかわからない——半年後かもしれないし、もっと長くかかるかもしれない——とか。

透明性に関して、ジャストは独自の問題を抱えていた。二〇一一年にジョシュが会社を設立したときの社名は「ハンプトン・クリーク」だった。主力製品である植物由来の卵不使用マヨネーズ、「ジャスト・マヨ」はヒットし、ホールフーズではヴィーガン、ノン・ヴィーガンを問わずあらゆるマヨネーズのなかで最大の売り上げとなった。ハンプトン・クリークのセールスポイントは、卵の特性を完全に再現できるタンパク質を含む植物を世界中を回って探し出し、実験とコンピューター分析を活用して完璧な試料を特定したことである。植物の分子の秘密を紐解くことができる——卵をハックしたので、もうニワトリに卵を産ませなくてもいい——と断言し、ハンプトン・クリークは自らを単なるヴィーガン食品メーカーではなく、テクノロジー企業と位置づけ、それまで豆のバーガーなどには決して投資をしてこなかった多くのベンチャー・キャピタリストに魅力をアピールした。ところが二〇一五年、数名の元従業員が「ハンプトン・クリークはいい加減な科学に頼っている(2)、いや、科学をまるっきり無視している」、投資家たちを集めるのに「真実をねじ曲げた」などと、ビジネスインサイダーに告発したのだ。二〇一六年にはブルームバーグ(3)が調査を行い、ジャスト・マヨの売り上げ急増は鵜呑みにはできないと示唆した。ハンプトン・クリークの従業員と契約業者が、売り上げを大幅に増やすため、ホールフーズでジャスト・マヨを大量に買い占めるよう指示を受けていたことを裏づける証拠が見つかったのだという。

二〇一七年にハンプトン・クリークは、かつての主力商品にあやかって「ジャスト」に社名を変更した。ジョシュはこれまでとは畑が違うばかりか、科学とビジネスのいずれにおいてもより高度なテクノロジーが求められるクリーンミート事業への参入を決めた。ウェブサイトに公開された新たな動画が、その決断にいたった経緯を説明している。ここに来る前に、私はそれを見たばかりだった。

「私たちは、最高品質のニワトリの羽を一本使うことを考えつきました」。強い南部アクセントでジョシュが言うと、広い牧場にたたずみ、金色に輝く日の光を浴びた、ふわふわの白い羽をもつニワトリの姿が徐々に現れる。キャプションは、「ニワトリのイアン」。そこにサンダルをはいた男性が登場する。彼は草の上に落ちているイアンの羽を拾うと、まるでヒッグス粒子でも発見したかのように驚いた表情で、それを太陽の光にかざしてくるくる回し、透明な容器に入れた。次の場面では実験室にロボットがいて、ＳＦ映画や法医学の犯罪捜査ドラマでしかお目にかかれないような透明なボードには手書き文字で公式が書かれていた。いかにもな最先端科学の風景である。ビデオの最後は、フライヤーを使った屋外での調理の場面。シェフがゆっくりとした大げさな身ぶりで、揚げたてのチキンナゲットが入ったトレイに海塩をぱらぱらとふりかけた。ピクニック・テーブルのまわりに七人が座り、その肉を口いっぱいにほおばっておいしそうに微笑んでいる。それはイアンの肉かと思いきや、そのあいだも、イアンは彼らの足元を歩き回っている。

「座ってチキンを食べている目の前で、当のニワトリが走っているという、およそ現実とは思えない経験でした」。ジョシュのナレーションはそう語る。もっとも、ビデオでチキンを食べている人たちのなかに、ジョシュの姿はないのだが。「どうすればなにもかもうまくいくのか、その答えを見つけました。食べ物を作るために命を奪う必要は、もうありません」

なんの冗談だろうと思ったが、ブルースのひたむきな誠実さが私をここに導いたのだと考え直し、皮肉をぐっとのみ込んで、まじめに受けとることにした。そのことばのたとえ一部でも正しいとするなら、私たちと動物、地球、食事との関係はまさに永遠に変わろうとしている。そして私は、それを最初に経験することができるのだ。

だがその前に、私は植物の勉強をしなければならない。アレックスが、植物のグローバル調達責任者でジャスト社内ツアーのひとり目のガイド、ウーディー・ラジーニを紹介した。彼のぼさぼさのあごひげと印象的な青い目には不思議と見覚えがあった。何分か雑談をしているうちに、私はウーディーが、例のビデオでサンダルをはいてニワトリの羽を手にしていた人だと気づいた。だが、じつは、彼の仕事はニワトリとはなんの関係もなかった。

「研究用の植物を世界中から調達するのが私の仕事です」。アレックスと私を連れて下の階に移動しながら、彼はそう話し、プラント・ライブラリーへと続く扉を開けた。ひんやりとした巨大な部屋には、大きなプラスチック製の平たい容器が置かれた、天井までの高さのメタルシェルフがずらりと並んでいる。部屋の中央にあるテーブルには黒い布がかけられ、その上にはそれぞれ異なる種が入った七つの小さな入れ物が私のために用意されていた。「ここには、二千種類を超える植物が集められています」。ウーディーは誇らしげに言う。「いまから当社のディスカバリー・プログラムをご案内します。スタートはここプラント・ライブラリー、上流です。ここに数千種類の素材を集め、ディスカバリー・パイプラインへと送って植物材料の特徴を研究します」。どう考えても、ウーディーが上流に案内するのは私が初めてではなさそうだ。

　彼は、タンパク質豊富な種子を探して六十五カ国以上回ったという（「アマゾンにも、東南アジアにも、東西アフリカにも、アンデス山脈の丘陵地帯にも足を運びました」）。そう聞いて、カーキ色のピスヘルメット〔熱帯や砂漠などの酷暑地域での防暑用に作られたヘルメット型の帽子〕をかぶったウーディーがなたで樹木を切り倒しながらジャングルを進むイメージが思い浮かんだが、実際は市場で種子を買うのだそうだ。テーブルの上のサンプルにはグアテマラの林床から先住民が集めたマヤナッツや、コロンビアのアマゾン川流域でのみ生息する果物の種のほか、ジャストのオフィスの一ブロック先の食料品店で購入できるオーツ麦、挽いた亜麻仁の種、粉末状の大麻種子などもあった。

「次に下流で見ていただくロボットに処理させるので、種子は粉末状にしなければなりません」とウーディーは言う。下流部門は上の階にあった。代わってガイド役を務める自動化担当副主任チンヤオ・ヤンが「安全のために」と言って私にゴーグルを手渡した。「これからディスカバリー・プラットフォームに入ります。そこでは機械類が実験を行うことになっています」

ディスカバリー・プラットフォームは機器と装置だらけだった。マイクロラボ・スターと呼ばれる機械が、青色光を発してピペットを回転させている。ガラスのピラミッドの中には注入装置がいくつもあって、「JUST」のロゴの入った小さなボトルが並んでいる。ガラス・ケースの中には、目を引くふたつの白いロボットアームがある。私は、ロンドンの科学博物館でキャスリーンと見たロボット展を思い出した。とはいえ、ここのロボットアームは動いてはいなかったが。「これらはランディとハイディと呼ばれています」と言って、チンヤオは微笑む。「タンパク質分離株の微妙なちがいを、機能、ゲル化または乳化の観点から判別できます」

難しい専門用語はさておき、そこで実際に何が行われているのかを私はなんとか理解することができた。ここで彼らは種子のタンパク質を分析して融解温度や粘度などの特性を調べ、そのデータをジャスト・マヨ、クッキー生地、サラダ・ドレッシングなどの製品開発担当者やシェフに送っているのだ。ディスカバリー・チームには科学者やエンジニアが十名以上いるというが、私が見るかぎり、ここで作業しているのはひとりだけで、その人は一本のピペットを手で処理している。正直、これほどまでの装置が必要なのだろうか？

「どれぐらいの頻度でこれらの機械を使うのですか？」

「ほとんどの機械は二十四時間、三百六十五日稼働しています」とチンヤオは答える。

「では、これは動いていますか？」いちばん近くの巨大な装置を指さして、私はたずねた。この場にあるほかのあらゆるものと同じで、見るからに複雑で値の張りそうなその機械は、しんと静まり返っていた。

「いまは、動いていません。ミーティングに入ったばかりで、試料がないのですが、ふだんはあります。いまは待機中なんです」

アレックスに連れられてふたたび下の階に戻ると、ジャストの「細胞農業プラットフォーム」の上級研究員ヴィター・サントが廊下で私たちを待っていた。ヴィターは組織工学エンジニアで、五年間がん研究に取り組んだのち、ジャストで研究を行うため一年前にポルトガルからサンフランシスコに移り住んだという。細くて長い腕を伸ばして握手を交わすと、すぐさま彼は自分の担当パートの紹介をはじめた。私にしてみれば、それはどうしても知りたいことではなかったが、ウーディーやチンヤオと同じように、ヴィターもやはり何を説明するかあらかじめ決めてあったようだ。私が何を聞きたいか、私にどんな知識があるかなどいっさいおかまいなしに、彼は自分の台詞を読み上げた。

「まず、生検と同じように、動物の細胞を分離します。細胞をほんの少し採取するんです。それをラボに持って行き、栄養――つまり細胞が通常必要とするあらゆるものすべてを含む液体培地に入れます」

「どこまで詳しくお話しいただけますか？」と私はたずねた。「生体組織はどのようにして取るのですか？」

「培地には何が入っていますか？」

「私が言えるのは、さまざまな種を培養しているということです。最も進んでいるのは鶏肉ですが、牛肉、豚肉、その他の鳥類の培養にも取り組んでいます。培地に関して言えるのは、たとえばこのような培地に使用される薬品の処方は一般的な、薬学や医学の研究手順に従っている、ということくらいです。しかし、えーと、もっと手ごろな価格にするために、培地の成分を改良しています」

ヴィターは慎重にことばを選んでいたが、それは細胞を成長させるこの培地が、きわめて重要な命題や矛盾をはらむものだからだ。薬学や医学の研究者はウシ胎児血清（ＦＢＳ）を好むが、これはその名が示すように牛の胎児から作られる。血清は血液から血球や血小板といった凝固成分を取り除いたもので、細胞の増殖を促す栄養、ホルモン、成長因子を含んでいる。食肉処理場で母牛の子宮から摘出された胎児は、生きたまま心臓に針を刺され[4]、死ぬまでの五分ほどのあいだに心臓から血液が抜き取られる。そうやって得られた血液が精製され、ＦＢＳになる。ＦＢＳほどヴィーガンの理念からほど遠い物質もないだろう。

だが、血清は細胞を成長させるのに非常に適している。なかでも牛の胎児の血清は成長因子が豊富で、どんな細胞を入れても成長し、増殖させることができる万能培地なのだ。ほかの培地もあるにはあるが、ＦＢＳと違い、たいてい一、二種類の細胞にしか使えない。ＦＢＳはワクチン開発、がんやＨＩＶの研究など、医学研究にとってきわめて重要なものだ。マーク・ポストのあのバーガー・パティを成長させるのにも使われた。彼のバーガーが恐ろしく高価な理由もそこにある。ＦＢＳの価格は一リットル三百〜七百ポンド〔約四万八千円〜約十一万二千円〕で、一枚のパティを作るのに、ポストの概算によると五十リットルが必要なのだ。

「従来の方式を使うとしたら、手ごろな価格の製品を発売するのは絶対に無理です」。ヴィターは話を続ける。「ジャストの戦略は、ディスカバリー・プラットフォームを利用してさまざまな植物由来のタンパク質を試し、細胞の成長を促進するものを見つけることです。今後、採取した動物の細胞に植物由来のタンパク質を与えるプロセスを本格的に始めます。考えてみれば、それは自然のなかでふつうに起きていることです。動物は植物を食べるんですから」。いや、それは単純化しすぎというものではないだろうか。培地をただの食べ物といっしょにはできない。とはいえ、ジャストがそれをなんとかできるとすれば、大きなセールスポイントになるだろう。クリーンミートを最初に市場に投入できるだけでなく、可能なかぎりヴィーガンに優しい方法でそれを実現できるのだから。

「有効な植物由来の培地は見つかったのですか?」と、私はたずねた。

「そこですが。作業はまだ進行中だと言っておきましょう。いまはさまざまな種類の植物を調べているところです」と彼は答えた。「効果の大きな処方はいくつかわかっていますが、最終的な設計ではありません。現時点で言えるのは、私たちには動物の血清を使わない培地がある、ということです」

たとえ動物の血清を使わずに工業規模で肉を生産できるとしても、スターター細胞を採取するための動物は必要になる。イアンの羽のビジネスモデルは、どの程度現実的なのだろうか。

「使用するのはどの細胞ですか?」と、聞いてみた。

「筋肉から採取してもいいですし、血液から採取することもできます。実際のところは、動物によります。あまり詳しいことはお教えできないんです。これも知的財産のひとつですから」

「羽からも採取できますか?」

「はい」。そう言って、彼は軽く肩をすくめてみせた。

「ですよね、会社のビデオでもそう言っていますものね」

ヴィターはこのツアーでふたつ目となるゴーグルを私に手渡し、私たちは別のラボに入った。隅にある三台の金属抽出機の排気口の下に、プラスチック製のシードトレイが置かれていた。トレイは碁盤の目に区切られており、ひとつひとつの小さなスペースには、肉の細胞を含む鮮やかな赤い液体が入っていた。ひとりの女性がピペットでそこに何かを注入している。培地を交換しているのだという。細胞が培地の栄養分を吸収して老廃物を発生させてしまい、そのままにしておくと成長が阻害されるため、定期的に新しいものに取り換える必要があるのだ。いわば白衣を着てガーデニングするような、とても簡単な作業だそうだ。

要するに、この部屋では細胞に「動物の体内にいる」と勘ちがいさせて再生を促しているわけだ。培地の定期的な交換が、血液で栄養を運び、老廃物を排出させる心臓の役割を果たしている。四つのグレーの培養装置が、シードトレイを人間の体温に近い三十七度に保つ。生体の中で成長していれば経験するはずの体の動きを疑似体験させるため、細胞の懸濁液を回転させる攪拌機まである。培地と肉の汁が入った三角フラスコが回転する様子は、まるでSFの世界から飛び出してきたかのようだが、ヴィターはそうしたイメージを払拭しようと懸命だった。「じつは、これはごく一般的な方法なんです。細菌発酵のプロセスによく使われています。ビールなんかも同じです」。彼はきっぱりと言った。

このラボで最も有望と思われる細胞が特定されたら、それを上の階に運んでバイオリアクターの中で大量に培養し、最後にシェフのもとに届けて製品開発を進めていく、という流れはよくわかった。「イアンのような一羽のニワトリから、すべての部位をまかなえるだけの細胞が採れるかもしれません。数千本のバイアル〔液状の薬品などを保管するための瓶〕を集めた細胞バンクを作り、生産ラインを開始するたびに、そこから一本バイアルを取り出して培養プロセスをスタートさせます」。ヴィターは自信たっぷりに微笑んだ。無数の動物たちが悪臭のする不潔なハリスランチの肥育場のようなところに押し込められている光景が、消毒されたバイアルが並ぶ光景になるというなら、確かにそれは目覚ましい変化だ。

ツアーにずっとつきそっている広報担当のアレックスは、私たちのやりとりにうなずきながら、スマートフォンをチェックしていた。彼女は上の階に戻ってバイオプロセスと生産のラボを見学するよう、私たちを促した。私はそろそろ肉を試食したいと思った。何が供されるのかくらい教えてくれたっていいのに。

「肉一切れを作るのに、どれくらいかかりますか？」

「ステーキなら一週間くらいです。やろうと思えば」。こともなげにヴィターは答えた。

そのことばに、私は思わず固まってしまった。「本当ですか？」

「問題は、それを販売に適した方法で実現できるかです。何度もプロトタイピングをすれば、テクノロジーの可能性を証明することは可能かもしれませんが、そうはしていません。方法はわかっていますが、現実的なワークフローとして統合するには、しばらく時間が必要です」

細胞組織を成長させるのがそんなに簡単なら、なぜ火傷を負った人は苦痛に満ちた皮膚移植を受けなければならないのだろう？　なぜこんなに多くの人々が透析療法を受けているのだろう？　誰かが亡くなって臓器を提供してくれるのを待つのではなく、必要な腎臓や肝臓や角膜をラボで再生させればいいだけの話ではないのか？　今日ここで見聞きしたさまざまな話と同じように、ヴィターの答えによって私の頭には疑問ばかりがどんどん増えていった。

上階の明るいラボに、人の姿はなかった。ホテルのミニバーほどの大きさとかたちをした二台のバイオリアクターがあるものの、やはりどちらも動いていない。ジャストは今年中にクリーンミートを市場に投入すると約束していたが、いまはもう十一月だ。この部屋で、この機械で大量生産などできるわけがない。これはどう見ても研究プロジェクトの段階で、商業的な生産ラインが稼働しそうな気配はなかった。

「フル生産に入るには、これよりはるかに大型のバイオリアクターが必要になるのではありませんか？」

「その通りです。私たちが目指す規模で生産を開始するには、ゼロからバイオリアクターを作らなければなりません。それが難しいのです。だからこそ、製品を売って、人々にその可能性を味わってもらうことが重要です。彼らのサポートと、食肉企業やその他の投資家からの資金が得られれば、バイオリアクターの製造に取りかかれるでしょう」

そのとき私は、ジャストにはいますぐクリーンミートを一般の店舗で販売する気はないのだと気づいた。製品発表は世間の注目を集める派手な宣伝活動、すなわち「世界初」のタイトルを手に入れ、ベンチャーキャピタルをさらに呼び込むための手段でしかない。クリーンミートは依然として概念実証の途上にある。しかも、今回検証されるのは、肉が実験室で成長可能であるという概念そのものではなく、人々がそれにお金を払う気があるかどうかだ。

「価格はいくらの予定ですか？」

「いまのところ、決まっていません。今年中に何軒かの高級レストランで提供されることになります。限定販売ですね」

「今年中というのは確実なんですか？」

「はい。一カ月ほどたてば、みなさんにお知らせできるでしょう」。彼は自信とプライドで顔を輝かせる。

「すごいでしょ。これが、私が医学研究からこのプロジェクトに移った理由のひとつなんです。自分がこれからやろうとしていることは、世の中に非常に大きな影響を及ぼし、しかもきわめて早いペースで実現すると思いました。医学研究の場合、たとえば薬を市場に出すのに十五年ぐらいかかります。それに対してこの業界のオペレーションはとても迅速です。私はいいタイミングで参加しました。しっかりとしたサポートがありましたから」


あなたが熱心で、理想家で、大きな望みを抱いており、辛抱強ければ、ジャストはあなたにまさにうってつけの場所（ジャスト・ザ・ライト・プレイス）というわけだ。


アレックスに連れられて、私はオープン・プラン式のオフィスに戻った。「おかけください」。そう言って彼女が示した場所には黒い長テーブルがあり、キャンプ用ガスコンロの前で、顧客サービス担当マネージャーのジョシュ・ハイマンが私を待っていた。グレーのキャップとジャストの黒いエプロンを身につけた彼は、テレビの通販番組か料理番組のセットの一部みたいだ。ツアー開始から二時間、ようやく未来を味わうときがやってきた。私はすっかり興奮しきっていた。

「アレルギーなどの過敏症や、食べられないものはありますか？」コンロに火をつけながら、ハイマンはたずねる。そんなこと、彼はもう知っているはずだ。ここに来る前に、私は食べ物に関する要望をアレックスにメールで送るよう言われていたのだ。アレルギーも食べられないものもない。ほとんどなんだって食べられる。だから私はここにいるのだ。揚げ足取りはしたくないが、彼らは私がヴィーガンかどうかを確認して、これから食べようとしているものにどれだけなじみがあるかを見きわめたいのだなと感じた。

だが、まだ肉を食べることはできない。もう少しの辛抱だ。まずは「ジャスト・エッグ」〔緑豆を主原料にした液体卵の製品名〕――言うまでもないが、卵は使われていない――を試食しなければならない。これも、ディスカバリー・プラットフォームで作られた植物由来の食品だ。

ハイマンがびんから何かをすくってフライパンに入れると、ジュージューと音がする。

「本物のバターですか？」と私は聞いた。

「はい」。当然のように彼は答えた。「九十五パーセントの人がスクランブル・エッグをこうやって食べていると思います。それなら、同じで方法で作りましょう。損はありませんよ。おいしくなるんですから」

「なんですって？　ここはヴィーガン企業、動物から搾取しないという約束の上に成り立っている食品会社ですよね？　それなのにあなたは、バターを使って損はない、おいしくなるなんて言うんですか？」と言いたかった。だが、やめておいた。

「味の決め手は動物性脂肪です」とハイマンは明るく話を続けた。「植物油でもいいのですが、スクランブル・エッグには使いたくありません。だからアレルギーはないか聞いたんですよ。準備はいいですか？　さあ、いきますよ。緑豆から作られた卵です」

熱々のフライパンに、十二オンス〔約三百五十ミリリットル〕のプラスチック・ボトルからジャスト・エッグが注がれる。つやつやした薄い黄色の液体は、泡立てたばかりの卵のように見える。ふくらんでジュージュー音を立てるところも、卵そっくりだ。端のほうがきつね色に焼けて、ひだが寄り、ちょっとめくれあがってくる。これが卵じゃないなんて、とても信じられない。

「ひっくり返すこともできますよ」。そう言いながら、ハイマンはヘラを使って裏返す。「味つけにふたつの調味料を使います」。グレーの容器から何かをひとつまみ取り出す。「ひとつ目は、ブラックソルトと呼ばれるものです。絶対に必要というわけではないですが、天然由来の硫黄化合物が含まれているので、ほんのわずかに卵の匂いと風味を与えてくれるんです。それから、卵と同じように、粗びきこしょうも少々ふりかけます。そんなところです。さあ、できましたよ」。ハイマンは完成した料理を皿にのせて、私に差し出した。

見た目は卵だ。卵のような音がしたし、調理の方法も卵と同じ。フォークを入れた感じも、舌ざわりも卵そのものだった。ふわふわで、柔らかくて、熱々だ。でも、全体的に風味がない。バターとこしょうと、硫黄を含む特殊な塩を使わなければ、まったく味がしなかったと思う。

「とてもおいしいです」と私は言った。

「そうでしょう？　少し弾力があって、少し柔らかくて、ちょうどいいんです」

ほかになんて言えばいいかわからなかった。「おいしいです……いままでにない味です」

「ええ。卵とまったく同じ味ではありませんが……」

「食感は変わりません」。前向きなことばを探して、私はそう言った。

「食感はかなりいいんです。ですから、いつもの料理に、たとえば野菜といっしょに炒めるとか、チーズを加えてオムレツにしたり、朝食のブリトーに入れたり……」

平たく言うと、それが何か、何でないのかを知らないで食べる分には、問題はないわけだ。これが最先端かつ最高の植物由来食品だとすれば、クリーンミートが必要とされている理由が理解できる。世界中の種子や優れたロボットを集めても、ジャストはまだ植物から動物性タンパク質を作ることはできていないのだ。

「さて、いよいよお待ちかねの」とハイマンが高らかに宣言する。どこから出してきたのか、いつの間にか黒い皿を持っている。「当社のナゲットをお召し上がりください」

皿の上には、ベージュの衣をつけた、小さな長方形のものがひとつ、赤、白、青のストライプ模様の入ったワックスペーパーにくるまれていた。全米代表チキンナゲット、という趣だ。

「お好みで、ソースをつけて召し上がってください」。皿の横に置かれた、ピンクがかった黄色い何かが入った小さな金属製のボウルを指さして、ハイマンは言う。

「もうできあがっているのですか？」私は彼が目の前のコンロで何かを揚げるのだと思っていた。なんだか嫌な予感がする。

うなずきながら、「すでに調理してあります」と彼は答える。

「なんのソースですか？」

「当社のチポトレ・ランチ・ドレッシングだと思います」

「まずはソースなしでいただいてみます」

「お好きなように」

「はい。いただきます」

私は衣をかみ切った。温かく、歯ごたえはサクサク、油で揚げてあって、濃いめの味つけだ。続いて肉をかむ。うん、チキンだ。チキンナゲットの味がする。舌や鼻に感じる風味も香りもチキンそのもの。けれど、ひどくどろっとしている。すごく、ものすごくどろどろだ。それでも――一応チキンの味ではある。

「チキンの味がしますよね？」即座にハイマンがたずねた。

「チキンナゲットの味がします」と私は答えた。

「そうでしょう！」意気揚々とアレックスが言った。ふたりの顔は輝いていた。

かみつづけていたら、だんだん気持ち悪くなってきた。口に入れたときはいつもの肉と同じだった――ジューシーで、まぎれもなく動物の肉らしい粘りがあった。でもかんでいくうちに、想像したこともないほど質の低い加工食品を思わせる食感になった。どろっとした感じがまるで肉らしくなく、動物の細胞組織とはかけ離れた代物なので、「これはひどく悪い肉だから吐き出してしまえ」と脳が言っている。このナゲットには、肉片を感じさせる要素がひとつもない。サクサクの衣をまとい、つなぎでかさ増ししてチキンっぽい味つけをした、どろどろの食べ物だ。

沈黙が続くなか、ハイマンが口を開いた。「辛口のご意見でも、どうぞおっしゃってください。どんな感想でもお聞きします」

「中身がちょっと、少し……どろどろしています」

ハイマンはうなずいた。「なるほど」

「ほかに何が入っていますか？」

「えー、いくつかの植物性製品を組み合わせています。それに動物の細胞を添加します。細胞以外は、百パーセント植物由来のナゲットです」

「本物の肉の割合はどれぐらいですか？」

「えーと……わかりません」

「ということは、あなたがこのナゲットを作ったわけではないのですね？」

「私ではなく、後ろにいるニコラスが作りました」。ハイマンは、数メートル離れたベンチで下を向いて作業している人たちを指さした。どの人のことを言っているのか、私にはよく見えなかった。今日の見学ツアーでは、ニコラスに会う予定はなかった。

ナゲットは小ぶりで、三口で完食できるほどの大きさだが、ちびちびかじるのが精いっぱいだ。もう何を食べているのかもわからなくなってきた。ハーモニーと会ったときよりもはるかに居心地が悪かった。ハーモニーならば、少なくともそれがどうやって作られているかをこの目で見ることができた。しかし今回は、二時間のツアーに参加しても、生の肉を目にすることがなかった。ナゲットは温かかったが、調理されているところを見たわけではない。私はあれをチキンナゲットだと思おうとしたが、どうにも無理だった。

そうはいっても、私が最後にナゲットを食べたのは十代のときだ。私はナゲットの何を知っていると言うのだろう？　そもそもナゲットはどれもこんなふうに加工された、どろどろした食べ物なのかもしれない。いや、でも、もしかするとハイマンも、チキンナゲットが本来どんな味なのか知らないのではないだろうか。

「あなたはヴィーガンですか？」と彼にたずねてみる。

「ああ……はい」と答えた彼は、困惑して真っ赤になった。まるで隠れヌーディストであることを知られてしまったみたいに。

「クリーンミートを食べようと思いますか？　ヴィーガンとして？」

「もう食べてみました。ですからもちろん、答えはイエスです」

「ヴィーガンになって長いのですか？」

「十年です。でも、それほど厳格なヴィーガンではありません。クリーンミートがあれば罪悪感なくまた肉を食べるようになると思います。ヴィーガンの友人は多くないし、妻もヴィーガンではありません。これは私自身のための選択であって、ほかの誰かに押しつけようとは思いません。気を悪くしないでもらいたいのですが、ほかの人が何をしようと、あまり気にしないんです」。彼はそう言いながらどこか後ろめたい様子で、自分はカルトの一員じゃないし、私を批判するつもりもないとむきになって訴えているように見えた。

「シェフから見て、これは料理しやすいですか？」

「ラッキーなことに、私はシェフではありません。接客を担当しているだけです。あなたと話をするために、ここにいるのです」

リアルボティックスの作業場で私が見たのはデモンストレーションだった。いっぽう、ジャストで私が見せられたのは、ショーだった。生まれて初めて食べたクリーンミートは接客担当者によって供された。見学ツアーにはアレックスによる振りつけがなされ、入念な舞台演出が施されていた。ここまで見てきたものは、過剰に単純化され、美化され、ごまかされていた。クリーンミートの開発がどこまで進んでいるかを、巧妙に取り繕うために。たったいま食べたものが牛の胎児の血清で成長したのか、魔法の植物の汁で成長したのかもわからない。最初にニワトリのどの部分の細胞を使ったのかさえわからない。血？　骨？　それとも羽？　まるで自転車エクササイズのようだ。楽しいし、いつまでも走っていられるが、実際に自転車で走っているわけではない――肉の世界におけるジャストの冒険物語は、ジャーナリストが語りたがり、投資家が聞きたがる物語だ。けれど、それは物語でしかない。

私はハイマンとアレックスにお礼を言った。「ビッグビジネスですね。これがうまくいけば、可能性はとてつもなく大きいです」

「そうなんです。そのためにがんばっているんですよ」と言ってハイマンは微笑んだ。「ここでは意味のないことはやりません。ジョシュ・テトリックという人は、インパクトの小さいことは好きではありませんから。世界中に影響を与えることでなければ、やりません」

私は水をごくりと飲んだ。口の中を洗い流したかった。

ショーのトリはもちろん、ジャストの創設者でCEO、まぎれもないリーダーのジョシュ・テトリックその人だ。昨年、ハンプトン・クリーク時代からの幹部三名がジョシュから経営権を取りあげて投資家に渡そうと画策したといううわさが流れ、彼らは解雇された。数週間後、ジョシュを除く取締役全員が辞任した。ジャストではジョシュがルールで、それに疑いを抱く者はみな会社を追われるらしい。

ジョシュは三十代後半で、アメフト選手顔負けの肩幅に、大きな手、太い眉をしていた。ミーティング・テーブルで彼の隣に座ったとき、私はどうしても、ありのままの素直な気持ちやまっすぐで率直なことばを彼から引き出したいと思った。この会社で信頼に足る答えを出せる人がいるとするなら、それはこの人であるべきだ。だが期待に反して、ジョシュもまた言うべき台詞を用意していた。植物由来の卵からクリーンミートに参入した理由をたずねると、待ってましたとばかりに話しはじめた。

「私たちにとって、植物由来か動物由来かは関係ありません。重視しているのは成果があるかどうかです」。例の強い南部アクセントで、そう彼は語った。「緑豆が卵の代用品を作るのに非常に効果的であることは明らかです。しかし、牛肉を作りたければ、豚肉を作りたければ、鶏肉を作りたければ、牛、豚、ニワトリの細胞を使うのが、味、食感、それからネーミングの点からも有効と考えています」

ジョシュはネーミングの重要性をよく理解している。その名も「リアル・マヨネーズ」が看板商品のヘルマン・ブランドを傘下にもつユニリーバは二〇一四年、ジャスト・マヨの商品名が虚偽広告に当たると主張し、ハンプトン・クリークを相手に訴訟を起こした。ジャスト・マヨは「Just Mayonnaise（マヨネーズ**そのもの**）」どころかマヨネーズ**ではない**、卵が含まれていないのでアメリカ食品医薬品局（ＦＤＡ）が定めるマヨネーズの定義を満たしていない、というのだ。ＦＤＡがこの訴えを認めたことから、ハンプトン・クリークはその製品がなんであるかを明確にするため二〇一五年にラベルを修正し、企業スローガン「良識と正義と公平さを指針として進んで行く」を添えて「ＪＵＳＴ」の意味を具体的に示した。彼らはその後もその商品をマヨネーズと呼び、人々は得体の知れない代用品とは知らずにそれを購入している。

「アラバマ州バーミンガムにいる私の両親は、ピグリー・ウィグリーやウィン・ディキシー〔いずれもアメリカ南部のスーパーマーケットチェーン〕で肉を買います。母の友人たちが、私が買うべきだと思う牛肉や豚肉――つまり動物の命を奪ったり、土地や水を無駄に使ったりしないで生産された肉を買う機会を増やすには、どうすればいいでしょう。それが肉と呼ばれないのなら、動物を一匹たりとも殺さずに大量の肉を生産する未来のシステムを構築することはできないでしょう。私はそれを実現させたいのです」。ジョシュの顔には熱意がみなぎり、まるで約束の地について教えを説く牧師のようだ。「食肉市場の五十一パーセントの肉が動物を犠牲にしないで作れる日を早く現実のものにするには、どうすればいいでしょう。それが叶ったら、次は五十五パーセント、六十パーセントと増やしていかなければなりません。クリーンミートは、そこにたどりつくためのただひとつの方法なのです」

クリーンミートを成功させるには、一般の消費者に受け入れられなければならない。大多数の人がウォルマートやテスコといった一般的なスーパーで買い物する以上、ホールフーズやウェイトローズ〔それぞれアメリカ、イギリスの高級スーパー〕だけでベストセラー商品になったところで意味はない。ぜいたく品ではなく、基本的な食品、つまり日々の食事に欠かせない食品でなければならないのだ。

「最終的な目標は、新しいシステムを構築し、その結果投資家に多くの利益をもたらすことです。彼らにもっと投資してほしいからです」とジョシュは語った。目標を達成する方法として、彼には魅力的なアイデアがある。クリーンミートを最初に市場に投入するだけでなく、ジャストは最高級のごちそうを誰もが手の届く一般的な食べ物にしようとしている。

「注目しているのは神戸牛、和牛、クロマグロです。私の父や母がスーパーで二種類のパティを見ているところをイメージしました。片方には『牛肩ひき肉、一ポンド二・九九ドル』と書いてあります。彼らがいつも買っているものです。もう片方には『A5ランク神戸牛パティ、A5ランク和牛パティ、一ポンド二・四九ドル』の表示があります。前者は動物を殺して作った肉で、後者は、この、別の方法で作られた肉です。父と母には『安いから』ではなく、『もちろん、肩ひき肉よりもうまみがあって、おいしくて、風味をダイレクトに感じられるほうを選ぶよ』と言って後者を選んでもらいたい。それが、私が現行のものと異なるシステムを作る理由です」

ジョシュはノートパソコンを開いた。「来年末までにこれを発表する計画です」。画面には、「A5ランク神戸牛パティ二枚、百パーセント和牛」と書かれた赤いラベルが貼られた白いポリスチレンのトレイにのった、ふたつのパティの画像があった。サシの入った、ごろっとした塊のあるあらびき肉のパティだ。

「ちゃんとした霜降りの神戸牛ですか?」と質問した。

「和牛ですよ。神戸牛は和牛の一種なんです」

ヴィーガンから牛肉のレッスンを受けることになろうとは。

イメージ画像はほかにもたくさんあった——丸々とした鶏の胸肉、きらきら光る鮮やかなピンク色のクロマグロ(「最高級の大トロ」)の切り身、それからジャストのクリーンミート工場の未来図を描いたイラスト。工場には、発電所の冷却塔ぐらい巨大な二十万リットルのバイオリアクターが四十八台と、培地を作るのに使う植物を栽培するための温室、コンベアベルトで集められてくるマグロや鶏胸肉を一般の人が見学できる展望台が完備されている。

ジャストが思い描く未来の工場を現実のものにするためには、クリーンミートを大量生産するのに必要な冷蔵・流通網をすでに備えている食肉企業との協働が必要になるだろう、とジョシュは語った。「彼らはニワトリは好きじゃないんです。巨大な施設でそこらじゅうに糞尿をまきちらす四十万羽ものニワトリを扱いたい人などいるでしょうか？　お金を生み出すもっといい方法があるとわかれば、当然そちらを選ぶでしょう」。消費者にとっては安くて品質がよいなら、製造業者にとっては手軽に大きな利益があがるなら、この先レストランのメニューにのる肉はクリーンミート一択になるだろう。市場の力が地球を救う。そしてそのとき、食肉産業を支配しているのがジャストというわけだ。

「世界最大の食肉企業になることを目指しているのですか？」

ジョシュは私の目を真剣にのぞきこんで、ゆっくりうなずいた。「もちろんです」

だが、そのためにはまず商品を市場に投入しなければ始まらない。年末までにアメリカ国外の数軒のレストランで、ジャストのチキンナゲットがごく少量ながら発売されるという。「どこで発売すればいいか、いろいろな国で話を進めています。アメリカではまだ販売するための法整備ができていませんから」と彼はため息をついた。「政治、政治で嫌になりますよ」

ジョシュの言う通りなのかもしれない。けれど見方を変えれば、彼はどろどろのナゲットを試験的に販売するために、公衆衛生の基準がより柔軟な国を見つけようとしているのだとも言える。

「ナゲットの販売は継続的なビジネスですか、それとも単発的なことですか？」

「継続的なビジネスになるでしょう」

「価格はいくらの予定ですか？」

「わかりません。まだ決まっていないんです」

「先ほど私がいただいたナゲットを作るのに、いくらかかるかは把握していますか？」

彼は首をふった。

「ものすごくコストがかかる？」

「そうです」

「私はとても高価なものを食べたわけですね」

「その通りです」

「数百ドル、それとも数千ドル？」

「数百ドルといったところでしょうね。正確な金額は私も知らないんですよ。いまの時点で経済性を計算する意味がないものは、把握していません。ビジネスとして採算を考える段階にするには、まずはもっと生産規模を拡大しなければなりませんから」

それ以降、ジョシュはめっきり口数が少なくなった。用意していた台詞を言い終えたのだろうか。この先彼から答えを引き出すのは難しい気がした。そこで私は方針を変えた。彼自身のことなら、もっと気楽に話してくれるかもしれない。

ジョシュによると、彼はアラバマ州で育ち、ＮＦＬのラインバッカーになりたいと思っていたが、大学に入って自分にそこまでのフットボールの実力がないことを思い知った。その後ケニアで国連開発計画の一員として働き、特別研究員としてリベリアの投資省と仕事をしているとき、絶望的な貧困を目の当たりにした。「政府やNPOのやることには、とにかくストレスがたまりました。何をするにも時間がかかりすぎるんです。そしてアメリカに戻り、『正しい食事をする人の割合を増やすにはどうすればいいか?』を考えるようになったんです」。彼はまた牧師モードに戻っていた。「私にとって、正しい食事とは、動物を殺さない方法で食べることです。正しい食事とは、環境を回復させるような方法で食べることです。正しい食事とは、体を傷めつけないものです。そして正しい食事は、ものすごくおいしくなければなりません。正しい食事は、手ごろな値段で手に入るものでなければなりません。どうすれば、明日正しい食事をする人の数を増やすことができるでしょう。それこそがこの会社の使命なのです」。なかなかに範囲の広い使命である。

聞けばジョシュがヴィーガンになったのは十年前だそうだが、それ以上は詳しく話そうとしなかった。「食事が引き起こす害を減らしたいと思ったんです。それだけです」と言ったきりだ。

「あなたの倫理観はどこから生まれるのですか?」ブルースを思い浮かべながら、私はたずねた。「動物の権利の観点からですか? 人間の権利の観点からですか? それとも宗教でしょうか?」

「いいえ、ちがいます。生き物が繁栄するよりよいシステムができれば、世界はもっとよくなる。それが私の倫理観です」

「では、そういう考えは、あなたのバックグラウンドのどこから生まれてくるのでしょう? それはじつにシリコンバレー的なものの見方だと思いますが」

「わかりません。説明するのが難しい、というのが正直なところです」

「私が知りたいのは、あなたの原点です。子どものころ、自分がいつか実験室で肉を育てるようになるなんて、もちろん考えてもいませんでしたよね」

「言っておきますが、規模が拡大すれば、肉を実験室で育てることなんてありえません。たとえばヨーグルトにしても、最初は実験室で作られていたものが、そのうちダノンなどの企業が大量生産を始めるようになったんですから」

言うまでもなく、そんなのはまったくのでたらめだ。人間は数千年前からヨーグルトを作っている。洞窟の中で生活していた時代から作られていたのだ。でも、それは口にしないでおくことにした。ジョシュはうんざりしはじめているようだし、私にはもうひとつ聞きたいことがあったからだ。

「正しい食事のためにわざわざそんな手間のかかることをするぐらいなら、肉を食べる量を減らすべきなのではないですか？」

「それは、車に乗るぐらいなら歩いて通勤するべきだ、ジャンボジェット機に乗るぐらいなら泳いで大西洋を渡るべきだ、食料品店に行かないで自分で作物を育てるべきだという理屈と同じです。たしかにそうすべきですが、私たちは現実の世界で生きていかなければなりません」

それを言うなら、ジョシュこそ現実の世界に生きていない。彼はこのサンフランシスコで、「うまくいくまで、うまくいっているふりをしろ」のスタートアップ文化の中で生きている。ベンチャーキャピタルがほかの何より重要とされ、それを確保するためなら問題は隠され、自信たっぷりのハッタリがまかり通る世界だ。ジャストのイメージ画像が映し出していたのは、人間の肉への欲求が招く危機の実効的な解決策ではなく、投資を引き寄せるためのキラキラしたアイデアだった。もしクリーンミート産業のほかの会社も同じなら、短期間にごく一部の人が大金を稼ぐことはできるかもしれない。しかし、それ以外の全員——私たちの体のみならず、この星までも——は、これまで通りの生活を続ける代償を支払うことになるだろう。

［注］

（1）時価総額十一億ドル
この数字はジョシュ・テトリック自身が発表したもの。そのうちわかると思うが、彼の言うことはすべて話半分に聞いておく必要がある。

（2）ハンプトン・クリークはいい加減な科学に頼っている
Biz Carson, 'Sex, lies, and eggless mayonnaise: Something is rotten at food startup Hampton Creek, former employees say', Business Insider, 5 August 2015, http://uk.businessinsider.com/hampton-creek-ceo-complaints-2015-7?r=US&IR=T

（3）ブルームバーグ
Olivia Zaleski, 'Hampton Creek Ran Undercover Project to Buy Up Its Own Vegan Mayo', Bloomberg, 4 August 2016, https://www.bloomberg.com/news/articles/2016-08-04/food-startup-ran-undercover-project-to-buy-up-its-own-products

（4）心臓に針を刺され
'Alternatives to the Use of Fetal Bovine Serum: Human Platelet Lysates as a Serum Substitute in Cell Culture Media', C. Rauch, E. Feifel, E. Amann 2, H. Spötl 2, H. Schennach 2, W. Pfaller and G. Gstraunthaler, ALTEX 28（4), 305–316, http://www.altex.ch/resources/altex_2011_4_305_316_Rauch1.pdf

第7章　あっちの水はにがいぞ

サンフランシスコのベイエリアの空気が世界で最悪だったその日、私は湾をはさんでジャストと向かい側にあるエメリーヴィルにいた。気候変動をかたくなに否定する人たちでさえも気候の変化が原因であると認めたカリフォルニアの山火事は、すでに百人を超える人々の命を奪い、街では通りの向こうが見えないほどの灰が視界をさえぎっていた。

四日前にジャストのナゲットを食べてから、私は肉を食べられなくなった。肉のことを考えただけで、吐き気がしてくるのだ。このぶんなら、クリーンミートのおかげで私はヴィーガンになってしまうかもしれない。おかしな理由ではあるけれど。

落ち着かないのは胃だけではなかった。心までなんだかざわざわしている。私はシリコンバレー・バブル、つまり販売する製品のない派手な宣伝活動を見るためだけに、はるばるここまでやってきたのだろうか？　ジャストのナゲットはクリーンミート界のトゥルー・コンパニオン製ロキシーなのだろうか？　私はやはり、ブルースが約束した信頼性と透明性を、どうしてもこの目で確かめたかった。

だから「フィンレスフーズ」のドアベルを鳴らしたとき、CEOが自ら応対に出たのは、意外な反面うれしくもあった。彼、マイク・セルデンは目と目の間が狭く、きれいに整えられたあごひげをしていた。六フィート三インチ〔約百九十三センチメートル〕と長身の彼は、身をかがめ、かしこまって私と握手した。その瞬間に、ここは気取りのないオタクが経営する会社なのだとわかった。

マイクは共同設立者でCSO〔最高戦略責任者〕でもあるブライアン・ワイアワスを小さな役員室から呼び、ふたりで私を迎え入れた。彼らは東海岸の出身で、魚を育てるため二年前にニューヨークからここに移ってきた。ブライアンは二十六歳、マイクは二十七歳。「僕たちが会社でいちばんの若手なんです」とマイク。「僕らは会社を共同経営し、いっしょに住んで、車もシェアしているし、友人グループもほとんど同じです。みんな、僕らを夫婦だと思っていますよ。僕らのほうも、さして否定もしていないんですが」

フィンレスフーズが魚介類に特化した初のクリーンミート・スタートアップとして設立されたのは二〇一七年、マイクとブライアンが生化学の学位を取得してほどなくのことだ。彼らが注目しているのは、クロマグロとスズキ。何を売るにしても最初はどうしたって価格が高くなる。ならばいっそ高級な魚を選んだほうがいい。ブライアンは気さくだったが、しきりにミーティングに戻りたがっていた。クロマグロのスターター細胞を調達するのに、七名のスタッフのうち誰をアジアに送るか検討しているところだったらしい。

マイクはこのスタートアップの「接客担当」だが、ここではパフォーマンスの類を見せられる予定はない。試食もない。「以前は何度もプロトタイプを作って試食してもらっていましたが、多くの場合、その目的はただ……投資を集めるには駆け引きも必要ですから」。そう言ってマイクは、いわくありげに微笑んだ。「投資家は現実的な成果を見なければなりませんが、それはもっともな話です。ビジネスで重要なのは感情です。いくら能力があって会社を起こしても、駆け引きが苦手なせいで資金を集められない科学者は山ほどいます」。駆け引きの重要性は重々承知しているが、マイクはまだ完成してもいない製品をさも市場に出せる段階にあるかのように装ったりはしない。彼は第一に科学者で、第二に起業家だ。だから、万一非難されたときのことまで考えて、学者らしく、能力以上に大きく出ようとはしないようだ。

現時点で、魚のみに注目しているクリーンミート企業はわずか三社。肉よりも魚の問題のほうが差し迫っているという現状からすると、その数は意外に少ない。私たちが奪う魚の命の数は、肉の比ではないのだ。すべての水産業は数十年にわたって(1)貪欲な方法で漁を続け、その結果海の生態系は危機的状況に陥った。すべての水産資源の三分の一は、補充が追いつかないほどのペースで枯渇している。乱獲されすぎて個体数が自然回復せず、食物連鎖が破壊されたのだ。残りのうち六十パーセントはすでに限界まで搾取されていて、もうこれ以上の漁獲量を得ることはできない。結局のところ、余裕のある水産資源はわずか七パーセントで、そのほとんどは採算が取れないほど陸地から遠い海域にあるか、政治紛争の激しい(領海に入れば戦争が起こりかねない)海域にある。一言で言えば、私たちは海から得られる魚の大半を獲り尽くしてしまったのだ。

数少ない小ぶりの魚を求め、燃料をどんどん燃やし、漁船団はさらに遠くの海まで行かなければならない(2)。しかも、商業漁業者が捕獲した魚の四十パーセントは捨てられている。対象外の魚類やウミガメ、鳥、海洋哺乳類が意図せず網にかかる「混獲」(3)と呼ばれる現象があるからだ。その多くは網で傷ついて死に、ただ廃棄される。私たちはほかのどの動物性タンパク質よりも魚を食べていて、十億もの人が魚を主なタンパク源にしている。自家消費のために漁業をして暮らす貧しい沿岸地域の人々は、生態系破壊の影響を誰よりも肌身に感じている。

海洋生態系破壊の解決策といえば魚の養殖を思い浮かべるかもしれないが、これもまた工業型畜産と同じ問題に遭遇する。大量の魚を狭い場所に閉じ込めれば、巨大な飼育槽が魚の排泄物で汚れてフナムシがわくため、殺菌剤、防かび剤、殺虫剤をまかなければならない。それに、飼育槽の中では生き残れない魚類も多い。たとえばクロマグロはずっと泳ぎつづけなくてはならないので、イワシ缶のごとく狭いところにぎゅうぎゅう詰めにされようものなら、たちまち死んでしまう。

それゆえに、動物の肉ではなく魚を選んだ理由をわざわざたずねるなんて認識不足と思われそうな気がしたが、私はあえてそれを最初に聞くことにした。

「理由はごまんとあります」。質問がうれしかったのか、マイクは意気込んで答えた。まず、人間による魚の消費は「地球に最大の苦痛を与えています。牛を一頭殺せば、それで約三百人分の牛肉をまかなえますが、魚を食べるとすれば、たとえばイワシなら、ひとりで十尾は食べます。被害は大きく、はるかに大規模な殺戮が行われているわけです」。続いては健康問題だ。「クロマグロは水銀やプラスチックで汚染されています。EPA〔アメリカ環境保護庁〕とFDAは妊娠の可能性のある女性——これは僕ではなく彼らが決めた年齢幅ですが、十六歳から四十九歳までの女性に、水銀濃度が高い大型の肉食性魚類を絶対に食べないよう推奨しています。それ以外の人も週一回に制限するのが望ましいとされています。プラスチックに関しては、その影響はまだ詳しく調査されていません。ですが、マイクロプラスチックが魚に及ぼす影響についてはよくわかっていいます。**おぞましい**ことです」。恐怖からか、彼は目をしばたたかせた。「マイクロプラスチックは脳内の化学物質に変化をもたらし、代謝を変化させ、社会行動を変えました。このままだと二〇五〇年には、重さで言えば海には魚よりプラスチックのほうが多くなってしまいます。魚は私たちの世代のタバコと同じようなものになるでしょう。かつて医者はタバコを推奨していましたが、現在私たちはタバコを見れば『いまいましい、肺がんの元凶め！』と思います。生物濃縮〔特定の物質が外界より高い濃度で生物の体内に蓄積される現象〕されたプラスチックが人間の生理機能に及ぼす影響が明白になれば、魚も同じ道をたどります」

さて、そこでクリーンフィッシュの出番だ。「魚の細胞はとても丈夫です。成長しやすく、必要なものも多くありませんし、激しい温度変化に耐えることもできます。陸の動物の細胞は摂氏三十七度で育つのに対し、魚の細胞は二十二〜二十六度あれば成長するので、うんと扱いやすいんです。ここでもその温度に設定してあります」。そう言って、彼は窓のほうを指さした。灰が霧のようにカリフォルニアの太陽を覆い隠していた。「構造が少しばかり単純なんです。ステーキ肉には渦を巻くような複雑なサシが入っていますが、鮭の刺身は筋肉、脂肪、筋肉、脂肪と重なっているだけなので、作るのはわけもないことです。やさしい科学実験みたいでした」

マイクは、ボストンで魚介類に囲まれて育った。「私の家族はものすごく信心深いわけではなかったので、ロックス〔イディッシュ語でスモークサーモンの意〕といったユダヤ教の食べ物も、ボストンらしい食べ物も、なんでも食べました。ロブスター、あさり、カニなど、ユダヤ教徒が食べてはいけないものも食べていたんです」。十五歳でピーター・シンガーの『動物の解放（Animal Liberation）』〔原書は一九七五年刊。邦訳は戸田清、技術と人間、一九八八年。二〇一一年、人文書院より改訂版刊行〕を読み、ヴィーガンになったマイクは、その後マサチューセッツ大学アマースト校でブライアンに出会う。マイクに言わせると、ブライアンは「天才」生化学者だ。中国で一年間英語を教えたのち、マイクはニューヨークでブライアンとインポッシブル・バーガーを食べに出かけた。彼らはビールを「ちょっとばかり飲みすぎ」た勢いで、事業計画書を書いてみることに決めた。

二〇一七年三月に、ふたりは最初の資金を調達した。生化学関連のスタートアップ・アクセラレーターであるインディバイオから、設立資金に加えて、実験室と共同作業スペースの提供を受けたのだ。彼らはやむをえずサンフランシスコに移った（「そうでなければ、カリフォルニアになど来ませんでしたよ。ここに住みたいなんて、思ったこともありませんでしたから」）。いまや彼らには、世界中に投資家がいる。そのひとりがベンチャー・キャピタリストのティム・ドレイパーだ。ドレイパーはエリザベス・ホームズがCEOを務めたかの悪名高き血液検査スタートアップ、セラノス〔少量の血液で二百種類以上の血液検査が可能になる技術を持つ医療ベンチャーとして注目され、巨額の資金を調達したが、その技術の大半が他社のものであったことが判明。一転してホームズは巨額の詐欺事件の容疑者となり、シリコンバレーにおける過去最大級のスキャンダルとなった〕にも投資していた。ホームズが有罪判決を受けたあとも彼女を支えた、非常に数少ない人物でもある。

フィンレスフーズの実験室に大げさなものはひとつもなかった。マイクは専門用語を使わず、派手な演出もすることなく事業のプロセス全体について話をしてくれたので、こちらも正しく理解することができた。その説明によれば、フィンレスフーズはまず、養殖業者、大学の研究室、釣り愛好家、さらにはサンフランシスコのベイ水族館から生体組織を調達する。それを「メインの作業ラボ」に運び、スターター細胞を採取して溶液中で懸濁させる。次に、そのなかから成長・分裂する能力のある細胞を選別する。取り出した細胞をシードトレイで培養する。細胞が分裂するのに必要な時間はおよそ一日。「ヨーロッパから調達するスズキの細胞は、とんでもないスピードで増殖するんですよ」と、わが子を自慢する父親のような顔で、マイクは言った。細胞が十分に増えたら、三種類のバイオリアクターのひとつに入れて実験を行う。

　続いて私たちは、フィンレスフーズのふたつ目のラボ、「分子生物学ラボ」に入った。そこでは培地が作られている。ジャスト同様、彼らも動物由来でない血清の処方を見つけたが、ジャストのディスカバリー・プラットフォームのような大がかりな装置は使っていない。「塩と砂糖とタンパク質です」。こともなげにマイクは言った。「塩と砂糖は食用ランクなので食品業者から購入します。人が口にしているものとなんにも変わりません。そしてタンパク質は酵母から作られます。魚の体内を調べ、どのタンパク質が細胞の成長に有効かを見きわめ、どのDNAがそうしたタンパク質を作っているかを明らかにします。酵母の場合もあれば、ほかのものの可能性もあります」

「それは遺伝子操作ではないんですか？」

「チーズを凝固させるレンネット〔凝乳酵素。母乳の消化のために若い哺乳動物の胃で作られる酵素を混合させたもの。これを発酵乳に加えることでチーズが沈澱凝固する〕を作るときと同じやり方です。『おっと、これは遺伝子組み換えの技術じゃないか！』と思うなら、そうかもしれませんし、『チーズを食べる人は、すでにそうしたものを食べている』とも言えます。私たちは異なるタンパク質を作るのにそれを使っているだけで、しかもそれは魚の中にもともとあるものです」

　私たちは、誰もいなくなった役員室に入った。外の壁には「世界のマグロ」の図がふたつ、額に入れて飾られていたが、中は白一色でがらんとしていた。

「仮にいま何かを作るとしたら、それはペースト状のものじゃないですか？」と私はたずねた。

「はい、その通りです。ペーストを材料として使う方法を見つけたいと考えています。というのも、ペーストにしても魚の味は残るからです。興味があるのはスパイシー・ツナ・ロールです。いや、ふつうのスパイシー・ツナ・ロールではなく、スパイシー・クロマグロ・ロールですね」。マイクは饒舌だ。「イギリスで人気はありますか？　こっちではみんな食べるんです。私たちはアメリカ人の口に合う魚のバーグを探していたんですが、スパイシー・ツナ・ロールがいいかもしれません」

しかし、彼らの大きな野望は切り身を作ることだ。そのためには食品科学、または組織工学を活用することになるだろう。「これを立体的なものにするテクノロジーは多種多様で、見通しはきわめて明るいです」。そう言うと、マイクはiPhoneを取り出して、オランダの企業ヴィーガン・シースターが製作したユーチューブの動画を見せた。あごひげをはやした二十代の男性が、完璧な層をなしたつやのあるピンク色の鮭、じゃないもの――「ザーモンの刺身」に、黒い容器からゴマをふりかけて食べていた。「食品科学や材料科学を用いて、こういうものを作ろうと考えています。植物由来のタンパク質、植物由来の何か、あるいはキノコ類を使って食感を生み出し、そこに香味剤として使う細胞を加えるんです」

うまくいけば、大きな成果が期待できそうだ。と同時に、ひどい失敗に終わると予想できないこともない。ジャストでの教訓からわかるように、食べ物には、脳がそれを食べ物として認識できる、しかるべき見た目、味、匂いに加えて、食感がなければならない。しかも、マイクはジョシュよりももっと難しい挑戦をしようとしていた。というのも、消費者は味のついていない生の鶏肉がどんな味と食感をしているのか知らないが、刺身となると、私たちは生魚の特徴をかなり細かいところまで知っているからだ。スモークすることもできなければ、バターで炒めたり衣をつけたりすることもできない。刺身は、冷蔵庫から出したらそのままの状態でおいしくなければいけないのだ。

おそらく、彼らの採用した組織工学は安全な方法なのだろう。フィンレス社には組織工学エンジニアもいるし、3Dプリンターによる人工臓器の作成はベイエリアではあたりまえに行われている、とマイクは話していた。「機械は高価ですが、このテクノロジーの魅力はスピードです。ひとつの臓器を三十秒たらずで出力できるんです。これはいい。うちでも検討している最中です。いまのところ僕らには早すぎますが」

フィンレス社のマグロが初めて市場に出回るとすれば、価格は一般的なクロマグロと同じ、刺身一切れ七ドル前後だろう。マイクの話では、それが実現するのに「数十年まではかからない」が、重要なのは科学ではなく規制だという。ここから、進捗をじゃまするお役所仕事に対する痛烈な批判が始まるのかと思いきや、そうではなかった。「規制を回避していると疑われないように、きちんと基準をクリアしたいんです。僕らはスクーター製造会社ではありません。製品を作って売ったら、あとはうまくいくように願うだけ、なんてわけにはいかないんです。なぜなら、食べ物に関しては、人々がそれを許さないからです。食べ物は体に深くかかわるものです。規制の裏をかこうとしていると思われたら、あとで泣きを見ることになりますから」。それに、クリーンミートが初めて売られる国の市場が「食品安全の基準が相対的にみて低いこと」を理由に選ばれたとなったら、業界全体があとで泣きを見ることになるだろう。何はさておき、私はジャストのナゲットを思い出さないよう努めていた。

クリーンミートがまず対処すべき規制の問題は、その名称だ。FDAはクリーンミートという呼び名をよく思っていない。マイクも、かつてある取材で(4)、クリーンミートはぴったりの名前だ、なぜなら肉好きの人の「良心（クリーンな）」に訴えかける効果があるだろうから、と語っていた。だが、本心ではずっとその名を嫌っていたそうだ。「ほかの言語ではまったく意味をなさないことばです。中国語では、消毒液に浸してごしごし洗うといったような意味になります。でも、しばらくしてわかったんです。ことば自体はどうでもいい、もっとだいじなのは一貫性なんだって。そこで考えを変えて、『クリーンミート』と言うようになりました」。マイクは「細胞由来の肉」のほうが好きだという。「動物由来の肉があれば、植物由来の肉、細胞由来の肉もあります。ニュートラルなことばです」。とはいうものの、それだってやはり意味をなさない。植物も動物も細胞からできているからだ。「どんな名前で呼ぶことになろうと、魚ということばはどうしても入れなければなりません。魚はアレルゲンになりえますから。パッケージには『魚』と明記し、その種類まで記載する必要があります。何より、正しい説明を必ず添えたいと思います。私たちはよいものを作っているのですから。私たちがしていることには、数多くの利点があります。人々には自分の意志で私たちの製品を選んでもらいたいのです」

呼び名がなんであれ、実験室で育った肉が一般的な肉に取って代わる日がくると、マイクは確信している。

「最初はとるに足らないものでも、やがて食品の原材料になり、植物由来製品のひとつになり、ハイブリッド製品となり、最終的に人々の大きな望みを叶えるものになるでしょう。とは言え、人々は科学者がすでに多くの解決策を見つけ出したと思っていますが、現実はそうではありません」

私はジャストの動画の中でジョシュが鼻高々に話していたのを思い出した――「どうすればなにもかもうまくいくのか、その答えを見つけました」。そして、灰で曇るこのシリコンバレーに、マイクがどれほど新風を吹き込んでいるかに気づいた。彼のような科学者が増えれば、クリーンミート業界ももっと現実的な中身が伴うだろうに。

「この業界は誇大広告とヨイショ記事だらけですよ」。彼は話を続ける。「最初のうちは、人々が考えるよりもゆっくりとした、小さい進歩でしかないでしょう。けれど、絶対に実現します。フィンレスフーズだからできるという意味ではなく、このテクノロジーならばできて当然なんです。これから人々は、新しいテクノロジーで作られたものを食べるようになります。私たちが先に自滅しないかぎりはね」

「つまらないことをお聞きしますが、シリコンバレーのスタートアップの世界は、居心地が悪くないですか？　ここの水が合うと感じていますか？」

「大っ嫌いですね」と彼は答えた。「二度目にここに来たときからずっと、どうやって脱出してやろうか考えています。ここの文化は異様です。今回のようにときどき人と話をしますが、みんな異星人みたいです。できればどこか別のところに行きたいですね、いずれは」

だが、彼の異質性は、アメリカ大陸の反対側の出身だからというレベルを超えていた。CEOであると同時に、マイクは共産主義者でもあるのだ。「多くの投資家は共産主義を支持しませんから」。彼は微笑んだ。

「あなたはどうですか？　正真正銘の共産主義者なのですか？」

「そうですね、まあ」

「どうすれば、共産主義の起業家でいられるのでしょう？」

「僕は自分が重要だと思うテクノロジーを確立しようとしています。それを叶えて、食べる方法をよい方向に変えることができたら、と思うんです。現時点で、それを実行に移すためのしくみが、スタートアップなんです。別のシステムがあったらいいのにとは思います。もっといい方法があればって。ですが、いまのところはほかに方法がありません」

「お金を稼ぐことに、本当に興味はないのですか？」

「投資家との関係を良好に保つためには、利益をあげるビジネスにしなければなりませんが。僕個人ですか？　あまり興味ありませんね。すでに必要以上に稼いでいますし。利益の多くは社員のものです。僕の年収は八万五千ドル〔約一千万円。シリコンバレーにおいては平社員の平均にも満たない〕くらいですけど、それで十分です。結婚していないし、子どももいませんから。この会社では僕と共同設立者の給料がいちばん低いんです」

「クリーンミート業界では透明性がきわめて重要なはずですが、実際に関係者と話をしてみると、必ずしもそういう人ばかりではありません。あなたはなぜここまでオープンに話をなさるのですか？」

「話をすることで、自分たちが誠実であると伝えたいんです。僕らは事実を正直に話します。結局、最後にものをいうのはそういうことじゃないでしょうか」と彼は答えた。「ミレニアル世代やZ世代が何に関心をもっているかという観点からトレンドを見てみましょう。僕らはでたらめにはうんざりしています。ぱっと見なにか高尚で、洗練されたように見えるだけのものは、いっさい受け入れません。僕たちは完璧であろうとしているわけじゃありません。目指すのは誠実であることです。それが僕らのブランドなんです」

別の言い方をすれば、マイクの正直さは周到なブランディング戦略、すなわち他のスタートアップと差別化を図り、新世紀の食肉メーカーとして市場で「勝つ」手段であるということになる。

しかし、マイク・セルデンという人に関して、未だにはっきりしないことがひとつあった――ヴィーガンかどうかだ。動物の権利を主張し、私がなんとか見つけ出した過去のインタビューでは毎回自分のヴィーガニズムについて饒舌に語っていたマイクだが、この日彼は私に、自分はもうヴィーガンではないと言った。「僕はあらゆるヴィーガン食品を買います。ベジタリアンやヴィーガンのレストランで食事もします。でも、自分をヴィーガンとは言いません。理由のひとつは、少しばかり人に知られる立場になったので、細かいことにいちいちけちをつけられたくないからです」

それからマイクは、最近ある会議で講演したときの話を教えてくれた。終了後、ひとりの女性が彼に近づいてきて、ワインを選ぶのにどのアプリを使っているのかたずねた。アプリは使っていないと答えると、女性は、あなたのような人がヴィーガンであるはずがないと言い放った。マイクは、「いいですよ、じゃあ、僕はヴィーガンではありません」と返したという。

「ヴィーガン・コミュニティは、自分たちをまるで客観視できない、どこまでも自己中心的な人間の集まりです。ものすごく白人的で、ものすごく裕福で、ものすごく恵まれているうえに、自分たちの行動の独善性に対してまったく自覚がない。そういう連中とつきあうのはごめんだと思いました」とマイクは語った。

マイクはたしかにヴィーガンだが、完璧なヴィーガンでいるのはとうてい無理な話であることを知っている。えせヴィーガンと非難もされたくないし、それならいっそ「自分はヴィーガンではない」と言うことにしたのだろう。私は彼を気の毒に思った。そして、自分が冷酷な肉好き以外の何者でもないことに感謝し、年をとりすぎてZ世代の一員になれなくてよかったとも思った。彼らの高い志は、違反者の烙印を押した者をつまはじきにする潔癖さと表裏一体だ。時には嘘も方便で問題を避けなければ、自分の思い通りの人生を送ることはできないだろう。

だが、彼が自分自身をどう定義づけようと、人類の未来に不可欠なこのテクノロジーがうまく機能するようになれば、ヴィーガニズムはすたれていくとマイクは考えている。「ヴィーガンの食べ物を作っていると思われるのは嫌なんです。僕らが作ろうとしているのは**食べ物**です。食習慣を変えることなく、すべての人をヴィーガンが目指したはずのものにする。それが僕の望みです」

ハードコアなヴィーガンは中途半端を嫌う。二〇〇四年、イギリスの過激な動物愛護グループが、スタッフォードシャーにある科学研究用のギニア豚を飼育する家族経営の牧場を標的に、嫌がらせを繰り返した。牧場の清掃業者に偽物の爆弾を送りつけたり、燃料を配達する男性の家の近所に「彼は有罪判決を受けた小児性愛者だ」と中傷するビラをまいたり、牧場作業員の名前を散弾銃の弾薬に書き、それを彼の家の前に置いたりした。それでも牧場閉鎖に追い込むことができないとわかると、牧場を所有する兄弟のひとりの亡くなった義理の母親、グラディス・ハモンドの墓を掘り起こし、遺体を返してほしければ牧場を閉めろとメッセージを残した。結局、三人の活動家はそれぞれ懲役十二年の判決を受けた。

動物愛護グループの活動は近年落ち着いているが、それもほんの少しだけだ。私がマイクのもとを訪れる一カ月前にはホールフーズの申し立てが認められ、バークレーを拠点とするヴィーガン活動家のグループ、ダイレクト・アクション・エブリウェア（DxE）に接近禁止命令が下された。DxEは、フィンレスフーズから十分のところにあるホールフーズの店舗でニワトリの福祉状況に関する抗議活動を行う計画を立てていたのだ。DxEは以前にも、肉と乳製品売り場の通路で動物虐殺の場面を演じるパフォーマンスをして卵と血のりをまき散らしたことがあった。また、DxEの活動家は、バークレーのいたるところにある家族経営の食肉処理業者の施設の外で、血のりをたっぷりぬりたくって裸でビニールにくるまり、寝そべって、録音してあった恐怖におののく豚の泣き声を流した。何カ月にもわたって、毎週だ。そうした行為は経営者が窓に「注目：動物には生きる権利がある。どんな方法であれ、彼らを殺すことはその権利を侵害する不正な行為である」と書かれたサインを掲げることに同意するまで続いた。

そんなこともあって、私は過激なヴィーガンたちからクリーンミート業界に対しなんらかの反発があるのではないかと予想していた。クリーンミートは人々に食習慣を変えず、動物の犠牲のうえに生きろと積極的に促しているからだ。もっとも、スターター細胞を採取するのに必要な動物の数は、工業型畜産で飼育される数よりもうんと少ないのだが。それでも、クリーンミートを認めれば、動物実験やFBSを用いて開発されたテクノロジーを大目に見ることになり、さらにそれを購入すれば、クリーンミートのスタートアップに多額の投資をし、世界中で何十億という動物を殺してきた張本人である、タイソンやカーギルといった大規模な食肉会社のふところを肥やしつづけることになる。少なくともオンラインでの反対運動の類や、ベイエリアでスローガンを唱えた抗議活動ぐらいはするのではないか、ひょっとすると研究室からの帰り道に牛の胎児の血清を模した液体をかけられる起業家だっているかもしれない、と私は思っていた。

ところが、ヴィーガン・コミュニティからは一言の不満も聞こえてこなかった。マーク・ポストが例のバーガーを二〇一三年に発表したとき、「培養肉なんて気持ち悪い」という批判は多少あった。たとえばオランダのヴィーガン協会は、パイレックスのフラスコに入った厚切り肉に比べたらベジーバーガーのほうがどれほど魅力的かと訴えるポスターを掲げて活動を行った。だがクリーンミートに対する組織的な反対運動はせいぜいそれくらいのものだった。イギリスのヴィーガン協会に電話をして広報担当者に話を聞いたところ、クリーンミートに「とても期待している」と言った。私は、彼らのお膝元で活況を呈する業界に対する見解を知りたくて、DxEの共同設立者ウェイン・ハシュンに電話をかけた。ウェインは、クリーンミートは動物搾取の「解決策のひとつ」だと語った。さらに彼は、「動物を使った実験結果を隠したりしないかぎり、それは社会の役に立つでしょう」と、漠然とした言い方をした。過激なヴィーガン・ユーチューバーたちは、クリーンミートのテクノロジーに対して慎重ではあるが、楽観的だ。私は、いつものような容赦のないコメントを探してクリーンミートに関する彼らのビデオブログの隅々にまで目を通したが、収穫はゼロだった。

かなり深いところまでグーグル検索しまくってようやく異端者、つまり異議を唱えるたったひとりのヴィーガン、イギリスの社会学者マシュー・コール博士が書いた二〇一〇年の論文(5)を見つけた。そこには、「IVM(試験管培養肉)は肉の『需要』を生み出し、ヴィーガニズムに不名誉の烙印を押す強大な既得権と社会の力を無視している」と書かれている。「IVMは、肉への欲求はいまもこれからもずっと変わらない人間の本質だという根拠のない話を繰り返し、むしろ肉の『需要』をいっそう刺激している」

この論文はクリーンミートのスタートアップが設立される何年も前に書かれたものだが、未来を的確に予見している。というのも、クリーンミート産業全体が、肉への欲求は自然なものだという前提の上に成り立っているからだ。

ジャストのジョシュ・テトリックは、「私は肉が恋しいです。肉が大好きなんです。肉に近づいて匂いをかぎたいし、肉を見たいです」と語った。ジャストのチキンを初めて試したときのことを、彼はこんなふうに話した。「本能的に、私は心から求めていたものを味わいました」

「それは本能的なものだとお考えですか？」と私はたずねた。「肉を楽しむことは？」

「その要素はあると思います。人間は数千年のあいだ槍を使って動物を殺し、それを中心として記号や工芸品、文化、コミュニティを作ってきましたから。それを無視するのも、受け入れるのも自由ですが」

でも、肉の嗜好が私たちに組み込まれているという考えが作り話でしかない可能性はないのだろうか？

イギリスのミルトン・キーンズにあるオープン大学の本部で、私はマシュー・コールに会った。灰色の建物が建ち並ぶ近代的なキャンパスに学生の姿はなく、まるでゴーストタウンのようだった。マシューは受付で私を待っていた。背が低くやせていて、頭髪はもうなく、ほうれい線が目立つ。カフェに行き、立派な自販機でコーヒーを買った。ミルクはどこか聞こうと思ったが、やめてブラックで飲むことにした。

マシューは万事においてヴィーガンの社会学者だ。彼は、人間と動物の関係の社会学、子どもたちがどのようにして人間による動物支配を受け入れて社会に適応しているか、ヴィーガンがメディアでどのように描かれているかを主なテーマに研究を行っている。彼はオープン大学のユーチューブ・チャンネルのためにいくつか動画を撮影している。そのうちのひとつには、『ドクター・フーはきっとヴィーガン（Dr Who Should Be Vegan）』〔『ドクター・フー（Doctor Who）』はイギリスBBCで放送された人気SFドラマ〕というタイトルがつけられている。「あらゆるかたちの命を愛することが、『ドクター・フー』の主要なメッセージであり、多くの人に支持されている大きな理由です」と、彼はカメラをまっすぐ見つめ、にこりともせずに言った。「いまや世界は彼のような、モラルを貫くヴィーガンの登場を待ったなしで求めているのです」。最も評価の高いコメントには、〈この人なら、ステーキ肉もどうにかして作れるでしょうね〉と書かれていた。

「二〇一〇年に、『試験管培養肉』に関して論文を書いていますね。いまもその呼び名を使っていますか?」と私はたずねた。

「はい」

「なぜですか?」

「響きが悪いからです」といって、マシューはニヤリと笑った。「試験管培養肉でも培養肉でも、なんにせよ、それを説明するための用語は、この物質がどんなものかを明確にするためのとりとめのない言葉遊び、さもなくば争いや戦いの片棒を担いでいる。私に言わせれば、それは悪いものです」

マシューは実験室で育つ肉の「階級的側面」、すなわちそれが一部の富裕層向けの製品として売られれば、道徳的階層が生じ、それを買える裕福な人々の、買えない人々や国に対する優位性が強まるのではないかと案じている。「合理的な白人たちは、世界中でこんなふうに言います。『我々のやり方はおまえたちの野蛮なやり方よりも優れているのだ』と」。そして私たちも、すべてのものを支配したいという人間の欲求に疑問をもたなくなる。「試験管培養肉があれば、考え方を何も変える必要はありません。だから惹きつけられるのです。何もかもいままでと同じでいいのですから。人間と動物、環境、自然界の根本的な関係も変わりません。どちらかが一方的に搾取する関係のままです」

「ヴィーガンから大きな反発がないのはなぜでしょうか？」

「魅力的だからです。試験管培養肉が畜産の九十九パーセントを排除できるという約束には、なんの根拠もありません。もちろん、それが本当に実現するならば、すばらしいことです。活動家の多くが、そうした成果がすぐにあらわれると考えているのではないでしょうか。しかし、私たちは何十年間もあらゆる努力を続けてきましたが、それでも期待したようなスピードでは進んでいませんし、目指した成果の足元にもたどりついていません。これは困難だらけの近道なのかもしれません」

マシューは彼が「ヴィーガフォビア」と呼ぶもの——ヴィーガニズムおよびヴィーガンに対する嫌悪——に関する論文をいくつか書いている。ヴィーガンであることを隠そうとする多くの人に会って、私は彼の論文に興味をもった。メディアに広まるヴィーガンに対する型にはまった悪いイメージを、マシューは五つのカテゴリーに分類した。「ヴィーガンは、敵対的、感傷的、優柔不断、流行を追いかけているだけ、あるいは単なる愚か者と表現されています」

「ご自身もそんなふうに言われた経験がおありですか？」

「ええ。とくに研究の一環で、ユーチューブに動画をアップしたり、『カンバセーション』〔オーストラリアで誕生した、学術関係者や専門家の研究を伝えるニュースメディア〕に記事を書いたりして、世の中に名前が出るときです。そのときはどうしてもコメントを見ないといけません。先日、パートナーで同僚でもあるケイト・スチュワートと『ソーセージ・パーティー』という映画に関する論文を書きました。ご存じですか？」

『ソーセージ・パーティー』は、しゃべるソーセージのフランクと彼のガールフレンドであるホットドッグのパンが主役の、ピクサーのパロディのようなR指定映画だ。

「おもしろそうですね」と私は言った。

「おすすめできませんよ」。彼は真顔だった。「私たちはそれを批判する論文を書きました。ヴィーガンはこの映画を批判していますからね。そして、それが学者を攻撃するツイッター・アカウントに取りあげられたんです。彼らは自分たちがおもしろくないと思う論文を探し出しては、『こんなのくだらないよな？　ハハハ』といって笑いものにするんです」

マシューに「敵対的なヴィーガン」のレッテルを貼りたくはないが、彼は明らかにこれを冗談とは受け取っていなかった。

「世間にこうした悪いイメージが広まっていることを、ヴィーガンは知っています。ですから、自分たちがそんなふうに見られているのではないかと、ときどき不安になるんです」

「なぜこんなイメージが広まったのでしょう？」

「動物搾取の裏には数多くの既得権者がいますからね。彼らには長い歴史があり、規模が大きく、非常に大きな力をもっています。これまでに膨大な人たちのクリエイティビティや労力が大衆文化のなかで動物搾取の再現や正当化や擁護につぎ込まれてきましたが、それは国家の活動、とくに栄養教育に支えられ、動物が搾取されているという真実の姿はあいまいにされています。すべてがつながっていて、とても規模が大きいのです。打ち負かすなんて不可能ではないかと思うときもあります」

だが、人間の肉食への欲求はそうした既得権益よりもはるかに大きいに違いないと、私は思う。なんといっても、私たちは狩猟採集民である。動物を殺して肉を食べるのは人間の本質だ。「私たちは肉の味を好むよう進化したのではありませんか？　肉を求めるのはあたりまえなのでは？」

「いいえ。人間は高度に適応可能で、発明の才に恵まれた創造的な生き物です。これまでも私たちは生物学的、そして環境的な限界をさまざまな方法で乗り越えてきました」。彼は窓の外に降るみぞれを指さした。「昔、人は『こんなところに住めるものか』と言っていたかもしれません。『人が住むには寒すぎる』と。動物製品の消費についても同じことが言えます。それがあたりまえだなんてことはありません」

「では、私たちの肉への欲求は何によってもたらされるのでしょうか？」

「それは文化の産物です。動物製品が手に入るようになったのは、一連の社会変化によるものであることは明白です。自然にそうなったわけではありません。人為的な介入なしでは、人間の現在の肉の消費量を支えるのに、この惑星の食用動物の数ではとても十分とは言えないでしょう。そもそも、ほかの動物の乳を飲むなんてまったくとんでもない話です。そんなこと、あたりまえでもなんでもありません」

私は、今朝行ってきますと言って手をふったとき、ミルクの入ったカップを手に笑っていた一歳の娘のことを思った。世界でいちばんあたりまえだと思っていた光景が、突如として穏やかならざるものに変わった。「私たちはまだことばも話せないうちから、肉に慣らされます」。マシューは話を続ける。「私たちはそれを子どもに食べさせ、たくさん食べたと言ってほめます。話せるようになる前に、肉はおいしいものだと教え込まれるのです。メッセージの力はとても強いです。肉への欲求は母親によってもたらされます」

自分自身の経験から、マシューの意見が正しいことはわかる。政府のキャンペーンでも育児書でも、牛乳、卵、チーズ、魚、肉は栄養価の高い、子どもに与えるべき主要な食品とされている。母親になりたてのころ、私は地元の役所が開く無料の離乳ワークショップに参加した。そこでは、脳の正しい発育には鉄が必要だから、親は初めて肉を食べさせる時期をあまり遅らせてはいけない、ベジタリアンの食事は子どもの健康によくない、赤身の肉以外で適切な量を摂取するのはまず無理だ、と教わる。そのため私は、まだ肉をかむ歯が生えそろわないうちから、ふたりの子どもにボロネーゼをお腹いっぱい食べさせていた。

マシューは、ヴィーガンの食事に赤ちゃん、子ども、大人のいずれにとっても同じように十分な栄養が含まれていることは、きちんと実証されていると言った。

「地方自治体の情報がまちがっているとしたら、なぜ彼らはそんなものを私に教えたのですか？」

「それは、動物製品を必要不可欠なものに仕立て上げるために注がれた、膨大な文化労働の結果です。多くの人々は、それをやめるなんていまだに想像がつかないでしょう。そういった考え方からすると、ヴィーガンはたしかに逸脱です。子どもに肉を与えないと、社会から逸脱した人間として扱われるのです」

その日の夜、私がスプーンで口に運ぶシェパーズ・パイ〔ひき肉とマッシュポテトを使ったイギリスの伝統料理〕をもりもり食べる娘を見て、私はわが子に動物の味を無理やり覚えさせてきたのかと、自己嫌悪で身震いした。畜産によって引き起こされる問題を解決したければ、たしかに、実験室で肉を育てる新種のテクノロジーではなく、こうしたネガティブな感情を活用し、醸成させる必要がある。

とは思いながらも、ちょっと嫌悪感で**ぞくっと**しただけで、あとは何も変わらない。私は娘のあごをふいて、彼女に飲ませるミルクを取りに行った。

［注］

（1）水産業は数十年にわたって
'The State of World Fisheries and Aquaculture: Meeting the Sustainable Development Goals', Food and Agriculture Organization of the United Nations, 2018, http://www.fao.org/3/i9540en/I9540EN.pdf

（2）さらに遠くの海まで行かなければならない
D. Tickler, J. J. Meeuwig, M.-L. Palomares, D. Pauly and D. Zeller, 'Far from home: Distance patterns of global fishing fleets', Science Advances, 1 August 2018, http://advances.sciencemag.org/content/4/8/eaar3279

（3）「混獲」
R. W. D. Davies, S. J. Cripps, A. Nickson and G. Porter, 'Defining and estimating global marine fisheries bycatch', Marine Policy, Volume 33, Issue 4, July 2009, pp. 661–72, https://www.sciencedirect.com/science/article/pii/S0308597X09000050

（4）マイクも、かつてある取材で
The Sunday Times ' Danny Fortson, in the Danny in the Valley podcast: https://player.fm/series/danny-in-the-valley/finless-foods-mikeselden-we-brew-fish-meat

（5）二〇一〇年の論文
Dr Matthew Cole, 'Is in vitro meat the future of food? The case against', paper presented at the Vegetarian Society AGM, 11 September 2010, https://www.vegansociety.com/whats-new/news/vitro-meat-distraction-veganism

第8章
支配欲の味

オロン・カッツは、気味の悪いものの培養を得意とするアーティストだ。私が訪ねた日は堆肥でできた培養装置を使い、牛の胎児血清（FBS）の中でマウスの瘢痕組織〔外傷が治癒する際に生じる組織のこと〕を成長させていた。「あの堆肥の温度は摂氏六十五度です」と言って、オロンは山の上に置かれた、組織を培養するフラスコの入った錬鉄製のケージを指さした。「材料は木片と、騎馬警官隊からもらった馬糞です」

そこはキングス・カレッジ・ロンドンの中庭。ザ・シャード〔レンゾ・ピアノの設計によってロンドン・ブリッジ駅間近に建てられた、高さ三百十メートルの超高層ビル〕は近すぎて、その尖塔部分がほとんど見えない。てっぺんが切り落とされた肥料のピラミッドの横に、私たちは立っていた。これはオロンの最新アート作品『ケアとコントロールの容器：コンポストキュベイター2・0（Vessels of Care & Control: Compostcubator 2.0）』で、彼はこの展示のために、パースにある西オーストラリア大学からやってきた。サイエンス・ギャラリー・ロンドンで開催されている「スペア・パーツ」展を訪れた客が最初に目にするのが、この奇妙で美しい肥料の山なのだ。「コンポストキュベイター（Compostcubator）」はパーマカルチャー〔パーマネント（永続する）、農業（アグリカルチャー）、文化（カルチャー）を組み合わせた造語。持続可能な農業を基本に持続可能な環境を作り出すためのデザイン体系〕

の原則に従い、熱を生み出す堆肥中の微生物を使って、マウスの結合組織を完全なオフグリッド〔エネルギーを自給自足すること〕で成長させる。その作品の目的は、命をコントロールし、再生できる自らの力を人間がどう理解しているかを私たちに考えさせることにあった。「培養されたマウスの組織が外に展示される初めての機会になるでしょう」。オロンは誇らしげにそう言った。

オロンは、生体組織を芸術表現の媒体として使いつづけて二十五年になる。アートの、そして人生のパートナーであるイオナット・ズールとともに、彼はこれまで豚の組織でできた翼のかたちのオブジェ（Pig Wings、二〇〇〇）、培養したマウスの細胞を材料にした「生きたジャケット」（Victimless Leather、二〇〇四）、試験管昆虫肉を培養する自家製バイオリアクター（Stir Fly、二〇一六）を制作してきた。しかし、クリーンミートの世界では、オロンはおそらく最も日の当たらない開拓者で、図らずも先駆者となってしまった人である。二〇〇三年に行われたアート・プロジェクト『肉体を離れた料理（Disembodied Cuisine）』において、オロンは世界で初めて試験管肉を育て、試食したのだ。第5章でも紹介した、セルゲイ・ブリンの資金提供を受けて開発されたバーガー・パティをマーク・ポストが公開する十年ほど前のことだ。カルバドスに漬けられたわずか五グラムのカエルのステーキによってオロンが先鞭をつけた産業は、シリコンバレー内外で爆発的な成長を遂げている。そして、いまや彼は最も歯に衣着せぬ培養肉批評家である。

シリコンバレーで彼の名を知る人はほとんどいないが、オロンはきわめて印象深い人物だ。見た目はまるで魔術師のよう。白髪交じりの縮れたもじゃもじゃの長いあごひげは魅惑的で、髪をうしろになでつけ、ふんわりしたくせ毛をポニーテールにまとめていた。彼は雄弁で、しかも早口だった。私はカエルの肉の話が聞きたくて彼に会ったのだが、彼は自分のアーティストとしてのこれまでの人生を何もかも語ろうとした。私はなかなか質問するタイミングを見つけられなかった。

「僕はもともとプロダクトデザインをやっていたんです」と、オロンは話しはじめた。「九〇年代初めに僕が考えていたのは、いまでは痛ましいまでに明白になりつつありますが、生物学がエンジニアリング研究の対象になり、生命が遺伝子工学で操作するための原材料になる、ということです。そして、それはアートの可能性を広げます」。生物学的製品をデザインするのではなく、オロンはアーティストになることを選んだ。「アーティストなら、解決策を見つけなければならない立場の人とはちがって、堂々とものごとの現状を問題にすることができると思ったんです」。言いかえるなら、オロンは答えを示す義務を負わず、ただ問題提起することが許されているのだ。

彼は自分の作品を「議論の余地があるオブジェ」と呼ぶ。「命で何かを作るというのは議論の余地がある考えで、喧伝されている価値を額面通りに受け入れるべきではないと気づいたんです」

「たくさんの人たちが『私の製品はいいものだ』と主張していますが」。私はなんとか話に割り込んだ。「そうなんです。そして、状況は悪くなるいっぽうです。サンフランシスコのようなところでは、ご存じのように、そういう人たちは自分を省みるということをしません」

カモやガチョウに強制給餌を行ってフォアグラを作るイスラエルの農場で育ったオロンにとって、肉は常に意識の片隅に存在していた。九〇年代半ば、彼に組織培養のテクニックを教えた科学者のイオナットとチームを組み、制作をはじめた。「やり方を学ぶのは難しくありません。科学というよりは作業ですから」。立派なあごひげを引っ張りながら、彼は言う。「世界の問題を解決できる方法にかかわれるかもしれない、と思いました。けれど、掘り下げれば掘り下げるほど、ひどく問題の多いアプローチだとわかったんです」

オロンによれば、人間は「命がどういうものか」を正しく定義できておらず、生物システムをコントロールするにはまだ早いという。ウサギの角膜の細胞が、心臓が鼓動を止めてから数時間生きているとしたら、そのウサギはまだ生きているということになるのだろうか？　それとも半分だけ生きている状態なのだろうか？　「英語には『大便』を説明するためのことばは五十もあるのに、『命』を意味することばは『life』ひとつしかありません。つまり、私たちは、自分のしていることをことばにすることさえできないんです」。「命」ということばが内包するニュアンスは、生物学、理化学、医学、倫理、社会文化、哲学……といったさまざまな要素によって、人の数だけ微妙に変化する。その複雑さを理解することができないような人間観のまま生命を扱えば、最後には恐ろしい結末がもたらされかねない。「生物システムのコントロールに関しては、私たちは文化的健忘症を患っています。命をどう扱うかの選択の結果は、いずれ自分たちに返ってくるのです」。組織的畜産の発達は二十世紀の優生思想につながった、と彼は言う。動物の肉を組織的に培養することがどんな結果をもたらすのかは、誰にもわからない。

「試験管培養肉よりも、肉の消費を減らしたほうがはるかに容易に問題を解決できると思います。有効性の観点から見ると、培養肉はエンジニアリングの限界を超えています」とオロンは話す。「それは、いままでと同じで問題ない、私たちは行動を変える必要なんかない、賢明な科学者がいい方法を見つけ出すだろうから、いつも通りの生活をしながら肉の消費を増やしたっていい――という魅力的な思い込みを生み出します」

『肉体を離れた料理（Disembodied Cuisine）』」は二〇〇三年三月、フランスのナントにあるビスケット工場を改装した会場で披露された。作品の意図は、観衆に居心地の悪さを感じてもらうことだった。「私たちは、胸がむかむかするような食べ物を作ろうと考えました。フランス人が科学技術によって生み出された食べ物にあまりよいイメージを抱いていないことを知って、カエルを選びました。フランス料理はカエルを食材にしますが、ほかのほとんどの文化では、そもそもカエルは食欲をそそらないと思われていますから」

彼らは組織培養ラボとダイニングルームを、生物災害（バイオハザード）の警告サインで飾られたプラスチックシートのカーテンの後ろに設置。観客が見守るなか、アフリカツメガエルから採取した細胞をそこで三カ月間培養した。展示会最終日、六人――オロン、展示会キュレーター、美術館長、そして三人の一般人――が培養されたカエルの肉を食べた（イオナットは妊娠中だったため試食を免除された）。

オロンはノートパソコンを開き、作品のクライマックスであるカエルを食べる様子を収めた歴史的映像を私に見せた。試食者たちがきれいにセッティングされたテーブルにつく。オロンはウェイターの格好をしてゴム手袋をはめている。あごひげはあるが、いまより短くて黒い。フランス人シェフが、カルバドスでマリネされたカエルのステーキ肉を、キャンプ用コンロにのった小さなフライパンで焼く。六人は料理が出されるのを、タバコを吸いながら待っていた――なんとも芸術家ぶっていて、いかにもフランス的で、まさしく前時代的だ。小さなカエルの肉がピンセットで大きな白い皿に盛りつけられる。「召し上がれ（ボン・アペティ）！」と誰かが言うと、六人は外科用メスで肉を切った。これからそれを口に入れて歴史を作ろうとしていることなど、誰ひとり意識していないようだ。

「私は健康と安全がとても気になって、シェフに抗菌効果のあるニンニクとはちみつのソースで料理してほしいと頼んでいました。ソースは絶品でしたよ」とオロンは当時をふり返った。「組織をおよそ五グラムに成長させ、六人でそれを分けました。究極のヌーベル・キュイジーヌ（新しい料理）でした」

ところが、カエルの組織を成長させるために使ったポリマーの足場に問題があった。「ポリマーは哺乳動物の細胞や恒温動物の細胞の成長の過程に合わせ、三十七度で分解されるよう作られていました。ですが、カエルの細胞は室温で成長したため、ポリマーがちゃんと分解されなかったんです。ポリマーはフェルトのようなものなので、繊維の感じが非常に強く残っていました。いっぽう、いくら筋肉細胞とはいえ、カエルの細胞を鍛えるわけにはいきません。そっちはむしろ……」。オロンはぴったりのことばを探していた。「ゼリーみたいでした」

「とんでもなく気持ち悪そうですけど」

「そうなんです！」彼はうれしそうに叫んだ。「なんとか飲み込めたのは三人だけで、あとの三人は飲み込めずに吐き出していました。彼らが吐き出したものはその後、『肉体を離れた料理の残骸（Remains of Disembodied Cuisine）』という別の作品に利用することができたので、よかったです」

それは悪ふざけであり、小賢しいいたずらであり、ある意味失敗だ。オロンの批評精神は思慮深い好奇心のかたちで表現されたが、そのねらいは、食べ物の未来に関する重要な議論を幅広い人たちに促すというよりは、それを見ている少数のアートファンや文化人に考えさせることにあった。初めて作られ、試食されたクリーンミートの目的は、可能性を秘めたこのテクノロジーがいかに問題だらけであるかを浮き彫りにすることにあったわけだ。ところが、世界はそこに込められたメッセージではなく、そのテクノロジーが完成したという事実だけを受け入れた。

「世間の関心を集めると期待していましたが、ほとんど報道されませんでした」と彼は認めた。「大きな理由は、当時世界は重要な課題で頭がいっぱいだったからです。イラクで起きた戦争です」

オロンとイオナットはほかの作品に取りかかった。そのひとつが、生きたマウスの組織(1)で作った極小のジャケットだ（成長が早すぎたため、ニューヨーク近代美術館のキュレーターは、培養装置のスイッチを切ってそれを「殺さ」なければならなかったという）。彼らは特に肉の問題にのみ注目していたわけではないが、ほとんど肉を食べなくなった。オロンの話では、あのカエル以降、恒温動物（鳥類と哺乳類）を食べるのはやめたという。そして二〇一一年、彼のもとに、世界で初めて試験管で肉を培養し、試食すると断言し、試食会の様子を実況しようと計画しているあるオランダ人科学者のムービーへのリンクが送られてきた。「ちょっと唖然としました。さすがに無理なんじゃないかと」

オランダ人科学者とは、もちろんマーク・ポストである。オロンは彼を見つけて連絡をとり、二〇一二年の新たなアート作品『ArtMeatFlesh 1』――ロッテルダムで行われた、観客と審査員の前で料理をし、試食してもらう公開料理ショーと、科学者、アーティスト、哲学者による肉をテーマにした討論会――への参加に同意してもらった。実験室で培養された肉ではなかったが、いずれの料理にも、チャイロコメノゴミムシダマシ（小型の甲虫。幼虫はミールワームと呼ばれ、昆虫食における代表的な食材である）だのＦＢＳだの、未来の食べ物を想像させる、気持ちが悪く、同時に思考を刺激するようなものが含まれていた。「それは真の意味でのマルチメディア体験で、みんなとても楽しんでいました。非常に真剣な議論をすることもできました」とオロンは言う。「マークも楽しくやってくれました。彼のそういうところを、ものすごくリスペクトしています。それに彼は料理好きなんです。シェフハットをかぶっていましたよ」

『ArtMeatFlesh 1』の動画は、オンラインで公開されている。シェフハットをかぶった、著名な科学者でクリーンミートの父でもあるマークは、笑い、ジョークを飛ばし、胸がむかむかしそうな食べ物をたいらげていた。それはいろいろな意味で、二〇一三年に培養肉バーガーを公開したときのまじめくさった姿とは正反対だったが、ふたつのイベントを比べてみれば、オロンの作品に参加することで、マークが観客とのかかわり方——ショーの演出——に関するアイデアのヒントを得たことははっきりわかる。なかなか皮肉な話だ。オロンのパフォーマンスはあくまでアート作品の一部だった。そしていまや、クリーンミート産業はパフォーマンスにばかり気をとられている。マークのバーガーからジャストのナゲットにいたるまで、何もかもが。

「実験室で肉を育て、食べたのはあなたが初めてでしたが、誰もそのことを知りません。それについてはどう感じていますか?」と、私はたずねた。

オロンは黙り込んだ。しばらくして、「私にもエゴがありますからね。少しは気になります」と彼は答えた。「驚いたことに——まったくメディアってやつは不愉快なんですが、マークがバーガーを公開したあと、私に取材を申し込んできたメディアは世界で二社だけでした。ひとつは『タイム』誌、もうひとつはABCの地方のラジオ番組です。『タイム』の記者には相当長い時間をかけていろいろな話をしましたが、結局たったの一行で終わりでした。彼女からの謝罪メールには、『申し訳ありません、編集者があなたの話は記事の内容に合わないと判断しました』と書いてありました。クリーンミートに都合のいい話を聞きたかったんでしょう」。一瞬、オロンの声に敵意がにじみ出た気がしたが、すぐに穏やかな口調でこう言った。「マークは興味深い人ですよ。実際、彼は何度か何気なく私たちの功績を認めてくれました」。だが、吐き気を催すカエル肉のヌーベル・キュイジーヌよりも、シャーレに入った世界を救うパティのストーリーのほうがずっと気が利いている。だからメディアにも取りあげられるのだ。

「あなたの『ArtMeatFlesh 1』とマークの発表イベントには、共通点がたくさんあります。もしショーのような演出がされなければ、彼のバーガーにあれほどのインパクトはなかったかもしれませんね」

「このケースでは、パフォーマンスによってより強力なインパクトが生まれました。科学がアートのあとを追いかけた典型的な例です」

「ですが、思いがけず新しい産業の——明らかにあなたをわずらわせる産業の生みの親になったというのは、どんなお気持ちですか?」

「意図したことではありませんが、私たちの活動において非常に重要なのは、支配の精神性に対する批判です。人間は、数千年間も自分たちの支配の及ばないところに存在していたシステムを支配しようとしています。私たちが活動の最初から何より重視してきたことのひとつは、それをやらないということです。私たちの作品は、いったん世に出て公有財産(パブリックドメイン)になったら、独自の物語を生み出していくでしょう」。そう言って、オロンは微笑んだ。「どうなっていくのか、興味深いですね」

クリーンミートに対する抗議運動は、ほとんど起こっていない。批判的な見解をもつ人はいても、その声は業界が一丸となって発信するポジティブなメッセージにかき消されている。しかし、いくらスタートアップやGFIが抗いがたい文化の必然性を強調しても、クリーンミートがこの先どこに向かうのかは誰にもわからない。

ブルースもジョシュもマイクも、消費者はクリーンミートを受け入れ、実験室で培養された肉であることなど気にせず、動物の体で育った肉よりもそちらを好むはずだと自信満々でいる。不快な食感は実際のところ、業界にとって深刻な問題だ。だが、クリーンミートを気持ち悪いと感じる人がいるかもしれないと聞いても、ブルースはまったく平然としたものだった。「祖父母の世代が体外受精でできた赤ちゃんを受け入れたがらなかったように、現時点で試験管培養肉を積極的に受け入れようとしない人がいるという世論調査の結果が出ても気にしない(2)」と、彼は二〇一八年に『ロス・アンジェルス・タイムズ』紙に書いている。「新しいテクノロジーを非難し抵抗するラッダイト運動〔十九世紀初頭のイギリスで起きた、「機械に職を奪われる」と危惧した労働者による紡績機械の破壊運動〕は、いつの時代にも起きる。それは想定内だ。私たちのほとんどは、良心が痛まないクリーンミートを喜んで食べるだろう」

ところが、良心が痛まないというクリーンミートのメリットにも異議が唱えられている。業界やGFIの主張について検討した学術論文をいくつか入手して精査したところ、クリーンミートは土地、水、エネルギー使用の点では牛肉よりも効率的かもしれないが、鶏を飼育するよりも多くの温室効果ガスを発生させる(3)——ある調査(4)によれば三十八パーセント以上——と結論づけた四つの論文が目に留まった。地球を救うのが目的なら、鶏肉を食べるほうがはるかにましではないだろうか（じつは、そのうちのふたつの論文は昆虫を食べればもっといいと主張しているのだが、それはそれで不快感というまた別の難しさがある）。

これらの研究が根拠にしているのは、クリーンミートの生産に関する、推測も多分に含まれたデータにすぎない。科学者と起業家はまだ肉の培養方法を検討している最中であり、生産方法はこれからもっと効率的になるはずだ。だが重要なのは、クリーンミートが地球によりよいものなのか、現時点で確実なことを言える人がひとりもいないということだ。環境への配慮が投資家や消費者へのセールスポイントであることを考えると、そのあいまいさは気がかりだ。

それにもちろん、クリーンミートも別に健康にいいわけではない。大量の赤身肉を食べるリスクは、実験室で育った肉だからといって消えてなくなるわけではないのだ。培養肉といえどコレステロールと脂肪が多く、繊維を含まないため、がんや心臓病の原因になりうるという点では普通の肉と変わらない。たとえ、いつかもう少し体によいものを作れる可能性があるとしてもだ。危険なのは、「クリーン」と言われると、それを好きなだけ食べてもいいお墨つきをもらった気になりかねないことだ。いくら「クリーン」と呼ばれようと、それは地球に、そして私たちの体に、植物由来の食べ物よりは大きなダメージを与えるだろう。

では、その問題の解決策は植物由来の肉なのだろうか？　あの血のしたたるようなインポッシブル・バーガーや、にせの肉汁たっぷりのビヨンド・バーガーが？　一見そう思えるかもしれないが、おそらくちがうだろう。植物を原料とした動物製品の模造品は、ものすごい数の化学物質が含まれた超加工食品なのだから。先日食べたジャスト・エッグの成分表には、分離された副産物や増粘剤や油脂や抽出物や香料のほか、ピロリン酸四ナトリウム、トランスグルタミナーゼ、クエン酸カリウムといった添加物がずらりと並び、さながら化学実験に必要なもの一式のリストのようだった。ビヨンド・バーガーはエンドウ豆のタンパク質とココナッツオイルで作られているとのふれこみだが、メチルセルロース、マルトデキストリン、植物性グリセリン、アラビアガム、コハク酸も含まれている。植物を動物製品に似たものにするには、かなりの細工が必要になるわけだ。しかも、これらの物質を工場まで運ぶ距離に加え、裏の畑で育てた野菜で作る野菜料理と比較して、植物を原料とした模造肉にどんな栄養が含まれているのか・含まれていないのかということまで合わせて考えれば、それほどの労力をかけるのはずいぶんばかばかしいように思える。

ヴィーガンミートは人間の悲観的な考え方——私たちは食生活を変えることはできない——の上に成り立っている。しかし、百パーセント地球を犠牲にしないで生きるには、私たちが肉への欲求をなくすしかない。要するに、問題は畜産ではなく、人間の食欲にあるのだ。

ただし、それが絶対的な判断基準でなければならないわけではない。「このテクノロジーに、将来にわたって家畜の増加ペースを緩やかにしていく可能性があるというだけでも、ある意味勝利であり、成功と言えるかもしれません」と、ブルネル大学の社会学者ニール・スティーブンス博士は言う。ニールはおそらく世界のどの学術関係者よりもクリーンミート業界に詳しく、これまで私が話をした人のなかで、彼ほど自ら公正かつ慎重であるよう心を砕いている人はいない。ニールはヴィーガンだが、それはあくまでも研究の一貫らしい。彼は二〇〇八年からクリーンミートを研究し、その生産方法が招きかねない政治、倫理、規制の問題を調査している。私は「細胞農業（セルラー・アグリカルチャー）の課題」[5]をテーマにした彼の論文を読んだばかりだが、その優れたバランス感覚にとても感銘を受けた。これこそが本当に必要な、健全な考え方だと思った私は、ニールに電話をかけて話を聞いた。

私は、「クリーンミート業界が開発を成功させて、肉に匹敵するものの作り方を確立したとしたら、懸念すべきはどんな問題でしょうか？」と質問した。

「あまりに大きすぎて、一言では説明しきれません」。ニールは慎重にことばを選ぶ。「どんな影響が生じる可能性があるか、私たちは**注意を払う**べきです。現在テクノロジーを開発しているのは、いくつかの企業と、今日の世界情勢を心から憂い、テクノロジーを通じてその問題に対処するため最善を尽くそうと、人生と知性と情熱を捧げると誓った誠実な人々のサポートを受けた大学関係者です。それ以外のスタートアップの文化を見てみれば、ライセンス供与や会社の買収によって所有権があっさりとほかに移る可能性があることはおわかりでしょう。二十年後にこのテクノロジーを手にしているのが誰か、彼らの価値観がどんなものか、彼らがその利益率をどう考えるかによって、テクノロジーがどう使われるかは変わってしまうでしょう」

ニールがどれだけ冷静に答えようと、これは恐ろしく大きな問題になりかねない。私たちは、市場原理が向かう先をコントロールすることはできない。将来のクリーンミート業界を誰が動かすかをコントロールすることはできないのだ。それは善良な心をもつヴィーガンではないかもしれないし、オタクのマイクでも伝道者のブルースでもないかもしれない。早い話が、まるで異なる優先順位をもつ人の可能性だってあるのだ。

ニールはことばを続けた。「テクノロジーがより確立してくれば、小規模のままなら社会や環境に由々しき影響をいっさい及ぼさなかったはずの会社がお金を儲けるようになり、規模を拡大していくことは容易に想像できますよね」

私の頭には、スタートアップが喉から手が出るほどほしがっている食肉大手からの多額の投資、そして動物や人間や地球の幸福より自社の利益を追求することで悪名高い企業のことが思い浮かんだ。

「業界を牛耳っていくのは、クリーンミートに必要なインフラや物流へのアクセスをすでにもっている企業ということになるのではないでしょうか？」

「可能性は高いし、おあつらえ向きのシナリオと言っても大げさではないかもしれません」と彼は答えた。

ブルースの理想主義にしてもマイクの共産主義にしても、ひょっとすると既存の食肉企業がさらに儲ける手助けをし、私たち全員をまだ見ぬ多国籍企業に依存させる産業の基盤を作っているかもしれない。クリーンミート産業が目指す未来――人間は肉を食べつづけているが、動物を殺していない――では、私たちは自分の食べるものを、特別な技術をもつ企業にすべて委ねてしまっていることになるのだろう。それらの企業が世の人々のために働くのか、特定の誰かの利益のために動くのか、確実なことは誰にも言えないのだ。

何かの行く末を知りたければ、ときに始まりに戻る必要がある。何カ月もメールのやりとりを重ね、ようやく私はマーク・ポストと対面した。彼は、しょっちゅうソーセージを食べているという。

「じつは、毎日なんです。お昼にはソーセージを挟んだサンドイッチを食べます」。どこから見てもオランダ人のマークは、アメリカ英語のアクセントでそう話した。「夕食にもときどき肉を食べます。私は誰よりも肉を食べますよ」

私はマークに会うためにマーストリヒト大学を訪れていた。しわくちゃの茶色のシャツに深緑のパンツが、オフィスのオレンジ色のカーペットと黄色の壁にみごとなまでに調和していない。マークはマイク・セルデンよりも背が高く、少しお腹が出ていて、白髪頭の生え際はすっかり後退し、話をしながらマシンガンのように「アハハハ」と大笑いする。この大学の生理学教授であるマークは、心臓外科医でもあり、ヨーロッパ最大のクリーンミート・スタートアップ「モサミート」の最高科学責任者も務めていて、じつに多忙だ。彼に会えたのは幸運だった。だが、幸運という意味ではマークも負けていない。というのも、彼の話によると、数々の事故と欠落と偶然と予期せぬできごとがなければ、培養肉産業はいまごろ存在していないからだ。

それは八十一歳のある男の情熱と決意によって始まった、とマークは語った。オランダ人の起業家ウィレム・ファン・エーレンは、日本の戦争捕虜収容所で虐待と飢えを体験して以来、細胞から培養する人工肉のアイデアを夢に描いていた。ファン・エーレンは己に時間が残されているうちに夢を実現させなければならないと考えていた。「そのために、彼はユトレヒト、アムステルダム、アイントホーフェンの三大学の科学者に、オランダ政府に助成金を申請するよう強く促しました」。しぶしぶながらも、オランダ政府は二〇〇四年から五年間、培養肉プロジェクトに十分な資金を提供することを約束した。

だが、そこには熱意が欠落していた。「当初かかわっていた科学者は、じつのところ誰ひとり培養肉を作ることに関心がありませんでした。表向きは培養肉研究に携わるふりをして、実際には自分の研究をしていたんです」。彼らがプロジェクトに取り組んだのは、それが自分たちの既存の研究の利益になる場合だけだった。たとえばアイントホーフェン大学は、どんな食物の研究よりも、床ずれの研究にはるかに熱心だった。

プロジェクト開始から二年後にアイントホーフェン大学のプロジェクト・リーダーが病気で退き、その後任として、マークはプロジェクトに参加した。「すばらしいアイデアだと思いました。知れば知るほど、ワクワクしましたね」

研究の話をするとき、マークの目はキラキラと輝いていた。まわりを惹きつける彼の熱意は、当初からクリーンミートの成功にとってなくてはならないものだったが、彼のコミュニケーション・スキルの高さが明らかになったきっかけは、二〇〇九年の一連のできごとだった。「ある雨の木曜日、デン・ハーグでの退屈なミーティングから電車で戻る途中のことでした（「デン・ハーグでのミーティングはたいていものすごくつまらないんですよ、アハハハ」）。『サンデー・タイムズ』紙のジャーナリストから電話がかかってきたんです。じつは『サンデー・タイムズ』がなんなのかもよくわかっていなかったんですが」。培養肉のプロジェクトに関する問い合わせに対応する研究者がいないのだと、そのジャーナリストは言った。マークはメディアの質問に答えられたのだろうか？　「ほかに役に立てることがなかったので、OKしたんです。それがメディアの過熱報道の始まりでした。私の話は第一面で報じられ、APとロイターがそれを世界中に発信しました。突然、プロジェクトの広報窓口を任されたようなかっこうです」

政府から供与された資金がその年に尽きて（オランダ経済省は当時作られていたものにビジネス上の可能性を見出せなかった。「いまごろ彼らは後悔しているはずですよ」と言って、マークはくくくと笑った）からは、マークはメディア報道の力と、その力にはプロジェクトの資金を集められるほどの勢いがあることを痛感した。そして彼は、培養肉の開発をエンターテインメント・ショーに変えることができるオロンの目に留まった。「ソーセージを作って発表し、そのための細胞を提供してくれた豚をステージに登場させるのがいいんじゃないか、と思いました」とマークは話す。豚は彼らが先駆者である研究のための、生きる広告になるはずだった。

だが、そのソーセージにしても、作るとなれば材料と労働力を合わせて三十万ユーロかかる。資金が限られていて開発がなかなか進まずにいたとき、マークは思いがけない電話を受けた。のちにそれはセルゲイ・ブリンのオフィスからだったことが判明する。「私の研究について話を聞きたいと言ってきたので、『わかりました』と答えました。そのころ、私は**誰にでも**このプロジェクトの話をしていましたから、断る理由がありませんでした」。オランダの祝日にマーストリヒトまでやってきたブリンの右腕のひとりに、マークは豚とソーセージのパフォーマンスのアイデアを話した。

「彼はこう言ったんです。『セルゲイはあなたの開発に資金を提供したいと考えています』。私はセルゲイがどこの誰なのか、**全然知りませんでした**。その人が、あたかもみんながセルゲイを知っているような口ぶりで話すものだから、知っているふりをしておいたほうがいいと思いましてね。アハハハハ」

　その後二週間かけて、マークは二ページの提案書を作成した。「『いくらの資金提供をお願いできるんですか？』とたずねると、その人は『え〜、数百万ドルですかね』と答えました。私は『それだけあれば十分です』と言いました。すると彼は、『そうそう、作るのはソーセージではなく、ハンバーガーにしてください』と言ったんです。ハンバーガーのほうが作るのは相当難しいなんてこともわかっていなかったので、『はい、いいですよ』と答えてしまったんです」

「どうしてハンバーガーでなければならなかったんでしょうね？」

「アメリカですから」

「なぜハンバーガーのほうが難しいのですか？」

「パティの見た目も肉に近くなければならないからです。ソーセージならどうとでもなりますが、ハンバーガーだとそうはいきません。肉に見える繊維を作らなければなりませんからね。最終的にはうまくいきましたが」

マークは人好きのする人だ。クリーンミートという奇妙な世界にかかわるすべての人のなかで、彼ほど真剣に話を聞くに値する人はいないうえに、謙虚で控えめで、自分を客観的に判断できる唯一の存在でもある。それは彼が、これまでの自分の成功がいかに偶然のたまものだったかを実感しているからかもしれない。研究者として四十年近いキャリアがある彼には、ほかの人に認められる必要などもうないからかもしれない。あるいは、彼がシリコンバレーのスタートアップの人間ではないからかもしれない。

世界初のバーガー・パティが発表されたのは、かつて『TFIフライデー』〔イギリスのテレビ番組〕の撮影に使われた、ウエストロンドンのテレビスタジオだった。ブリンのオフィスはPR会社オグルヴィに仕切りを任せた。「請求書をもらったわけではありませんが、イベントにかかった費用はハンバーガーの開発費用よりもうんと高額だったにちがいありません」とマークは話す。「本当は、フェラン・アドリア〔世界最高峰のレストラン「エル・ブジ」の料理長を務め、天才と謳われたスペイン人シェフ〕にパティを焼いてもらい、レオナルド・ディカプリオとナタリー・ポートマンに試食してもらおうなんて思っていたんですがね。ハハハハハハ！」あくまでも科学に焦点を合わせるために、最終的には少しだけ地味な演出に落ち着いた。とはいえ、ショーであることに変わりはなく、発表は大きな反響を呼んだ。いっぽう、オロンの先駆的なパフォーマンスは、おもしろさで言えばはるかに上だったにもかかわらず、ＰＲ会社の力を借りなかったため、世間からは跡形もなく忘れ去られてしまった。

「大きく取りあげられて、驚きましたか？」

「はい、そうですね。メディアに力があることは知っていましたが、私はただどぎまぎしていましたよ。『頼むから悪く言わないでくれよ』と思いながら」。マークは秘密の話でもするかのように小声で言った。「あのとき私たちみんながどれほどピリピリしていたかというとですね、イベント前の日曜日の朝、オグルヴィが全員を集め、私にたずねたんです。『あなたは、なぜこれを作っているんですか？』と。『は？』と思いました。理由など考えたことがなかったからです。なぜ自分はこれに取り組んでいるんだろうと、あらためて見つめ直さなければなりませんでした。そして、思いついた理由はふたつです。ひとつは、現実に実行可能なアイデアで、テクノロジーはすでに存在しているのだと人々に知ってもらいたいから。もうひとつは、現在の食肉生産が持続可能でなく、将来どうやって肉を作るかを考える必要があるからです。あと、お金がほしいというのも大きな理由ですが、それは言わないでおきました。アハハハ」

その後、発表前日になって、ＰＲ会社の指示で、「実験室で育った肉が地球を救う可能性」もそこに加えられたという。

八月の発表当日、ほかにこれといった目玉ニュースがなく、発表された時間にイラク戦争のような大きな事件が起こらなかったのは、単なる偶然だった。ただ、発表の場をロンドンにすることは戦略的に決めた。輸入規制があるため、バーガーをアメリカに持ち込むことはできなかったのだ。「アメリカでやれたとすればオランダ大使館ぐらいのものだったでしょうね、ハハハハ。もちろん、場所としてはよくないですけどね。オランダか、あるいはそれをこっそり持ち込むことができる国のいずれかでやるしかありませんでした。ロンドンまでは、オランダから電車が通っています。だからできたんです」

その影響の大きさには、いまでもまだ驚かされることがあるそうだ。「『これだけの出資金が集まりましたが、それもあのイベントのおかげです』『こんな会社を作りました』と話しかけてくる人もいますし、生物工学を学ぶようになった学生もいました。ふり返ってみると、とても、とてもラッキーな選択でした」。

マークは二〇一五年に「モサミート」を設立した（「モサ」はマーストリヒトを流れる川のラテン語名）。「モサバーガー」はオランダの工場で製造され、二〇二一年には九ユーロで販売開始の見込みだ〔これは原書刊行時の見込みであり、邦訳制作中の二〇二二年六月現在まだ販売されてはいないが、ＥＦＳＡ（欧州食品安全機関）に提出するサンプルを準備中。その間にオランダでは二〇二二年三月十六日、下院が国内で培養肉の試食を可能にする決議を採択した〕。

「肉片の培養を始める計画はありますか？」

「はい、もちろん」

「どれぐらい先の話になりそうですか？」

「う～ん」。マークは、コーヒーカップの皿からスパイス・ビスケットを手に取った。「それは非常に難しい質問ですね、正直なところ。いま少しずつその作業を始めているところです」と言って、ゆっくりとビスケットをかじる。「理論の枠組みはすでにあります。それを実現させるのに何をしなければならないかもわかっています。しかし、見た目も味も匂いも牛のリブアイと区別できないほどのリブアイができるのがいつになるか、見通しを立てるのは難しいです。言わないでおきましょう」

私の頭には、「ジャストはやろうと思えば一週間くらいでステーキ肉を作れる」と平然と言ってのけたヴィターが思い浮かんだ。そして、ずっと確かめたいと思っていたことを思い出した。「鶏の羽から生検組織をとり、それで肉を培養することは現実的に可能なのでしょうか?」

「いや、それは。たしかに理屈の上では可能ですが、はっきり言って、とんでもなくばかばかしい考えですね。鶏や魚を培養するなら、もとになるべき細胞は明らかに受精卵です。それが理想的です。残念ながら、牛の場合それはできませんが」。受精卵に針を刺して細胞を採取するよりも、緑の芝生から羽を拾うほうが、プロモーション・ビデオの演出として好ましかったのだろう。「可能ではありますが、選択肢としては最悪です。羽は汚染されているからです。床に落ちていたものですからね。抗生物質を大量に床にまいておかなければならないでしょう。そして、それを使うには、細胞の遺伝子を組み換える必要が出てきます。じつは、一年前に会議でジャストの科学者と話をしたとき、彼らに聞いてみたんです。『あの映像は本気ですか?何を考えていたんですか?』と。そうしたら、彼らは言いましたよ、『いや、あれは私たちの考えじゃない、マーケティングのアイデアだから』とね。アハハハ」。マークは全部の歯を見せて大笑いした。

しかし、どんな細胞が使われようと、自分のほかにも細胞から肉を培養することに挑戦する科学者が出てきたことに関しては「たいへんにうれしい」とマークは言う。彼は業界にコミュニティが形成されたことを喜んでいるのだ。彼は一時、ほかの人が自分と同じミスを繰り返さないですむよう、うまくいかなかった方法に関する情報をオープンに共有することを熱望していたが、投資家たちがそれをよしとしなかったため、企業間の協力は規制の問題に限定されているそうだ。投資家が納得するような方法で彼の技術を世に広め、グローバルな手法にするために、知的所有権を確立して技術をライセンス供与する、というのがマークの長期プランだ。そうすれば、言うまでもなく、ライセンスの対価を支払いさえすれば誰もが培養肉を作ることができるようになる。

「培養肉をいちばんに市場に出そうと、みんな先を争っています。それは価値のあることでしょうか？」

「そうですね。あると思います。しかし、マイナスの側面もあります。いちばんになることばかりに気をとられていたら、品質の劣る製品が出回りかねません。そんなことをすれば、テクノロジーの評価そのものに傷がつくでしょう。実際、質を犠牲にしてでもビジネスを成功させようとする企業もありますからね。そこですよ、私が案じているのは」

マークのような人たちが舵を取るなら、安全なクリーンミートが世に出るであろうことは想像に難くない（彼は「培養」肉、または「細胞由来の」肉と呼ぶほうを好む）。ブルースもそうだったが、業界に対するどんな批判をぶつけても、マークはよどみなくわかりやすく説明することができる。

クリーンミート業界の現在の盛り上がりはバブルではないかとたずねると、仮にそうだとしても、それは重要ではないと彼は答えた。「私はこの分野で誰よりも長く生きています。私の見通しはどちらかというと若干グレーです。培養肉のテクノロジーがこれまでの数多の新技術と同じくハイプ・サイクル〔米調査会社ガートナーが提唱した、特定のテクノロジーの認知度や成熟度など、社会における受容のされかたを視覚的に示した図のこと。黎明期、流行期、幻滅期、回復期、安定期の五つの段階に分かれる〕で言うところの「幻滅期」に入れば、個人投資家が手を引き出すかもしれません。そのときこそ、公的資金を集めるための大々的なキャンペーンを開始するタイミングです」。マークは公的資金の援助を受けて開発を進めるほうがいいと考えているらしい。「これはこの先三十年は続く科学プログラムです。たとえ三年後に市場に製品が投入されたとしても、その後も引き続きかなりの研究と改良が必要になるでしょう。そのためには幅広い科学の力が求められますし、それを可能にするのは公的な資金です」

彼の研究が過剰消費に拍車をかけはしないかと聞くと、マークはそれを否定した。「人間、誰でも年をとるにつれて肉を消化しにくくなります。過剰に肉を食べるようになるというのは生理学的に不可能です。食べられる量には限界があるんです。実際、高度に工業化された国では肉の消費量は減少しています」

だが、人間が肉の味を忘れられないのは、自然の摂理ではなく文化の産物であるという、マシュー・コールの見解をぶつけてみたところ、マークは思いがけないことを言った。

「肉は**たしかに**文化的なものです。肉の魅力のひとつは――ひどく物議を醸しそうな話をしますが、肉にはそういう面もあると私は考えています――、肉を食べることの魅力のひとつは、そのために現実に動物を**殺さなければならない**ことです」。

「どういう意味でしょう？　そのどこに魅力があるのですか？」

「ほかの種に対する優位性です。肉は常に、力、男らしさ、火、といったものに結びつけられてきました」

マークは、オランダで最近放送されているレミア・バーベキューソースのテレビ・コマーシャルを例にあげた。シルベスター・スタローンが、やせた俳優が演じる兵士の手から野菜の串焼きを奪い取り、ヘリコプターからバズーカ砲を放ち、「トラのように戦いたいなら、ウサギと同じものを食べてちゃダメだ」と叫ぶ。そして大きなステーキにソースをたっぷりとかけ、その皿を叩きつけるように兵士の前に置き、「男になりたいんだろう？　なら、男らしく食べなきゃな」と言うのだ。

マークの話は続く。「そう考えると、実験室でも工場でも、なんのリスクもなく、動物をいっさい殺さずに作られる肉は、『軟弱な肉』ということになります。感覚的にはハンバーガーではなく、ブロッコリーに近いものですね。そうした従来のカテゴライズに当てはまらない製品こそ、植物由来の食事への移行を促すものなのかもしれません」

そのとき私は、私たちにとって肉食がなぜそんなに重要なのか、なぜそれを手放すことがこれほどまでに難しいのかがわかった。肉は、男を男にし、私たちを人間、すなわち世界を支配する主体、絶対的な力を行使して環境を支配する、肉食動物の頂点に立つ存在にする本質的な要素だからだ。

「肉食は、『人間であるとはどういうことか』に深く結びついているということですね？」

「その通りです」

「人間であるとは、世界を支配するということ。そして世界を支配してきた私たちは、いまやその関係をも破壊しようとしている、ということですか」

「ええ」

クリーンミートは、私たちが人間であることの意味を変えようとしている。この先、人間は動物の命を犠牲にして生きるのをやめるだろう。しかし、もし肉への欲求が自然の摂理でなく文化の産物であるならば、テクノロジーに頼らずに文化を変える力は私たちの中にある。文化はすでに変化している。「男らしさ」はもはや「火を起こし、動物を殺す」という意味ではなくなっているのだから。セックスロボットが性犯罪者にとってのメサドン〔第3章でも言及されている、麻薬系の鎮痛薬〕になるかもしれないのと同じように、クリーンミートはたしかに人間に動物を殺すのをやめさせる、変化をもたらす製品なのかもしれない。いっぽうで、私たちの肉への依存はいつまでもなくならず、私たちはその供給を顔の見えない多国籍企業に頼るようになる可能性がある。肉を食べるのをやめて動物を支配する力を放棄するのと引きかえに、私たちは遠くの企業に自分たちを支配する大きな力を与えることになるのだ。

「いま自分たちでまかなっている食べ物の生産を、特別なテクノロジーをもつ少数の企業に依存する世界に向かっている、ということにはなりませんか？　これまでならば、自分で豚を飼って食料にすればよかった。しかし、動物を殺すことは禁じられているのに、動物を食べるのは相変わらずあたりまえという未来がきたら、私たちはテクノロジーに頼って、自分が何を食べるのか決定する力を手放すことになる」

「はい。まったくおっしゃる通りです」。マークは即答した。「ですが、このテクノロジーをマイクロブルワリー〔小規模の地ビール醸造所〕ならぬ『マイクロカーナリー』〔「小規模の肉培養所」を意味するマークの造語〕と考えれば、どこか遠くの低賃金の国で肉を作る多国籍企業への依存と必ずしも結びつけなくてもいいんじゃないかと、私は思います」

「でも、そんなふうにはいきませんよね？」

「それは、まあ……とは言え**現に**マイクロブルワリーはあるわけですから」

「ですが、ほとんどの人々が飲んでいるのはハイネケンやバドワイザーです。マイクロブルワリーはあることはありますが、グローバル市場の〇・五パーセントかそれくらいでしかありません」

「ええ、でも確実に存在しています。いまは〇・五パーセントでも、この先どうなるかはわからないと私は期待しています。ですが、いずれにせよ、あなたの意見には完全に同意しますよ。人々が一キロ五ポンドより四・九九ポンドの牛肉をほしがるのは真理であり、五ポンドではなく四・九九ポンドで売りたければ、かなり大きな規模で生産する必要があります。となると、人々はものすごく遠く離れたところで作られる、得体の知れない安価な製品を受け入れることになります。市場経済とはそういうものではないでしょうか」

「それは気の重くなる、問題のある見通しだとは思いませんか?」

「そうですね。しかし、重要なのは人間という種の邪悪な面も受け入れようという姿勢です。すべてが大規模多国籍企業の餌食になるとまでは、私は思っていません。たしかに、一部の企業に、巨大な存在になる力を与えるでしょう。そして、そのことについて、私は非常にリベラルな考えをもっています。もし将来そうなるとしたら、おそらくそれが人々の意志なのです。あちこちにマイクロブルワリーが存在する世界を見たいとは思いますが、それは私にはどうすることもできません。もしユニリーバがソーセージの培養を始めたいというなら、彼らを止めることはできないのです」

私たちが肉を食べつづけるかぎり、クリーンミートは食品の数ある未来の可能性のひとつである。これからどのような技術が現れようとも、肉への欲求を断つか、食べる量をうんと減らすかを決めるのは私たち自身だ。テクノロジーを駆使するのではなく、自らの欲求をコントロールすること。本当の意味での力の使いどころはそこにある。それができるようにならないかぎり、私たちは自分の食べているものがどこからやってきたのかも知らされず、それに対する責任の意識も希薄になっていくはずだ。そもそも肉を巡る問題を引き起こした私たちの考え方は、これからも永久に変わらないままだろう。

[注]（1）生きたマウスの組織

John Schwartz, 'Museum Kills Live Exhibit', New York Times, 13 May 2008, https://www.nytimes.com/2008/05/13/science/13coat.html

（2）気にしない

Bruce Friedrich, 'Op-Ed: Is in vitro Meat the new in vitro fertilization?', Los Angeles Times, 25 July 2018, https://www.latimes.com/opinion/op-ed/la-oe-friedrich-ivmeat-20180725-story.html

（3）多くの温室効果ガスを発生させる

C. S. Mattick, A. E. Landis, B. R. Allenby and N. J. Genovese, 'Anticipatory Life Cycle Analysis of In Vitro Biomass Cultivation for Cultured Meat Production in the United States', Environmental Science & Technology, Volume 49, Issue 19, September 2015, https://pubs.acs.org/doi/ipdf/10.1021/acs.est.5b01614; H. L. Tuomisto and M. Joost Teixeira de Mattos, 'Environmental Impacts of Cultured Meat Production', Environmental Science & Technology, Volume 45, Issue 14, June 2011, https://pubs.acs.org/doi/abs/10.1021/es200130u; S. Smetana, A. Mathys, A. Knoch and V. Heinz, 'Meat alternatives: life cycle assessment of most known meat substitutes', International Journal of Life Cycle Assessment, Volume 20, September 2015, https://link.springer.com/article/10.1007%2Fs11367-015-0931-6

（4）ある調査

P. Alexander, C. Brown, A. Arneth, C. Dias, J. Finnigan, D. Moran and M. D. A. Rounsevell, 'Could consumption of insects, cultured meat or imitation meat reduce global agricultural land use?', Global Food Security, Volume 15, December 2017, pp. 22–32, https://www.sciencedirect.com/science/article/pii/

（5）「細胞農業の課題」

N. Stephens, L. Di Silvio, I. Dunsford, M. Ellis, A. Glencross and A. Sexton, 'Bringing cultured meat to market: Technical, sociopolitical, and regulatory challenges in cellular agriculture', Trends in Food Science & Technology, Volume 78, August 2018, pp. 155–66, https://www.sciencedirect.com/science/article/pii/S0924224417303400?via=ihub

PART 03

生殖の未来

母胎のいない子どもたち

第9章　妊娠ビジネス

ロス・アンジェルスのウィルシャー・ブールバードにあるパシフィック生殖医療センターは、すべてを手に入れることのできる人が、わが子をも手に入れる場所だ。待合室の壁は飾り鋲のついたクリーム色の革貼りで、ソファはミンクのような肌触りの象牙色のクラッシュベルベット、クリスタルのシャンデリアの下には白い蘭が活けられたボウル型の花器が置かれていた。一見すると高級ブライダル・サロンの更衣室かと思うような部屋だが、壁のフラット・スクリーンに映し出される画像がこの場所の目的を物語っている。ベビー・ミトンをつけた新生児のデジタル写真、お礼状、ポーズをとった家族写真のクリスマスカード、感謝に満ちた両手に包み込まれた小さな頭。赤ちゃんの写真が下から上にスクロールしては消えていく。まるでシャンパンの泡のように。

ネイビーのレギンスにランニングシューズをはいた、長身で華奢な女性が私の左に座っていた。二十五歳にもなっていないだろう。スウェットシャツの丈は短く、日焼けした肌、ありえないほどぺたんこのお腹、細いウエストが見えている。ブリーチした短い髪に黒いまつげ、細いあごのラインからして、モデルにちがいない。白鳥のように細い首を突き出してiPhoneをのぞき込み、長い指でインスタグラムをスクロールし、伸ばした爪でときどき何かを叩いている。右隣りにも女性が座っていた。左の女性よりも少しだけ年上のようだが、同じぐらい人目を引く容姿をしている。ノーメイクで麦わら色のビーニーをかぶり、両手でなければ宝石がちりばめられたiPhoneケースを持てないほど小さな手をしていた。

ヴィッケン・サハキアン博士は、やっと私に会う準備ができたようだ。私は黒いフレームに入った写真のコラージュが飾られた廊下を進んでいった——クリスマスの赤い靴下にくるまれ寝かされた、サンタの帽子をかぶった新生児。双子を腕の中であやしながら、目に涙を浮かべているふたりの男性。

サハキアンは二十五年のあいだ、不妊治療専門医として、何千という人たちのために家族を作ってきた。彼の患者には異性愛者もいれば同性愛者もいて、年齢も幅広く、世界中、とりわけ中国、イギリス、ヨーロッパなど、代理出産が法律で認められていないか、認められてはいても規制がきわめて厳しい国から治療を受けにやってくる。カリフォルニア州では女性が他人の子どもを産んで報酬を得る代理出産が認められており、その法制度は、代理母などそこに関与する第三者よりも依頼者の権利を重視することで知られている。それによりカリフォルニア州は、世界で最も代理出産に優しい場所のひとつと評されているのだ。

サハキアンのもとを訪れる多様な患者には、ひとつの共通点がある。それは、治療を受けられるだけの経済的余裕があるということだ。もしあなたがほかの人の卵子、精子、子宮を使うことに抵抗がなく、高額な費用をまかなえるなら、彼がどんなことも叶えてくれるだろう。

「お金がものを言う世界ですから。お金があれば、赤ちゃんを手に入れられます」。廊下の突き当たりにある殺風景な部屋で、巨大な黒いデスクをはさんで私と対面してから五分もたたないうちに、サハキアンはそう言った。デスクの上にあるキーボードの横には、「赤ちゃんは人間を始めるとても素敵な方法」と書かれたコースター、プラスチック製の子宮と卵管、赤ちゃんのレーザー彫刻が入ったキューブ型のガラス製ペーパーウエイトが置かれている。

「悲しいことですが、事実です」と言ったあと、彼はこう訂正した。「いえ、悲しいというのはちがいますね。とても幸せなことです。研修医のときは、仕事があまりにも悲しすぎて産科は諦めようと思っていました。当時は十人の患者がいたらそのうち九人に電話をかけて、『妊娠はしていません』と告げていましたから。それが、いまでは百八十度変わりました。医者になったばかりのころはなかなか成功しなかった技術的な試みが、ほとんどあたりまえに成功するようになりました。私はこの分野における科学の力を信じています。家族内の性別のバランス、男女の産み分け、異常胚の選別、卵子提供者や精子提供者を利用することのメリットを信じています。それが私の仕事ですから。私は自分の仕事を**愛しています**。その究極の目的は、人に幸せを運ぶことなんです」

患者には幅広い不妊治療のオプションが用意されているが、その要望もまたさまざまだ。昨今増えているのは、「社会的代理出産」――自分の遺伝子をもつ子どもはほしいけれど、妊娠も出産も望まない――を求めてクリニックにやってくる女性の数だ。そういった女性たちは、医学的な理由で妊娠できないというわけではないが、代理出産を利用したいという。体外受精で子どもを作り、ほかの女性を雇って妊娠・出産を任せる、究極の業務委託とでも言おうか。

「なにも問題はありませんよ」。名前が刺繍されたグレーの手術着を身につけ、こめかみあたりに白いものが混じった髪をうしろになでつけたサハキアンは、きっぱりとそう言った。「もしあなたが二十八歳のモデルか女優なら、妊娠すれば仕事を失います。確実に。代理出産を利用したい人がいれば、私が力になります」。サハキアンの協力を得るには十五万ドル〔約千九百五十万円〕かかるが、それだけ払ってでも依頼したいという女性は増えている。「五年前は、年間でほんの数えるほどでした。しかし、現在では年に二十名ぐらいの依頼を受けています。それに、このあたりには不妊治療を専門とするきわめて優秀な生殖内分泌科医が数多くいますが、いまでは彼らの患者も同じように増えているはずです」

「金銭的に可能なら、多くの女性が社会的代理出産をするようになるとお考えですか？」

「もちろんです。妊娠すると家族やパートナーとの間に絆が生まれるというよい側面があるのだろうと理解はしていますが、私は男ですので、女性が感じる絆が具体的にどういうものなのかまでは実感することができません。経験から、ほとんどの女性が子どもを授かると幸福を感じるのはたしかだと思います。しかし、妊娠したことで自分のキャリアの一年間を棒に振るのは嫌だと考える女性も多いのです」

サハキアンの患者はおよそ一般の人ではない。彼は用心深く、「いろいろな患者を診ています」と言うだけで、この病院を訪れるハリウッド・スターや著名人の名前を絶対に口外しなかった。「私の口からは決して言えませんが、うわさは耳にしたことがあるでしょう」。だが、社会的代理出産を依頼する女性たちの多くは、大スターではないという。ハリウッドの大物なら、スケジュールさえ意のままにする力をもっていて、妊娠・出産で活動が中断したところで仕事は途切れないという自信もあるだろう。典型的な患者は、エンターテインメントの世界で頭角を現しつつあるものの、まだ名前がそれほど売れていない人たちだ。

「彼女たちは本音をはっきり言いますよ。『妊娠したら、役を失ってしまいます』『私は働いています。だから時間がないんです』『私はモデルで、女優もしています。見た目がウリなので、体が醜くなるのは嫌なんです』とね」

私は思わず顔をしかめた。「妊娠したら醜くなるのですか？」

「私は妊娠したことがないのでわかりませんがね」。ニヤリと笑い、サハキアンは答えた。そして、ひょっとしたら気のせいかもしれないとも思ったが、たしかに彼は私の上半身にちらっと視線を送った。まるで質問の主が経産婦かどうかを値踏みするみたいに。「妊娠すると、そのあいだはまちがいなく体のラインが崩れます。産後に必要なエクササイズをしないと、もとに戻るのにしばらく時間がかかるでしょう。妊娠によって体が変わるのは事実です。骨盤が開き、脂肪を溜め込み、色素が沈着して消えなくなる。いろいろなことが変わります。だから代理出産を利用するべきだと言いたいわけではありませんが、それを理由にする人もいます」

大きな革の回転椅子で体の向きを変え、サハキアンは別のアプローチを試みた。「美容整形にたとえてみましょう。豊胸手術を受ける人を批判する人は、きっと社会的代理出産をしたいと思う人のことも批判するでしょう。『自分の体が気に入らなくて精神的に辛い。だからなんとかしたい』と言う人もいれば、『出産によって体が醜くなるのは嫌だ』と考える人もいる、ということです」

社会的代理出産を依頼してくるのはモデルや女優ばかりではない。なかには責任の重い仕事や役職に就いていて、妊娠すると都合が悪い人もいる。「多くの患者が言います。『いま妊娠するわけにはいかない』『旅に出なければならない』『これ以上自然妊娠を待てない』『年をとりつつあるけれど、今後二、三年のキャリアがとても重要だ』『出張が多い』。そうした切実な事情があるのです」

「女性が代理出産を利用する理由として、容姿と仕事、どちらが一般的なのでしょうか？」

「仕事が大きいでしょうね。『忙しくて時間がない』というのがおおかたの理由で、外見はその次です」

男性は、どんなに世間に名を知られていようと、きつい仕事に就いていようと、妊娠・出産によって生活が一変することなく親になれる。たとえ人生において最も重要な局面にあっても、出産がキャリアに及ぼす影響を考える必要すらないのがふつうだ。例をあげると、イギリスの自由民主党元党首チャールズ・ケネディは、二〇〇五年の総選挙の選挙戦のさなかに息子のドナルドが生まれている。モハメド・ファラー〔イギリスの陸上競技選手。オリンピックではロンドン、リオ・デ・ジャネイロの二大会連続で複数種目の金メダルを獲得した〕は二〇一二年のロンドンオリンピックで金メダルを獲得したが、自身もアスリートである妻のタニア・ネルが双子を出産したのはその三週間後のことだった。

「社会的代理出産を希望する女性のパートナーは、どう考えているのでしょうか？」

サハキアンにとって、これが思わぬ質問なのは明らかだった。「いや、そんな話にはなりません！　そんなこと、患者に聞いたりはしませんよ」

「ですが、彼女たちはパートナーといっしょに来ますよね？」

「ええ、そうですよ、もちろん」

サハキアンは、長年不妊治療に携わるうちにフェミニストになったと語った。「私が**ここまで**フェミニストになったのは、この社会がどれほど偏見に満ちているか、どれほど男性優位かを日々目の当たりにしているからです。あなたたち女性は世の中から一方的に、一面的にジャッジされます。私は女性の味方ですし、性別によるダブルスタンダードが存在していると思います」

「つまり、男性はキャリアを維持しながら子どもをもつことができるのに、女性はできない場合が多い、ということですか？」

「いえ、それだけではありません。六十二歳の男性が三十八歳の女性とクリニックに来ても、どうして六十二歳で子どもを作ろうとしているのかと男性に聞く人はいません。いっぽう、五十五歳の女性が子どもを望んでいると言えば、その年では無理だとか、もう孫がいる年齢だとか、頭がおかしいとか言われるでしょう。ラリー・キング〔アメリカの有名司会者〕は、えっと、七十五歳で子どもをもうけたんでしたっけ？」正確には六十五歳だが、サハキアンの話は的を射ている。彼自身五十六歳で、二十歳年下の妻とのあいだに六歳に満たない子どもがふたりいる。写真に写る彼の家族は、壁に飾られたフレームの中から非の打ちどころがないほどに幸せそうな微笑みでこちらを見下ろしていた。

アメリカ生殖医学会が定めるガイドラインによると、代理母――他人の卵子を体外受精してできた受精卵を子宮に入れて育て、赤ちゃんを出産する人――の利用は医学的必要性のある場合に限るべきだとされている。だが、サハキアンはそうしたガイドラインに違反することは気にしていないという。

「『医学的な理由』というものは幅広い解釈が可能ですから」と、彼は軽い調子で言った。「こんなことを言うと問題になるのもわかっています。それで、あなたも私の話を聞きにいらしたのでしょうから。倫理違反すれすれだという人もいますが、それがどうしたと？　知ったことではありません。水着のモデルをして生計を立てている二十六歳の女性の立場に立ってみてください。どう思いますか？『この女性のキャリアを守ろう』と考えるのは倫理に反しますか？」

「もう少し年を重ねるのを待って、子どもをもつわけにはいかないのですか？」

「そうですね。でも、本人がいますぐにでも子どもがほしい、四十歳で母親になるなんて嫌だと思ったらどうしますか？　そうしたカップルに協力することが非道徳的だとは思いません。この分野では、ロス・アンジェルスでは、そうした患者たちを批判することはできません。ここは開拓時代の西部と本質的に変わっていません。二十年前は、ゲイのカップルに手を貸すのはタブーとされていました。アーカンソーではいまだにそうです。この領域はまだほんの幼年期にあるのです」

「倫理的なうしろめたさは感じませんか？」

「話す相手をまちがえていますよ」とサハキアンは含み笑いをした。「ほら、私はいつもすれすれのところにいるのですから」

そうだ、その通りだ。サハキアンは嬉々として境界線を押し広げていると言われているうえ、その悪名は彼のビジネスにとって追い風になっているのだ。世間からそうした評価を受けるきっかけになったできごとは、二〇〇一年に起きた。患者のジェニーン・サロモンが卵子提供を受けて妊娠し、六十二歳で出産したのだ。フランスにおける最高齢での出産だった。その後、子どもの生物学的父親が彼女の弟のロベールだったことが判明すると、閉経後の女性に対する不妊治療が違法とされるフランスで一大スキャンダルとなった。

しかも、自分の精子を使って子どもを作ることに同意したとされるロベールの認知能力にも疑義が生じた。その数年前に、ロベールは銃であごを撃って自殺を試みたものの失敗し、脳に損傷を抱えていたのだ。フランスのジャーナリストは、姉弟の母親の莫大な遺産を相続させるために、ブノワ－ダヴィードと名づけられた彼らの息子が作られたのではないかと報じた。押し寄せたメディアに対し、サハキアンは、ジェニーンとロベールは夫婦と称して病院を訪れ、ジェニーンは年齢を詐称していたと語った。

一連のできごとを私はここに来る前に知っていたが、その話をもち出したのは、私ではなくサハキアン自身だった。彼がそれを話題にしたのは、私が「なぜ患者があなたを頼るのか」と質問したときだった。

「私はフランスで、出産年齢としては当時最高齢の六十二歳で女性を出産させましたからね。詳しいことはグーグルで調べればわかります。まあ、社会の汚点とみなされていますがね」

「彼らは姉弟でしたから」

サハキアンはうなずいた。「そうなんです。そのせいで私は世間に知られることになりましたが、みな、『この人なら六十二歳の女性でも妊娠させることができる』と考えたようです。実際、二〇〇〇年代には五十歳以上の人から非常に多くの問い合わせがありました」

その後サハキアンは、二〇〇六年に、今度は世界最高齢出産の記録を更新した。スペインの元店員マリア・デル・カルメン・ボウサダは、六十七歳の誕生日を迎える一週間前に、双子の男の子、クリスチャンとポールを産んだ。それから一年を待たずに彼女はがんと診断され、二〇〇九年に亡くなった。まだ二歳半の息子たちを遺して。

「バルセロナのあの女性は、最高齢で出産した女性としてギネスブックに載っているんです」。誇らしげな口ぶりが滑稽に思えた。

「境界線を押し広げているという世間の評価に満足していますか？」と私はたずねた。

「私が境界線を広げたわけじゃありません。彼女は年齢をごまかし、五十七歳と言っていたんです。本当は六十七歳でした。書類も、医療記録も偽造されていました。フランス人姉弟のケースでは、彼らは夫婦として病院に来たんです。苗字が同じなのはパスポートで確認しました。私たちは結婚証明書も求めませんし、出生証明書も必要ではありません。どこの世界に出生証明書の提出を求める医者がいますか？」

「六十七歳で産んだ女性のほうは亡くなり、子どもたちは母親を失いました。あの子たちについてはどう思われますか？」

「ですから、もう六十七歳の女性は絶対に治療しません」。間髪を容れずに、サハキアンはそう答えた。「彼女は健康そのものの五十七歳でした。がんで亡くなりましたが、既往症はありませんでした。二十八歳の人にだって、がんになる可能性はありますからね」。この一件を受けてクリニックは年齢の上限を五十五歳に設定したが、いまでも患者に公的な年齢証明書の提出は求めていない。

社会的代理出産を依頼する患者で私に話をしようという人はひとりもいないだろうと、サハキアンは言う。「話したところで、なにも得るものがありませんからね」。彼女たちは自分のキャリアを守るためにそれを選択するのであって、新しい方法に頼ってすべてを手に入れた人として有名になりたいわけではないのだ。「赤ちゃんはほしい、でも産みたくない」というのはこの社会ではいまだ禁句だ。そのため、患者のなかには妊婦を装って暮らす人もいたという。それでも、赤ちゃんが生まれたらすぐに「妊娠」前の体に戻れるとわかっているので心配いらない。「妊娠したようなお腹に見せる人工装具も買えますからね。サイズもいろいろあります。そうしたものが売られているのには、理由があるんです」

子どもはほしいが妊娠したくない、という女性はいる。語られることはめったにないが、否定できない事実だ。妊娠せずに自分の子どもを授かるという考えは生物学的には不自然で、宗教的には異端であるとまで言われかねないが、だからといって女性がそう考えたり、匿名でそのことについて話したりするのを止められるわけではない。イギリスの子育て支援サイト、マムズネットの「私の話には無理がある？」という名の掲示板には、「燃やせるほどお金があったら、代理母を使いたいと思うか？」というスレッドがある。そこでユーザーに投げかけられた、「もし妊娠するのを待てない、あるいは妊娠したくないなら、アメリカの代理出産を利用するか」との質問に対して、少なくとも七人が利用すると答えた。〈もちろん。二回ともつわりがひどかったのもあるけれど、そうでなかったとしても、妊娠は楽しい経験ではないから〉と言う人や、〈利用したい。妊娠なんて最悪！〉と言う人、〈すぐにでも〉と言う人もいた。

だが、そのほかのほとんどは否定的な、怒りに満ちた反応だった。「『子どもは育てたいが、産みたくない』などと言う女性は母親になる資格がない」というのが、社会における暗黙の了解である。なぜなら、赤ちゃんのためにまず自分の体を犠牲にしようという意志がなければ、子ども優先の生活をすることは決してできないと世の中ではみなされているからだ。一見、そうした考えは筋が通っているように思える。だが、よく考えてみれば、父親は子どもを最優先に生活するといっても自分の体を犠牲にする必要はない――女性のほうは生まれながらにして身体的に、そして社会的にもそれを義務づけられているのに。体に負担をかけて産んだからといって思いやりのある親になれるわけではない。第一そんなことを言うのは、男性は母親と同じように子どもに愛情を注ぐことはできないと決めつけるようなものだ。それに、妊娠・出産を喜んでも、いざ生まれてみたら赤ちゃんを最優先したがらない母親だっているだろう。

女性が妊娠を望まないのには深刻な理由がある。サハキアンの患者のなかにはお腹に巻く装身具を買って妊婦を装い、代理出産を利用する人がいるようだが、世の大多数の女性はそれと逆のことをする。妊娠の代償がとても大きいとわかっているから、できるだけ長いあいだ妊娠を隠すのだ。いくら法律で禁じられていても、マタニティ・ハラスメントは今日世界中の女性が直面している現実である。イギリスの平等人権委員会のある調査[1]では、イギリス人の母親の五人にひとりが、職場で妊娠を公表した際に嫌がらせを受けたり責められたりしたことがあり、年間五万四千人が産休または育休を理由に退職に追い込まれていることが明らかになった。ナショナル・パートナーシップ・フォー・ウイメン・アンド・ファミリーズ〔ワシントンD.C.を拠点に、女性と家族の問題に関する教育や政策提言、支援活動に取り組む非営利組織〕によると、アメリカで二〇一〇年から二〇一五年の間に雇用機会均等委員会に提起されたマタニティ・ハラスメントに関する訴訟の数は、三万一千件にのぼった[2]という。人種を問わず、アメリカ全体で、あらゆる業種の女性が職場でマタニティ・ハラスメントを経験しているのだ。

代理出産を利用する経済的余裕のある女性は世界にごくわずかでも、それぞれの理由で自分の子どもをもつことを考え直す人の数は多い。アメリカ最大のテクノロジー企業やメディア企業のなかにはすでに、女性スタッフに妊娠・出産のタイムリミットを心配せずに仕事を続けてもらうため、卵子凍結の費用を負担している企業もある。妊娠が仕事の妨げにならないよう、代わりに出産してくれる人を探す母親を企業がサポートする、そんな未来が来るのだろうか？

カリフォルニア州にあるいくつかの不妊治療クリニックのウェブサイトをよく見てみると、医学的な理由以外でも代理出産が可能なことがわかる。「生物学的に自分の子どもをもつことができない、**あるいはあえて**子どもをもたないと**決めた**カップルや個人も、代理出産の力を借りれば、家族を作り、育むことができます」。グローイング・ジェネレーションズのウェブサイトは、そう謳っている（強調は筆者による）。また、ロス・アンジェルス・リプロダクティブ・センターの代理出産のページには、「代理出産の選択には、医学的、感情的、人生設計上などのさまざまな理由があり、きわめて多様な事例があります」と記されている。

私はカリフォルニア州にある十軒以上の不妊治療クリニックに電話をかけて、社会的代理出産を選択した理由を私に話してくれるクライアントはいないかたずねた。どこも口をそろえて、サハキアンと同じことばを繰り返した――女性は虚栄心を満たすために代理出産を望んでいるのではない。重要なのは女性がキャリアを維持しながら親にならなければならないという重圧をかけられていることで、本人たちだって医学的な理由もないのに代理出産を利用するのは社会的に許されないことだとわかっている。だから誰も話をしないだろう、と。

ハリウッド以外の業界の人たちの話を聞いてみたところ、さらに詳しい事情が明らかになってきた。サンディエゴにあるクリニックのアシスタントによると、社会的代理出産を依頼する患者は、つわりで具合が悪くなったり、安静を余儀なくされたりすると仕事を失うリスクがある、企業で高い地位に就いている独身女性が多いそうだ。自分で出産すれば、体や健康のみならず、子どもを育てるために必要な収入までもが危うくなりかねない。また、ある不妊治療専門医の場合、社会的代理出産の患者の八割が中国系だが、一回妊娠すると子宮が年をとったとみなされる中国の「文化的な事情」がその理由だという。かつて代理出産エージェンシーを経営していた生殖精神科医は、公職に立候補して選挙運動をしながら、子どもを切実に望んでいた女性の患者の話をしてくれた。その女性は選挙演説のために各地を回らなければ、それまで積み上げてきたものを何もかも失うリスクがあったため、自分のために赤ちゃんを産んでくれる女性を雇った。

では、代わりに「体が醜くなる」ことを引き受ける代理母、つまり子宮を貸す人はどうなるのだろう。医学的な理由なしに自分では産まないという選択をした誰かのために赤ちゃんを出産し、命を危険にさらす可能性について、彼女たちはどのように感じているのだろうか？　その点、概して彼女たちには自分がそれほどリスクのあることをしているという自覚はないようだ。不妊治療クリニックのほかにクライアントに代理母をあっせんする代理出産エージェンシーも経営しているサンディエゴの不妊治療専門医、ロリ・アーノルドは、「代理母は、依頼者が代理出産を希望する医学的理由を知りません。彼女たちが聞きたいと言えば、そして依頼者の許可が得られれば、理由をお伝えします。しかし、それはあくまでも医療に関する個人的な意思決定ですので、私たちには守秘義務があります」と語った。

代理出産は決して容易な選択ではない。どれだけ固い意志をもち、プロフェッショナルな不妊治療専門医に任せ、入念に書類を作成しても、第三者を介する生殖医療の手段として、代理出産は身体的、感情的、法的にきわめてやっかいなのだ。しかし、それはこれまで人間が抱える出産の問題に対するただひとつの解決策でもあった。

人工授精型の代理出産（トラディショナル・サロガシー（伝統的な代理出産））——代理母はお腹に宿す子どもの遺伝上の母親だが、親権を放棄する——は、旧約聖書の『創世記』から『侍女の物語』〔カナダの作家マーガレット・アトウッドの一九八五年のベストセラー小説。架空のキリスト教原理主義国家で、女性たちは子どもを産むための道具として扱われる。日本語版は斎藤英治訳、初版は新潮社一九九〇。新版は早川書房二〇〇一〕にいたるまで、さまざまな書物や作品のなかで扱われている。たとえば創世記第十六章には、なかなか子どもに恵まれないサライとアブラムが描かれている。サライは「彼女によって私は子をもつことになるでしょう」と言って、夫アブラムにエジプト人の奴隷、ハガルのところへ行くよう促した。だがこの話はそれでめでたし、めでたしとはいかなかった。自分が身ごもったと知るや、ハガルは「女主人を見下げるようになった」[3]のだ。そして十四年後、今度はサライに実の子イサクが生まれると、ハガルとその息子イシュマエルは荒野へと追放された。

人工授精型の代理出産は数千年前からさまざまなかたちで存在してきたが、それは人に知られないよう、ひっそりと行われるのが常だった。まず不妊の話題自体がタブー扱いでもあるし、「正道」のほうが簡単であるはずなのにわざわざそうでない方法で子どもを作ることは不名誉の烙印を押されるに決まっているからだ。代理母によらない人工授精ならば人々の嫌悪感はいくぶん少ないが、それにもまた後ろ暗い歴史がある。一八八四年、フィラデルフィア[4]でウィリアム・パンコースト博士が無精子症の男性の妻に対して行ったのが、正式に記録された世界初の人工授精だ。パンコーストは「容姿のよい」学生のひとりの精子を、クロロフォルムで意識を失っていた女性の子宮頸部にゴム注射器を使って注入した。九カ月後、その女性は出産した。だが、彼女には人工授精であることも、赤ちゃんの生物学的父親が夫でないことも伏せられていた。

パンコーストが先駆けとなって試した方法は、「子どもを作るとはどういうことか」という人々の概念を変えた。妊娠はもはや、異性間の性交によってのみ可能になるものではなくなったのだ。それはレズビアンやゲイのカップルにとって喜ばしいことだ。もちろん、それでもゲイの男性には赤ちゃんを産んでくれる女性が必要ではあるのだが。依頼する男性の精液を第三者の女性に注入するという、この人工授精型の代理出産は、今日でも選択肢のひとつである。卵子はあくまで代理母のものなので生まれた子どもとの遺伝上のつながりは父親にしかないことになるが、代理出産の方法としては最も費用が少ないうえ、代理母が依頼者と血縁関係にある人なら子どもと依頼者のあいだの遺伝的なつながりも強まるからだ。

一九七八年、イギリスのオールダムで世界初の体外受精児ルイーズ・ブラウンが誕生し、妊娠・出産の新しい時代が幕を開けた。妊娠にもはや性交すら必要なくなったばかりでなく、子宮外での受精も、女性がほかの女性の子どもを身ごもることも可能になったのである。卵子提供による初の赤ちゃんが一九八二年に誕生し、一九八五年には体外受精型代理出産が初めて成功した。体外受精型の場合、遺伝上の母は代理母、つまり生みの母ではない。そのため、そのとき初めて「母親は誰か」という問題を巡って混乱が起きた。

一九八〇年代以降、生みの母が遺伝上の母と別人である可能性を私たちは徐々に受け入れてきた。体外受精型の代理出産の数を正確に知るのは難しいが、二〇一四年の『ニューヨーク・タイムズ』紙の概算(5)によると、アメリカで体外受精型代理出産によって生まれた子どもの数は、その十年前と比較して三倍に増加した。また、営利目的ではない利他的代理出産のみが法律で認められているカナダでは、二〇〇八年からの十年間(6)で、その数は四百パーセント増加したとみられる。出生時に養子に出される子どもの数が減っているこの時代、同性婚の増加に伴って同性愛の両親も広く社会に受け入れられるようになっており、独身女性が精子バンクの利用を考えるのと同じように、独身男性も自分の子どもを作るのに代理母を手段のひとつとして検討するようになった。自分で子どもを産むことができない、あるいは産みたくない人々にとって、代理出産は現代において家族を作る手段としてますます浸透しつつあり、とくに体外受精型は人工授精型よりもはるかに一般的である。卵子と精子を受精させてから子宮に移植するので安全性が高く、また生殖医療に携わる多くの人が言うには、体外受精型は合法的で、遺伝的なつながりのある子を産んだばかりの女性に赤ちゃんをすぐに引き渡すよう求める必要がないため、感情的な負担も少ないという。

そうは言っても、人工授精型か体外受精型か、商業的か利他的かを問わず、あらゆる形式の代理出産には深刻な法的、倫理的課題があるのも、またたしかだ。あなたはもしかすると「代理母が自分の産んだ赤ちゃんに愛情を感じ、引き渡しを拒むのが大きな問題なのではないか」と思ったかもしれないが、実際は、依頼者のほうの気が変わり、すでに代理母のお腹に宿った子どもを引き取らないと言い出す可能性のほうがうんと大きい。依頼者夫婦が別れたり、胎児に異常や障害が見つかったりした場合、代理母は自分の意に反して中絶を余儀なくされる。移植に成功した胚の数が多すぎる場合にも、代理母は「余分な」赤ちゃんを中絶するよう求められる。このようなケースは数えきれない(7)ほど確認されているのだ。

二〇一四年には、国際的なスキャンダルまで起きた。タイ人の体外受精型代理母パタラモン・ジャンブアは、代理出産を依頼したオーストラリア人夫婦がダウン症を理由に引き取りを拒否したと訴え、赤ちゃんを育てるためのお金を集めようとしていた。パタラモンは男女の双子を身ごもっていたが、七カ月検診で男児のガミーに先天異常があることが明らかになった。依頼主であるデイヴィッド・ファーネルとウェンディ・リーは、パタラモンに中絶するよう求めた。彼女はそれを拒否してふたりとも産んだが、出産後、ファーネル夫妻がタイに来て娘のパイパだけを引き取っていったという。のちに、デイヴィッド・ファーネルが十歳に満たないふたりの少女に対する暴行で有罪判決を受け、服役した小児性愛者であることも発覚する。二〇一六年、西オーストラリアの裁判所は「ファーネル夫妻はガミーを手放したのではない」との判断を下した。彼らはふたりとも引き取りたかったが、パタラモンがガミーを渡さなかったのだという。パイパは犯歴のある父親とふたりきりになることは認められていないもののファーネル夫妻とともに生活しており、いっぽうのガミーはいまもパタラモンのもとで暮らしている。裁判官は[8]「これをきっかけに、代理母は赤ちゃんを体内で育てる機械でも、妊娠・出産の道具でもないという事実に目が向けられるべきです。〔中略〕彼らは生身の人間なのです」と語った。二〇一五年、タイ政府は依頼者が外国人の場合の商業的代理出産を禁じた。

国際的な商業的代理出産は、特殊な倫理上の問題をはらんでいる。労働の外注の例にもれず、理不尽な市場と直接戦わなければならないのは、最も貧しく、権利をもたない人たちだ。かつてイギリスからの生殖ツーリズムはインドの成長産業だった。インドでは、貧しく、ほとんどが読み書きのできない代理母が、妊娠中の九カ月間にわたり寮に入って行動を監視され、依頼者は食べるものからセックスにいたるまで、さまざまな指示を出すことが許されていた。代理出産の費用にすべての医療費を含めた完全パッケージの価格は、最低一万ドルだった。インドがようやく二〇一五年に国際的な代理出産を法律で禁止したときには、業界の市場価値は年間五億ドルと見込まれていた。現在、安価な体外受精型代理出産を求める人がこぞって向かう先はウクライナ(9)〔原書執筆時点では、ロシアのウクライナ侵攻は起きていない〕だが、ウクライナ人の代理母が流産したら支払いもされずに捨て置かれたり、医学的に安全とされる範囲の頻度を超えた帝王切開手術を受けさせられるケースは珍しくない。また、三つ子や四つ子を出産する代理母の体の負担などおかまいなしに、妊娠成功率を最大限に高めるために複数の胚が移植されている。

親になりたいと心から願う人の夢を叶えるためにほかの人の子どもを産むのだと主張する充足した代理母が世界に何人いようと、代理出産とは本質的に女性を入れ物、つまり培養装置として利用し、体に宿した赤ちゃんに対する生後のすべての権利を放棄するよう求めることだ。搾取されている自覚が本人にあるかないかは別として、それは女性の生殖能力の搾取の上に成り立っている。二〇一五年十二月(10)、女性の「人間としての尊厳を脅かす」として、欧州議会はあらゆる形式の代理出産を非難し、なかでも「人間の体を生殖の道具として利用・搾取している」ことを理由に体外受精型代理出産を糾弾した。

だが、たとえ禁止したからといって、代理出産の需要がなくなるわけではない。もう遅すぎるのだ——妊娠することなく遺伝的なつながりのある子どもを手に入れられる可能性は、男性、女性の双方に新しい世界を開いた。いまさらそれをなかったものにはできない。そして、増えつづけるサハキアンの患者リストが物語るように、妊娠せずに親になることを望む人の理由も、年々多様化している。

社会的代理出産を提供する不妊治療専門医は、不妊治療の世界における急進派であることは確かだ。とはいえ、妊娠可能な年齢を超えた女性、同性カップル、独身の男女のために家族を作る可能性を広げてきたのは、そうした医師たちなのだ。彼らは社会的代理出産に立ちはだかる新たな障壁を叩き壊して道を切り拓き、いつか世界がその道をたどっていくことになるのだろうか？

サハキアンはそう思いたいようだ。

「同性愛者の代理出産に関して、二十年前のLAは西部開拓時代のようだったとおっしゃいましたが、いまから二十年後、社会的代理出産についても、人々はそんなふうに思うようになるでしょうか？」

「二十年後？　いえ、数年後にはそうなるでしょうね。そんな時代がそこまで来ています。代理出産はもうタブーではありません。こちらに比べたら、イギリスはかなり遅れをとっていますね。ありがたいことです——おかげでこちらが大繁盛なわけですから！　ですが、そういう状況もこれから変わっていくでしょう」

奇妙なことに、社会的代理出産の秘匿性が、この方法を選ぶ人を増やす可能性を高めている。サハキアンのクリニックを利用する女性は、私たちの注目や憧れの的になるような人生を送っている人たちだ。

「あなたは、女性はキャリアと体と家族、そのすべてを手に入れることができるという、現実に反する幻想を生み出しているのではありませんか？」

サハキアンは私の問いかけを一笑に付した。「それが社会で問題になるとは思いません。どちらの考えも理解できますが、どうすべきか判断するのは私ではありませんから。もしあなたが赤ちゃんを望み、あなたの代わりに産んでくれる人がいれば、あなたはふたりの人を助けることになるでしょう——あなたは子どもを手に入れ、代理母はあなたに協力することでお金を稼ぐのですから」

私はとうていそんなふうには考えられない。ほかに選択肢があるのなら、社会的代理出産の利用者だってわざわざやっかいで複雑な代理出産ビジネスになどかかわりたくはないはずだ。だが現実には、赤ちゃんはほしいが自分で産みたくないと思ったら、わずらわしいプロセスをがまんするよりほかないのだ。

いまのところは。

というのも、母親になることの意味を変えたテクノロジーを、さらに向上させようという人間の意欲はいっこうに衰える気配を見せないからだ。最初は、赤ちゃんを作るのにセックスがいらなくなり、それから母親の胎内でなくても赤ちゃんが作れるようになった。ならば、誰も妊娠することなく赤ちゃんができるようになったら、私たちはいったいどうなるのだろうか？

［注］

（1）ある調査
'Pregnancy and maternity discrimination research findings', Equality and Human Rights Commission, https://www.equalityhumanrights.com/en/managing-pregnancy-and-maternity-workplace/pregnancy-and-maternity-discrimination-research-findings

（2）三万一千件にのぼった
'By the Numbers: Women Continue to Face Pregnancy Discrimination in the Workplace', National Partnership for Women & Families, October 2016, http://www.nationalpartnership.org/our-work/resources/workplace/pregnancy-discrimination/by-the-numbers-women-continue-to-face-pregnancy-discrimination-in-the-workplace.pdf

（3）見下げるようになった
創世記第十六章二〜四節。

（4）一八八四年、フィラデルフィアで
G. G. Mukherjee and B. N. Chakravarty, IUI: Intrauterine Insemination (Jaypee Brothers Medical Publishers, 2012), p. 383.

（5）二〇一四年の『ニューヨーク・タイムズ』紙の概算
in 2014 Tamar Lewin, 'Coming to U.S. for Baby, and Womb to Carry It', New York Times, 5 July 2014, https://www.nytimes.com/2014/07/06/us/foreign-couples-heading-to-america-for-surrogate-pregnancies.html

（6）二〇〇八年からの十年間
Valeria Perasso, 'Surrogate mothers: 〝I gave birth but it's not my baby〟', BBC News, 4 December 2018, https://www.bbc.co.uk/news/world-46430250

（7）このようなケースは数えきれない
Matthew Renda, 'Surrogate Mother's Attempt to Regain Her Children Fails in Ninth Circuit', Courthouse News Service, 12 January 2018, https://www.courthousenews.com/surrogate-mothers-attempt-to-regain-her-children-fails-in-ninth-circuit/; 'Luca's Law' blog, https://lucaslaw.blog/

（8）裁判官は
'Baby Gammy: Surrogacy row family cleared of abandoning child with Down syndrome in Thailand', ABC News, 14 April 2016, https://www.abc.net.au/news/2016-04-14/baby-gammy-twin-must-remain-with-family-wa-court-rules/7326196

（9）ウクライナ
Kevin Ponniah, 'In search of surrogates, foreign couples descend on Ukraine', BBC News, 13 February 2018, https://www.bbc.co.uk/news/world-europe-42845602

（10）二〇一五年十二月
'Parliamentary questions: Question for written answer P-005909/2016/rev.1 to the Commission', European Parliament, 18 July 2016, http://www.europarl.europa.eu/doceo/document/P-8-2016-005909_EN.html?redirect

第10章 バイオバッグ

　子ヒツジが眠っている。横向きで目を閉じ、耳を寝かせ、ときおり体をぴくぴく震わせて。羊水を飲み込んだり、もぞもぞ動いたり、ひょろ長い足をバタバタさせたり。そのいびつで半分笑ったような小さな顔は、まるでどこかの草原を跳ね回る夢でも見ているみたいに、うれしそうな表情をしていた。だがこの子ヒツジはあまりに小さく、外の世界に足を踏み入れることはできない。目も開いていなければ、毛も生えていない──ピンク色の皮膚が首元でしわになっている。それどころか、まだ生まれてさえいない。妊娠百十一日目の胎児なのだ。母親からもほかの動物からも完全に切り離された状態で、フィラデルフィアの研究施設で元気に生きている。子ヒツジがいるのは液体の入った透明なビニール袋だ。臍帯には真っ赤な血液で満たされた管が通っている。これは、バイオバッグ（人工子宮）の中で成長しているヒツジの胎児なのだ。

　そして、およそ三週間後の妊娠百三十五日目。妊娠満期までもうすぐだ。子ヒツジは袋いっぱいの大きさに成長した。ぺちゃんこの鼻が袋の隅に押しつけられている。丸々と太り、白くふわふわとした巻き毛におおわれ、小さな尻尾がある。どこから見てもヒツジの姿をしているが、それでもまだ胎児だ。さらにもう二週間もたてば、冷蔵庫のフリーザーバッグから食材を取り出すようにバッグが開けられ、臍帯をクランプで留めて、ようやく誕生する。

袋に入った子ヒツジの画像をノートパソコンで初めて見たとき、私は映画『マトリックス』の胎児フィールドを思い出した。人間製造工場とでも言うべきそのグロテスクな場所では、母親のいない赤ちゃんがまるで工業製品のように容器の中で育てられている。ただし、胎児の入った袋は妊娠に代わる完全な手段ではない。活況を呈するカリフォルニアの代理出産ビジネスも、いまのところは心配ご無用というわけだ。フィラデルフィアの子ヒツジも最初から袋の中で受胎したわけではない。人間なら妊娠二十三〜二十四週間に相当する在胎月齢で母ヒツジの子宮から帝王切開手術で摘出されたのち、すぐさまバイオバッグに入れられたのだ。人工子宮はまだ妊娠の代替方法ではないが、その第一歩なのはまちがいない。生命の誕生はいつか、フリーザーバッグを開けるのと同じぐらい簡単になるのかもしれない。

この人工子宮を作ったチームによると、彼らを突き動かしているのは、地球上で最もか弱い人間を助けたいという願いただひとつだという。エミリー・パートリッジ、マーカス・デイビー、アラン・フレークは、フィラデルフィア小児病院（CHOP）で超早産児の治療にあたる新生児科医、発達心理学者、外科医だ。修正と微調整を三年間繰り返した結果、超早産児の生存の可能性を以前よりも格段に高めることを目指した最新のプロトタイプ――「バイオバッグ」――が完成した。

二〇一七年四月(1)、CHOPチームは研究結果をまとめた論文を子ヒツジの画像とともに学術誌『ネイチャー・コミュニケーションズ』に発表し、バイオバッグが世に知られることになった。論文によると、バイオバッグの設計が決まるまで、ＣＨＯＰは四つの異なるプロトタイプで合計二十三匹の子ヒツジの実験を行ったという（産科研究にはヒツジがよく使われるが、それは妊娠期間が長く、胎児の大きさがヒトの胎児に近いからだ）。「先進国では、極端な早産が新生児の死亡および罹患の主要原因である」。論文の冒頭にはそう書かれている。「私たちは、人間の超早産児に発育の程度が近いヒツジの胎児の生命を、この人工子宮装置の中で最長四週間、生理学的に維持できることを証明する。［中略］適切な栄養を与えれば、装置の中の子ヒツジが正常な身体的成長、肺の成熟、脳の成長を示すことが実証されている」。つまり、彼らは体外で妊娠状態を作る方法を見つけたのだ。胎児はやがて、妊娠した雌のヒツジの子宮で最後まで育った胎児となんら変わりない子ヒツジに成長する。

ＣＨＯＰの広報部は、論文と併せて、そつなくまとめられた短い動画を発表している。思うに、どのみち国際的なメディアの注目を集めるのならば、その関心を不気味な子ヒツジの姿ではなく、バイオバッグの治療上のメリットに集中させたいと考えたのだろう。『子宮の再現』とタイトルがつけられた、さながら企業のイメージ・ビデオのような九分間の動画に、胎児の姿は一度も出てこない。映っているのは、バイオバッグに入った子ヒツジを描いたきれいなイラストと、子ヒツジのいないピカピカの実験室でヒツジの研究をしているかのようにふるまう、演技がちょっとぎこちないパートリッジ、フレーク、デイビーのサブカット映像だ。畏れと驚嘆の念をかき立てようとしたのか、バックには軽やかなピアノの音が流れていた。次に映し出されたＣＨＯＰの新生児集中治療室（ＮＩＣＵ）の超早産児の姿には、胸が締めつけられる思いだった。ものすごく小さな指の皮膚はひありえないほど小さな赤ちゃんが、たくさんのチューブにつながれている。

び割れてかさかさだ。小さな口には呼吸器の管がテープで貼られ、ぜいぜいあえいでいる。続いては白衣を着た研究チームとの、型通りのもっともらしいインタビューだ。スタジオの照明の下で撮影され、入念に編集されている。同じタイミングで長編のプロモーション動画も公開されており、そこではチームのインタビューの時間が長く取られている。

「将来、このシステムをＮＩＣＵに導入し、従来型の保育器と同様の外観にしたいと考えています。上下に動かせる蓋をつける予定です」。オーストラリアとアメリカ両方のアクセントを交えながら、デイビーは言った。彼はメルボルンに生まれ、一九九九年からＣＨＯＰに勤務している。「バイオバッグの中の赤ちゃんは、従来型の保育器と同じように温かい環境に置かれることになります。横には羊水を置いておき、バイオバッグに注入します」。長編版の映像で彼はそう語っている。

バイオバッグは人間の子宮の環境を模して暗い場所に置かれるが、胎児の姿ははっきり見える。「正常妊娠よりも、赤ちゃんの姿をひんぱんに確認することができますよ。集中治療室に暗視カメラを設置して、リアルタイムで胎児の状態を見られるようにします。自分の赤ちゃんが動き、呼吸し、喉を動かすといった動作を全部見ることができるのです」。ＣＨＯＰチーム最年長のフレークは話す。「超音波検査室も併設する予定です。早産児の場合とは異なり、私たちは赤ちゃんに直接触ることはできませんが、これで胎児の健康状態を検査できるようになります。この超音波検査と生理学的健康調査を一日に最低一、二回行います」

赤ちゃんの様子を観察できるのは、たしかに魅力的だ。親になるために排卵日予測アプリに始まり、妊娠・出産準備アプリ、新生児の授乳・排便管理アプリ、暗視機能で赤ちゃんのバイタル・サインを測定し、あらゆる情報をスマートフォンに送信するビデオ・モニターまで使いこなさなければならないこの時代に、バイオバッグはうってつけだろう。

「明らかにまだ生まれる状態になかった胎児が、胎盤からも母親からも完全に離れ、液体の入った袋の中で呼吸し、羊水を飲み、泳ぎ、夢を見ている姿を目にすると、なんという奇跡だろうと衝撃を受けずにはいられません。神々しい光景です」。動画の中の子ヒツジのように、目を閉じて微笑みながらパートリッジは言い、自分がやり遂げたことが信じられないと言わんばかりに、首をふった。

バイオバッグはチームとしての取り組みだが、パートリッジはまるで自分の赤ちゃんの話をしているみたいだった。彼女はチーム最年少の、そしてただひとりの女性で、トロントから特別研究員としてCHOPに来た。論文が発表された日、カナダの公共放送局CBCとのインタビューで、パートリッジは全体のコンセプトは自分の発案だと語った。「よりよい超早産児治療のための前例のない方法になると信じて、このアイデアを実行に移したいと主張しました」。袋の中の子ヒツジのケアについて説明する彼女は、新生児用ベッドに寄り添う母親のようだ。「実験のたび、何週間も寝袋を広げて子ヒツジの横に寝泊まりします」

ビデオの中で、パートリッジは母体の代わりとして機能するバイオバッグのふたつの主要な要素について語っている。胎盤に代わるのは循環システム、すなわち「血液を流し、血液中の二酸化炭素を排出して酸素を取り込む装置」だ。これは子ヒツジの臍帯中の静脈に挿入された人工肺で、胎児に栄養分や必要な薬剤を届ける働きもする（ジャストでニワトリの細胞の増殖を促すため、シードトレイの培地をピペットで交換していた、白衣を着た女性と同じ役割だ）。血液を体に送るのに、機械式ポンプは使用されない。なぜなら、機械で圧力をかけると、たとえほんのわずかな力でも、子ヒツジの極小の心臓に過剰な負担をかける恐れがあるからだ。バイオバッグなら、子宮の中にいるように、胎児の心拍に合わせて血液を循環させることができる。

「もうひとつの要素は子宮そのものを再現した、柔らかい袋のような構造の液体環境です」。パートリッジは説明を続けた。「子宮の中にいるときと同じように、胎児の身体を守るためのものです」。実験室で作られた殺菌ずみの温かい羊水で満たされたプラスチック製の袋は、羊膜嚢(ようまくのう)として機能し、その中で子ヒツジは人間の胎児同様に呼吸し、羊水を飲み込む。羊水は防水処理が施された小さい開口部から通された二本のチューブでバイオバッグに注入・排出される。実験中、チームは一日三百ガロン〔約千百三十五リットル〕の羊水を使った。

バイオバッグが必要とされるのは、なんらかの理由で妊娠中の子宮が十分に働かない可能性があるからだ。ヒトの正常な妊娠期間は約四十週で、三十七週より前に生まれた赤ちゃんは早産児とみなされる。先に述べた通り、バイオバッグに入れられるヒツジの胎児は、人間で言えば二十三〜二十四週——五カ月ちょっと——で、妊娠期間の半分を少し過ぎたばかりだ。アメリカでは毎年一パーセントの赤ちゃんが早産で生まれている。フレークは言う。二十三〜二十四週は象徴的な数字である。それは生育限界、つまりそこを超えていれば早産で生まれても現代医学によって命を救える希望がもてる、医師が新生児の救命措置を施すかどうかの分岐点なのだ。現在イギリスが定める生育限界は二十四週で、二十四週で生まれて亡くなった赤ちゃんは死産、二十三週と六日で生まれて亡くなった赤ちゃんは流産として扱われる。残酷な線引きだ。

優れた病院のある国では、二十三週で生まれた赤ちゃんの生存率は二十四パーセントだ。豊かな国では、超早産児が生存する割合も高い。だが、助けられた赤ちゃんの八十七パーセント(2)が、慢性的な肺疾患(3)、腸疾患、脳の損傷、失明、難聴、脳性まひなど、その後の人生に影響を及ぼす重度の合併症を発症する。イギリスでは、二十四週より前に生まれ、新生児医療を受けられるまで生存できた赤ちゃんは一九九五年から二〇〇六年(4)のあいだに四十四パーセント増加したが、早産に伴う問題の防止まではできておらず、早産(5)による慢性疾患を抱えたまま成長する子どもの数(6)もまた、急激に増加している。先進国では、早産は五歳未満の子どもの死亡および身体障害の最大の原因なのだ。

保育器も早産児を助けるのに必要な機能をいくつか備えているが、妊娠プロセスを継続させることはできない。保温・加湿はできても、赤ちゃんに栄養を送ることができないのだ。だから保育器に入った赤ちゃんは、生存と成長に必要なものを体に送るカテーテルやカニューレだらけにされ、チューブを引っ張ったりしないように鎮静剤で眠らせておかなければならない。未成熟な肺の代わりとなって呼吸する人工呼吸器は、新生児の生命を維持することはできるが、同時に感染症の危険が高まるほか、肺の正常な発達を妨げ、繊細な肺組織に損傷を与える恐れがある。対して、バイオバッグは新生児の生存をサポートするのではなく、赤ちゃんをまだ誕生していない胎児として扱うものだ。

「私たちの考え通りに成功すれば、最終的には、超早産のリスクが予測される赤ちゃんの大多数は人工呼吸器ではなくこのシステムにつなげられるようになるでしょう」。ビデオのなかで、フレークはそう述べた。

その意味を、すぐには理解できなかった。超早産の危険がある妊婦は、赤ちゃんを人工子宮に移して残りの妊娠期間をすごさせるために、念のため帝王切開手術を受けることになると、彼は言っているのだろうか？

だが、ビデオのフレークはさらに説明を続けた。「そうすれば、胎児は正常な生理学的発達を示し、基本的に早産に伴うすべての重大リスクを避けることができます。小児医療にも多大な効果があるでしょう」。ビデオには、くすくす笑うぽっちゃりした赤ちゃん、乳歯の前歯が抜けた、にっこり笑う六歳の女の子、ゆったりと微笑む若い女性が映し出される。バイオバッグがそれほど多くの赤ちゃんに病気や障害のない健やかな未来を与えることができるなら、それを否定することなど誰にできるだろう。

ほかの要素を何もかも排除して、小児医療と赤ちゃんの笑顔に注目を集めるというのが、人工子宮が巻き起こしかねない広範囲に及ぶ論争に対するCHOPのアプローチだ。ビデオにも論文にも雌ヒツジは出てこないし、母ヒツジのデータも示されていない。研究者たちは、人工子宮には倫理上なんの問題もなく、その目的は病気の赤ちゃんを助けるため以外の何ものでもない、と訴える。「私たちの目標は、現時点の生育限界とされる在胎期間を短縮することではなく、むしろ、日々蘇生措置を施され、新生児集中治療室に入れられている赤ちゃんによりよい結果をもたらす可能性を実現させることだ」。慎重にことばを選びながら、論文にはそう書かれていた。生育限界の定義を拡大するのは、わざわざ倫理の地雷原を作るようなものだ。イギリスでは一九九〇年に法律で認める妊娠中絶の限界が二十八週から二十四週に引き下げられたが、それは新生児治療の進歩により、短い在胎期間でも生まれた子どもの生存の可能性が高くなったからだ。人工子宮がうんと小さい赤ちゃんの生存を助けられるなら、女性にとっても非常に大きな意味があるだろう。だが、CHOPの動画や論文は女性についていっさい言及していない。

研究論文の最後の記述からしても、彼らがいかに女性のことを考えていないかは明白だ。「私たちのシステムは、胎児の発育における母体と胎盤の役割に関する根本的な問題に対処するための、興味深い実験モデルである。母体と胎盤から切り離された胎児の生命が長期間生理学的に維持できるようになり、人工子宮が胎児の成熟にもたらす働きに関する母胎との比較研究が可能になったのだ」

ＣＨＯＰの広報が、バイオバッグが重篤な病気にかかった妊婦やきわめて小さい赤ちゃんのための治療手段である点を強調しようとするいっぽうで、それを開発した人たちは、彼らが胎児を母体と胎盤から「切り離し」、人工子宮が赤ちゃんの成長に及ぼす「働き」を母胎のそれと比較研究できるようになったという事実を科学界に知らしめようと懸命になっている。おそらく「いずれ、母体の役割はテクノロジーによって完全に代替可能になるのだ」という考えとともに。

プロモーション・ビデオの最後の数分間は、チキンの培養肉を紹介したジャストの動画にますます近いものだった。世界を救えるかもしれない、古き良きアメリカ人の気概、粘り強さ、才覚、起業家精神にまつわる、どこかで聞いたようなストーリーとでも言おうか。デイビーとパートリッジは、バイオバッグのもとになったプロトタイプがどのように開発されたかについて語っていた。「最初のいくつかのプロトタイプを作ったときは、配管用品店やビール店から数多くの資材を調達しました。当時は補助金もなかったので、ゼロからプロトタイプを作るためには、かなりの工夫が必要だったんです」。パートリッジは苦々しげに言った。「トーマス・エジソンは『発明家になるには優れた想像力とガラクタの山が必要だ』と言いました。このシステムも、本質的にそれと同じです」と、デイビーは語る。「ときには、ホームデポに行くはめになったり、ロウズやマイケルズ〔いずれも大手ホームセンター〕に行ったりもしました。買ってきた材料を実験室に運び、接着剤でくっつけたり、熱で溶かしたりしたものです」

動画の最後、パートリッジは誇りに顔を輝かせていた。「開始当初ならば、このプロジェクトはきっと現実味のないSF小説みたいに聞こえたことでしょう。しかし、三年以上ものあいだ根気強く研究を続け、敗北も限界も絶対に受け入れない覚悟でやってきた結果、いまではきわめて現実的な治療手段になりました」

だが、バイオバッグは単なる治療手段ではない――いつの日か市場に出る、つまり商品になる発明であり、CHOPはその知的所有権を保護しようとしている。グーグルを隅々まで検索したところ、バイオバッグの特許申請書は研究論文が発表されるずいぶん前、二〇一四年に提出されていたことがわかった。チームがこれまで公にしてきたもののなかで、その書類がおそらく最も真実を物語っている。申請書を見るかぎり、彼らに人間の生育限界という一線を越えることに対する躊躇はいっさいない。その書類には、発明を使用することになる「被験体」に「生育限界以前の胎児」（妊娠二十〜二十四週）が含まれることが明示されている。

特許申請書には、論文にもビデオにも盛り込まれなかった、人の心を動かす事実もいくつか含まれている。初期に行った実験で、パートリッジ、フレーク、デイビーは子ヒツジたちに名前をつけていたのだ。ジューン、シャーロット、リリー、リトル・アラン、エディ、ウィロー、セイン、ボウイ、イギー、マンソン。子ヒツジの大半は生まれると同時に殺され、その臓器は研究に使用されるのだが、幸運な数匹は生きることを許されて、チームの手によって育てられた。なかでもイギーはすこぶる健康で、「人工胎盤から正常に産み出され、出生後生活に移行した。［中略］動物は、八カ月にわたり適切な成長と発育を示し、その後は長期養育施設に移された」〔日本語のディスクリプションがhttps://patents.google.com/patent/JP2016513571A/jaで読める〕。特許申請書の最後の写真は、まるでポーズをとるように肩越しに後ろをふり返ってカメラに顔を向けた、小屋の中の元気な一匹の子ヒツジだった。

この申請書を見てから、私はバイオバッグとそれに注がれたあらゆる労力について説明した、オンラインで公開されているCHOPのビデオと研究論文を信用するようになった。しかし、私はフィラデルフィアに足を運び、チームの取り組みを自分の目で確かめることはできなかった。実現までもう少しのところだったのだが。アラン・フレークは「いつでも来てください」と言い、訪問の日時まで決まっていたのだ。飛行機の予約をする段になり、私は訪問をCHOPの広報に改めて知らせておこうと思った。小児病院を正式な許可もなしにぶらぶら歩き回るわけにはいかないからだ。広報担当者とは打ち解けて四十分も話をした。てっきり歓迎されるものと思ったが、CHOPの法務部がゴーサインを出すまで、数日間は予約を控えてほしいと言われた。どうやらそれが正規の手続きのようだった。

ところが、数日が数週間になり、航空券の価格はどんどん高くなっていった。しかも、気さくに話をしてくれた広報担当者はどういうわけだか私の電話に出ず、メッセージの返信もよこさない。そうこうするうちにやっと、短いメールが届いた。そこには、「まことに残念ではございますが、CHOPとしては今回のお話はなかったことにさせていただきたく存じます。先日のお話は楽しく、ぜひとも訪問を実現させたいと思いましたが、かないませんでした。混乱を招き、回答が遅くなりましたことをお詫びいたします。私どもの研究に興味をもってくださり、ありがとうございます」と記されていた。

その後何度かメールのやりとりをするうちに、なぜ私が突然歓迎されざる客になったのかが、おぼろげながらわかってきた。フレークは「自分の力が及ばなかった」とわびてきた。彼らは数年以内にバイオバッグをヒトに適用することを目指しており、私の訪問に法務部が過剰に反応したのだという。「FDAの認可取得を妨げる恐れがあるので、何ごとも慎重に行動しなければなりません」。最後に広報担当者はそう話した。CHOPはジャーナリストと話すタイミングをまちがえて、彼らの発明の医学的、商業的未来を危険にさらしたくないと考えたのだ。彼らにとっていま何より重要なのは、人工子宮を市場に出すことだからである。

バイオバッグの商品化は、文字通り妊娠を外注するための最新の方法が具体的なかたちになって現れるだけのことだ。先進国では、妊娠すれば女性は定期的に膣や腹部に手や機械を挿入されてつつき回され、超音波検査されるほか、赤ちゃんの形状や成長、DNAを分析するために血を採られる。胎児になんらかの異常が疑われる場合、女性はさらに徹底的に調べられる。お腹に刺された大きな針は皮膚と筋肉を通過して子宮まで届き、胎盤、または羊水から細胞を採取し、その細胞は詳細なDNA検査にかけられる。すべてが順調に進んでも、妊婦は胎児心拍数モニタリングや血圧測定のためにベッドに縛りつけられ、分娩中は頸部の大きさを定期的に測定されるのが当然とされている。出産前から可能なかぎり気を配るのがよい親であるとされる時代、赤ちゃんがこの世に誕生する前から親が最善を尽くすために必要なのは、妊婦の中で成長する赤ちゃんの状態を知るための効果的な手段であり、赤ちゃんのデータを測定し経過を観察する有効な方法である。そして、その観点から見れば、女性の体はその妨げになっていると言ってもいい。

「体外発生」——体外で受精させ、胎児を成長させること——は、イギリス人科学者J・B・S・ホールデンが、一九二三年にケンブリッジ大学異端者協会で行った講義のなかで生み出した造語だ。ホールデンは、未来のケンブリッジ大学の学生がエッセイを記し、これからの時代に生み出される偉大な生物学的発明について説明したという想像[7]を巡らせながら話した。「女性から卵巣を摘出し、適切な液体の中で二十年間成長させて毎月新しい卵子を作らせる。そのうち九十パーセントを受精させて、胚を九カ月間無事に成長させたのち、外の世界に出す」。その架空のエッセイストは、未来をそんなふうに表現した。「フランスは体外発生を正式に採り入れた最初の国で、一九六八年までにこの方法で年間六万人の子どもが誕生した」

ホールデンは、出生率が低下する時代に体外発生がもつ社会工学的な可能性に興味を抱いていた。一九二三年には、体外発生はまだ忌むべき考えとはみなされていなかったわけだ。「体外発生がなければ、ほぼすべての国で望ましくない人間の出生率だけが高くなり、そう遠くない将来に文明社会は崩壊するだろう」と彼は述べ、生殖を性と完全に切り離すことは「まったく新しい意味で人類が自由になる」ことを意味すると結論づけた。

一九三一年の記事「五十年後」で、チャーチルは実験室育ちの肉だけでなく体外発生についても語っている。「いつか子どもの誕生までの全サイクルを人工的な環境で実行できるようになる日が来ることは、ほとんど疑いようがない」。それがチャーチルの思い描いた一九八一年だった。

そのわずか一年後、オルダス・ハクスリーが『すばらしい新世界』〔邦訳は数多くの版が出ているが、最新のものは大森望訳、早川書房二〇一七年〕を発表した。友人であるホールデンのアイデアをもとにしながらも、ハクスリーはそれを一変させた。彼が描く西暦二五四〇年の「すばらしい」新世界は、生殖テクノロジーが社会をコントロールする手段として利用される、暗黒の悪夢だった。人間は豚の腹膜に埋め込まれて瓶の中で大量生産され、「中央ロンドン孵化条件づけセンター」の生産ラインのベルトコンベアーで二百六十七日間すごす。「瓶の列が進むにつれ、試験管に入っていた卵が一個ずつ瓶に移されてゆく。卵投入係は、瓶の内張りの腹膜にてきぱきと切れ目を入れ、桑実胚（そうじつはい）段階の卵を所定の位置に流し込んでから、瓶に生理食塩水を注ぐ……」。「名前と身元を持つ瓶の列はゆっくり行進を続け、壁の開口部を抜けて、社会階級決定室に入っていく」。そこでは胚が人間のさまざまな社会階級にふり分けられている。単純作業で満足する人間を作るため、十分な酸素を与えられずに脳に障害を負わせられるものもあれば、熱帯の鉱山で働かせるため極寒の環境に置いて寒さを嫌がるように仕向けられるものもある。ハクスリーの描いた体外発生は強烈だった——あれ以来私たちは、体外発生と聞けばディストピアSFの陰鬱な世界を想像するようになった。

いっぽう現実の世界では、子宮を使わずに赤ちゃんを作る可能性は、新たな自由の最先端を象徴した。一九七〇年、フェミニズムの古典『性の弁証法——女性解放革命の場合』〔邦訳版は林弘子訳、評論社一九七二年〕を著したカナダのラディカル・フェミニスト〔家庭や社会における男女の支配従属関係を女性の抑圧の根源とし、その構造からの女性の解放を目指すラディカル・フェミニズムの活動家〕、シュラミス・ファイアストーンは、自然な生殖という概念において、出産はその生物学的構造によって女性の役割と決められており、それが性差別の土台をなしていると主張した。彼女が「代替システムにまず求める」のは、「利用できるあらゆる手段を使って女性を生物学的残虐行為から解放すること、そして出産と育児の役割を社会全体、女性同様に男性にも担わせること」だった。

また、一九七一年に初めて発表されたイギリスのゲイ解放戦線〔一九七〇年にロンドン・スクール・オブ・エコノミクスに設立された、イギリスのゲイの権利運動を代表する団体〕のマニフェスト(8)は、体外発生は、男女間の自然な性差を解消し、男性、女性の両方を解放する可能性を秘めていると述べた。「人間の体が、そしてテクノロジーによって『不自然に』干渉（改良）される時代が来た。技術の発展による人工子宮の開発によって、女性を生物学的役割から完全に解放することがいまにも可能になろうとしている。［中略］男女の役割分担などもはや必要ない段階まで、テクノロジーは進化したのだ」

一九七〇年代初めの技術水準からするとずいぶん楽観的な見方だったかもしれないが、それでもまったくの絵空事というわけではなかった。科学者はそのころすでに、動物と人間の胎児を母体外で成長させる実験を数十年間続けていたのだ。CHOPは自らの研究を前例のないパラダイム・シフトと表現したがりそうだが、実際のところその基盤となっているのは、長期にわたり世界中で続けられてきた一連の科学的取り組みである。それに、バイオバッグの発表によってCHOPのチームが注目を集めたいっぽうで、人工子宮の研究に成功し、世界で初めて人間の胎児にそれを使用するという称号を手に入れるため、CHOPとしのぎを削り続けている科学者は、アジア、オーストラリア、北中米のほかの国々など、世界中にいるのだ。

「この分野の研究は新しく始まったばかりではありません」。やや疲れた様子でマット・ケンプは言った。マットは西オーストラリアのウイメン・アンド・インファンツ・リサーチ・ファウンデーション（WIRF）の周産期研究室を率いている。彼のチームの人工子宮＝「生体外子宮環境（Ex-Vivo Uterine Environment）」、別名「EVE」による最初の大きな成果が論文で報告されたのは、CHOPチームの研究発表から数カ月後のことだった。バイオバッグのせいで、EVEの影はすっかり薄くなってしまった。マットはバイオバッグについてはほとんど言及しなかったものの、どこかいら立ちを感じているようだった。

「スウェーデンのカロリンスカ研究所のグループは、一九五八年の論文で、こうしたプラットフォームを生育限界以前の人間の胎児に使用したことを明らかにしました」。マットは話を続ける。「カナダのいくつかのグループは、一九六〇年代初頭、ヒツジを用いて二十〜二十四時間と短時間の人工子宮の実験を実施していました。一九六三年には、日本人がこの分野で最も将来性のある研究を行っています。一九九〇年代、日本人はヤギを使い、フィラデルフィアと同程度の三週間の子宮外保育を成功させました。より最近では、ミシガン州のグループも研究に取り組んでいます。それを初めて成し遂げた、自分は誰も手を出したことのない研究をしている、などと話す人は、ちょっと信用なりませんね」。マットはそれが誰とは言わなかった。

EVEは特許申請をしていない（「特許は取れないと思います」。憤慨したように彼は言った。「一九五八年以降、人工子宮はさまざまなかたちで公に知られていますから」）ので、マットは喜んで質問に答えてくれた。私はパースにある彼の研究所に行くことはできなかったが、それは当時彼がボストンのハーバード・ビジネス・スクールでビジネスとリーダーシップを学んでいたからだ。私たちは講義の合間に電話で話をした。

「なぜビジネスを勉強しているのですか？」と私はたずねた。

「そうですね、このごろではたいていのものがそうですが、科学はビジネスだからです」とマットは答えた。

その日、マットは科学の話だけをしたがった。私は彼に、人工子宮に最初の女性で人類の母と言われる人の名であるEVE（イヴ）をつけた理由を聞いたが、彼が自分の研究対象がもつ象徴的な意味について話を広げたいと思っていないのは明白だった。「説明するのに便利だから、ですかね」

マットは日本の仙台市にある東北大学病院の研究者チームと協力し、二〇一三年からEVEの開発を続けている。EVEの公式画像は発表されていないが、私はユーチューブのWIRF公式チャンネルにアップロードされた動画を見つけ、彼に電話をかける前にそれを見たばかりだった。動画はオンラインで公開されることを想定していなかったようだ。どう見てもスマートフォンで撮影されたものだし、一年あまりでの閲覧回数はたった五十六回だった。CHOPのビデオと、都合の悪い情報が念入りに排除された、論文とともに提出された子ヒツジの画像しか見ていなかった私は、WIRFのたった四十四秒の動画にことばを失った。

その映像はNICUのモニターのビープ音で始まる。モニターの黒い画面には、健康な胎児の規則正しい安定した心拍が赤いラインで表示されている。次にカメラはモニターの横にある保育器を映す。そこにいるのは赤ちゃんではなく、黄色がかった液体とともに透明な袋に入った子ヒツジだ。胸を上下させ、小鼻を広げている。映像は子ヒツジの毛の生えたお腹の次に、半分開いた袋から静脈のように突き出た、血液で満ちた何本もの管へと切り替わる。素人が撮ったものだし、液体がぬらりと光を反射しているせいもあって、細部まで作り込まれたCHOPのビデオよりはるかに生々しい。見ていると心をかき乱され、気持ちがざわざわしてくる。これが人工子宮の本当の姿なのだ。

とはいえ、EVEシステムは、バイオバッグによく似ている。マットの説明を聞いても、同じものだと感じた。「超早産児は、小さい赤ちゃんではありません。むしろ胎児に近いです。それが私たちの研究の土台です。超早産児を無理やり子宮外で生きられるようにするのではなく、彼らのいまの生体構造と生理機能を研究しようと試みています。つまり、臍帯と胎児の心臓を利用し、羊水の中で胎児を生存させ、守り、できるならば子宮にいるときと同じように成長させることを目指しているのです」

「新生児ではなく胎児と呼ぶということは、ＥＶＥシステムに入っているとき、子ヒツジはまだ生まれていないとみなされるわけですか？」

「そうです」

「では、生まれるのは袋を開けたときですか？」

「いえ、臍帯を切って留めたときでしょうね。ひとつの生体としての力を得るのはそのときですから。臍帯を切断してクランプで留めるまでは、生まれていない状態にあると私は理解しています」

人工子宮のテクノロジーは誕生の意味をも変えようとしている。誕生は、もう赤ちゃんを無理やり外の世界に出すことではない。胎児のときに依存していた生命維持システムから切り離されることを言うのだ。よって、母体から切り離されても、正式にはまだ生まれていないという状態だって起こりうる。

培養肉の開発者と同じように、マットも自分の研究はシンプルなものだと言った——フランケンサイエンス〔死んだ人間を生き返らせる、オスのネズミを妊娠させるなど、科学の暴走とも言えるテクノロジーのこと〕ではなく、自家醸造のようなものなのだと。

「いったい、どうやって臍帯に管を通すことができるのですか？」と聞いてみた。

「やり方がわかってしまえば、思っているほど複雑ではありません」

「羊水には何が入っていますか？」

「ゲータレードのようなものです。塩とタンパク質と水ですね」。フィンレスフーズでマイクが説明した、魚を育てる培地とまったく同じものだ。

日本の研究者との共同研究によって、ＷＩＲＦは人工子宮を開発中のほかのチームより優位に立てるだろうと、マットは言う。「私たちの競争上の強みは、日本の大手バイオテック企業の協力を得て、使用する装置のハードウェアの設計を行っているという点です。段階的に開発を進めることができて、FDAの認可を受けるのに役立つパイプをもった人々とともに研究をする必要があるのです。その点、私たちは大阪に本社をもつ世界トップの企業、ニプロと協力しています。すばらしい連携体制が整っています」

だが、WIRFの開発とCHOPの研究の大きなちがいは、マットのチームはCHOPよりもはるかに在胎期間の短い子ヒツジをEVEに入れているという点だ。バイオバッグの場合、最も短くて妊娠百六日だったが、マットは九十五日の胎児で実験を行っている。マットは慎重を期してそれを人間の妊娠週数に換算するのは控えたが、計算してみるとだいたい二十一〜二十三週になる。そこまで妊娠期間の短い胎児を扱ったという報告は、ほかにない。それにCHOPが数週間子ヒツジを育て、そのうちの数匹を実験後も生かしつづけたのに対し、マットのチームは子ヒツジを一週間人工子宮の中で生かしたら、全部を殺して臓器を分析するという選択をした。彼は、やろうと思えば、もっと長期間生かしておくのは簡単だっただろうと述べた。「所定の期間が終わった時点で、子ヒツジの状態は非常に安定していて、すこぶる健康でした」

一週間とはいえ、子ヒツジは人工子宮の中で劇的な変化を見せる。「成長しますよ、本当に。大きくなります。この時期の子ヒツジは一日で約四十グラム体重が増えるんです。手足を曲げたり伸ばしたり、何かを飲み込むような動作をします。私は妊娠したことはありませんが、妻に言わせると、胎児はこういう動きをするそうです。蹴ったり、脚を曲げたり、かすかに体をくねらせたり、しばらくのあいだ眠ってみたり」

研究者としてだけでなく、父親の目線で自分の発明について思うことはないのだろうか。「毎日そうした変化を見るのは、どのような気分ですか？」

「非常に驚くべきことです。基本的な科学の観点から言うと、胎盤のノックアウト・モデル〔特定の遺伝子を破壊（ノックアウト）することによって、正常な状態の遺伝子の働きを分析する研究モデル。主にマウスが用いられる〕を確立したようなものです」

私はもう一度たずねた。「人間的な観点からはどうですか？　彼らに愛情を感じましたか？」

「はい。小さな生き物には愛情を感じるものです。がんばれと言いたくなります」

「彼らに名前をつけましたか？」

「ええ。つけましたよ」

「なんと呼んでいたんですか？」

「さてなんだったか、覚えていませんね」。きっと、地球上で最も小さい子どもをプラスチックの袋に入れるという大きな野望があるのなら、その子たちに父親のような思い入れを抱かないほうがいいのだろう。

しかし、人間の赤ちゃんの臨床試験はまだずっと先の話である。「二年後にはできるなんて言う人は、公にされていないデータが豊富にあるか、世間の関心を煽りたいだけです」

「特定の誰かの話でしょうか？」

「いいえ。一般的な話をしています」。彼はきっぱりと言った。「これまで行われてきたすべての実験で使われたのは、妊娠状態になんの問題もなく、研究チームが干渉しなければ順調に妊娠が続いていたはずのヒツジの胎児です。要するに、二十一、二十二、二十三週で生まれてくる人間の胎児とは異なるわけです。その場合生まれてくるのは、健康な赤ちゃんではありません。なんらかの原因があって早産になるのですから」。

そうした早産児の妊娠状態を維持させるための装置を開発することで、マットのチームもＣＨＯＰも、単なる体外発生を超えたタスクを自らに課している。

「この装置をヒトに対する臨床試験の段階に進めるための基準の壁を乗り越えるのは、ひどく困難でしょう。倫理委員会が納得するような主張をしようと思えば、現在使用されている既存のテクノロジーと比較して、結果を出せる可能性がけたちがいに大きいことを示さなければなりません。このプラットフォームは最初に誰に使用されることになるでしょうか？　私が思うに、いまのテクノロジーでは何をしても助かる見込みのない、きわめて重篤な状態にある二十一週の胎児でしょうね」

そういう話になるとは予想していなかった。私はすっかりことばを失ってしまった。

私はかつて、二十週で赤ちゃんを亡くした経験がある——第二子となったはずの息子だ。悪いところは何ひとつない、完璧な赤ちゃんだった。私が妊娠十九週で虫垂炎にかかり、それがわからなかったのが原因だった。一週間の入院中、産科医と婦人科医はさまざまな検査をし、採血をして、病気の原因と治療法を突きとめようとした。そうしているうちに、陣痛が始まった。よくあることだ。妊娠中に重度の感染症にかかると、子宮口が開いてしまうのだ。陣痛の合間に婦人科医は、もし妊娠二十四週だったら話はまったくちがっていただろうが、まだ二十週なので、自然の成り行きに任せるほかないと言った。私は毛布にくるまれた息子を抱き、じっと見つめた。生まれた息子はちゃんとした赤ちゃんの姿だったが、出産の途中で亡くなっていた。扱いは死産ではなく、流産だった。

あれから三年が過ぎた。その後私は虫垂を摘出し、娘に恵まれた。ミルクをがぶがぶ飲み、シェパーズ・

パイをもりもり食べるあの子だ。だが、子を亡くしたことのある人なら誰もがそうであるように、生きられなかったわが子の記憶、そして何か別の方法があったのではないかという思いは、ずっと消えはしないだろう。もしも人工子宮が重い病気にかかった妊娠二十一週の胎児を救うことができるなら、健康そのものなのに、不運にもたまたま病気の母親の胎内にいあわせてしまった二十週の胎児の命を守るためにも使用できるのではないだろうか？

私は涙をこらえた。「初めて人間をＥＶＥシステムに入れるとすれば、それ以外の方法では生存できない胎児でしょう。生育限界を拡大することで、何が問われると思います？　さらなる早産児の親が、人工子宮ならわが子にチャンスを与えることができるかもしれないと考えるとは思われませんか？」

「じつのところ、それは非常に簡単な問題です」と彼は即座に答えた。「救うべきは人間、すなわち病気の胎児、あるいは赤ちゃんです。仮にあなたがきわめて病状の重い三歳の子どもさんをおもちで、誰かが新しい治療法を開発中だと知ったら、そのことに疑問を感じますか？」

「もちろん感じません」

「そうでしょう。私たちのしていることは、それと同じです」

言い換えるなら、赤ちゃんの命を救える可能性があるかぎり、彼らはそれに挑んでいくということだ。だが、彼らにできることには限界がある。

「もっとも、生育限界を拡大すればいいとは考えていません。現実的な理由を言うと、胎児が極端に小さいとカテーテルを挿入できず、また心臓が体に血液を送り込めるほどに発達していませんから、システムがうまく機能しないのです。ですから、卵子を採って受精させ、それを人工子宮で育てるようになるなどという心配は無用です。そんなことは現実的に不可能なんです」

部分的な体外発生は数年以内に実現しそうだが、いっぽうで受精から出産までの過程をすべて体外で行う完全な体外発生は、まだ実現可能ではない。だが、受精後の胚の子宮外での生存期間を数週間延ばせるようになり、より妊娠期間の短い赤ちゃんの救命方法がわかってくれば、これらふたつの点が交差するときは必ず来るだろう。それが計画ではなく、偶然の結果だったとしても。その日は、刻々と近づいている。

かつて、ヒトの胚は受精後一週間しか子宮外で生きられないとされていた。だから受精卵の子宮内膜への移植も、通常一週間以内に行われた。だが二〇一六年(9)、ケンブリッジ大学のマグダレナ・ゼルニッカ－ゲッツ教授のチームは、胚を特殊な培地に浸して培養し、体外で十三日間生存させることに成功した。成長因子を正しく混ぜ合わせれば、胚は皿の底に着床し、初期の胎盤細胞が形成された。

科学者は人工授精させたヒトの胚を十四日間しか培養できない。なぜなら、十五日目には「原始線条」(細胞が集まることで形成される線状のくぼみ。そこから脳および脊髄の原基である神経管が形成される)が現れ、生物学的にヒトとなるからだ。その十四日ルール(10)に従って、ケンブリッジ大学のチームの胚はヒトになる前に殺すよりほかなかった。もし挑戦することが許されていたなら、胚はあと何日も生きつづけることができたかもしれない。二〇一六年以降、制限を二十一日、あるいは二十八日に延ばすべきだという議論が広く行われてきたが、それは、体外での胚の発達を綿密に観察できれば科学的な可能性が果てしなく広がるからである。十四日ルールは任意の倫理上の制限でしかなく、正式に順守しているのは十七カ国のみだ。北朝鮮やロシアの科学者が可能なかぎり長期間ヒトの胚を成長させようとしたとしても、彼らを止めるすべはない。

動物実験では、研究者ははるか先を行っている。二〇〇三年、コーネル大学生殖医療不妊センターのヘレン・ハン＝チン・リュー博士とそのチームは、バイオ工学によって作られた子宮組織を使い、マウスの胚を子宮外の足場上(11)で受精から出産予定日まで生育させることに成功した。クリーンミート産業に今後も研究開発費が投入され、組織培養の能力が向上していくとしたら、並行して子宮組織を育て、このような目的に利用できる可能性もうんと高まるだろう。

もちろん、胚の発達のしくみは依然謎が多く、妊娠初期および中期に何が起きるかについては、解明すべきことが山のようにある。それでも、ヒトの胚を体外で長期間成長させることが可能になれば、ブラックボックスの蓋は開きはじめるだろう。生殖医療は高い志をもつ医師や研究者によって牽引され、子孫を残したい人間の本能に後押しされ、そのためならどんな対価も払おうという顧客基盤から資金提供を受けている。私たちの理解が進めば、完全な体外発生が現実のものになる可能性は高まる。だが、それを阻止しようとする圧力は、科学界、医学界のみならず産業界においてもとてつもなく大きい。この先に立ちはだかるのはテクノロジーではなく、倫理と法律の壁ではないだろうか。

昔なら、体外受精はＳＦの世界の話だった。それが倫理上の難問になり、やがて最先端の生殖補助医療となった。いまやそれは家族を作る一般的な方法のひとつであり、ＩＶＦ〔In Vitro Fertilization＝体外受精のこと〕がなんの略語なのか誰でも知っているし、ユーチューブで広告を出しても問題にならない。イギリスの国民保険は子宮外で赤ちゃんを作る権利を認め、ＩＶＦで自分の生物学的子どもを作るカップルに保険が適用される場合もある。以前は不自然だと思われていたことが、こうもあっさりあたりまえになるのである。

袋とチューブが子宮に取って代われば、妊娠と誕生の意味は根本から変わるだろう。これまでのように妊娠が必ずしも女性の体内で起こるものでなくなれば、それは女性の役割ではなくなる。男性も同じように赤ちゃんに与えることができる粉ミルク同様に、体外発生によって、子どもを身ごもるのも女性だけの仕事ではなくなるのだ。そうなれば、母性の意味もまた、まるっきり変わることになるのだろう。

[注]

（1）二〇一七年四月
E. A. Partridge, M. G. Davey, M. A. Hornick, P. E. McGovern, A. Y. Mejaddam, J. D. Vrecenak, C. Mesas-Burgos, A. Olive, R. C. Caskey, T. R. Weiland, J. Han, A. J. Schupper, J. T. Connelly, K. C. Dysart, J. Rychik, H. L. Hedrick, W. H. Peranteau and A. W. Flake, 'An extra-uterine system to physiologically support the extreme premature lamb', Nature Communications, Issue 8, 25 April 2017, https://www.nature.com/articles/ncomms15112

（2）助けられた赤ちゃんの八十七パーセント
Gene Emery, 'Survival rates for extremely preterm babies improving in U.S.', Reuters, 15 https://www.reuters.com/article/us-healthpreemies-survival-impairments/survival- rates-for-extremely-pretermbabies-improving-in-u-s-idUSKBN15U2SA

（3）慢性的な肺疾患
B. J. Stoll, N. I. Hansen, E. F. Bell et al., 'Trends in Care Practices, Morbidity, and Mortality of Extremely Preterm Neonates, 1993–2012', JAMA, Volume 314, Issue 10, 8 September 2015, https://jamanetwork.com/journals/jama/fullarticle/2434683

（4）一九九五年から二〇〇六年
T. Moore, E. M. Hennessy, J. Myles, S. J. Johnson, E. S. Draper, K. L. Costeloe and N. Marlow, 'Neurological and developmental outcome in

extremely preterm children born in England in 1995 and 2006: the EPICure studies', BMJ, Issue 345, 4 December 2012, https://www.bmj.com/content/345/bmj.e7961

（5）早産

'Facts about EVE Therapy and extreme preterm birth: FAQ about EVE Therapy – The Artificial Womb', Women & Infants Research Foundation, Western Australia, http://www.tohoku.ac.jp/en/press/images/artificial_womb_faq.pdf

（6）慢性疾患を抱えたまま成長する子どもの数

K. L. Costeloe, E. M. Hennessy, S. Haider, F. Stacey, N. Marlow and E. S. Draper, 'Short term outcomes after extreme preterm birth in England: comparison of two birth cohorts in 1995 and 2006（the EPICure studies）', BMJ, Issue 345, 4 December 2012, https://www.bmj.com/content/345/bmj.e7976

（7）未来のケンブリッジ大学の学生がエッセイを記し、これからの時代に生み出される偉大な生物学的発明について説明したという想像

J. B. S. Haldane, 'Daedalus, or Science and the Future', 4 February 1923, http://bactra.org/Daedalus.html

（8）ゲイ解放戦線のマニフェスト

Manifesto, Gay Liberation Front, London, 1971, https://sourcebooks.fordham.edu/pwh/glf-london.asp

（9）二〇一六年

M. N. Shahbazi, A. Jedrusik, S. Vuoristo et al., 'Self-organization of the human embryo in the absence of maternal tissues', Nature Cell Biology, Issue 18, 4 May 2016, https://www.nature.com/articles/ncb3347

（10）十四日ルール

I. Hyun, A. Wilkerson and J. Johnston, 'Embryology policy: Revisit the 14-day rule', Nature, Volume 533, Issue 7602, 4 May 2016, https://www.nature.com/news/embryology-policy-revisit-the14-day-rule-1.19838-/agreement

（11）子宮外の足場上

'Ability of threedimensional（3D）engineered endometrial tissue to support mouse gastrulation in vitro', Liu, Hung-Ching et al., Fertility and Sterility, Volume 80, 78, https://www.fertstert.org/article/S0015-0282（03）02008-9/fulltext

第11章
非の打ちどころのない妊娠(1)

「妊娠とは野蛮なものです」。アンナ・スマイドル博士はきっぱりと言った。「同じ症状を引き起こす病気があったら、きわめて重大な病とみなされるでしょう」

オスロ大学の彼女のオフィスで、私は緑色のソファに腰かけていた。向かいには彼女の猫たちの写真が載ったカレンダーがある。アンナは椅子に座り、机の上に肘を乗せ、それを支点に上体を左右に揺らしている。手首に緑色のシュシュをつけ、黒い髪を胸のあたりまで伸ばしていた。彼女は生命倫理学者で、オスロ大学で実践哲学の准教授を務めている。小柄で、生き生きとした顔に表情豊かな目は、いたずら好きのティーンエージャーのような雰囲気を醸し出していた。

「出産後、裂傷や失禁のほか、生活に悪影響を及ぼす後遺症に苦しむ女性は、非常に多いのです。しかし、そうした事実は社会で正しく認識されていません」。アンナの話は続く。「それは、社会が母性のみならず出産を大きな価値のあるものとみなしていることと強く結びついています。私たちの社会は、女性がみなこのプロセスを喜んでいると思い込んでいます。女性なら新しい市民を作るためにこういう経験をして当然と思われていることにスポットライトを当てるため、議論を続けていく価値があります」。

アンナの人工子宮に関するふたつの革新的な学術論文(2)──「体外発生の道徳的必要性(The Moral Imperative for Ectogenesis)」(二〇一二年)──を読んで以来、私は彼女にどうしても会いたいと思っていた。最初の論文は、いかに女性が生殖を促す社会の圧力を受けているか、いかに「男性が自分の子どもを作るのに、妻やパートナーを利用している」か、そして生まれながらの生殖能力のちがいが、いかに女性を長いあいだ従属的な立場に置いてきたかについて詳述している。「妊娠は痛みと苦しみをもたらし、女性だけがそれを味わわされている。女性とは異なり、男性は遺伝子的に関係のある子どもをもつのに妊娠する必要がないという事実は、生まれながらの不平等である」。ふたつ目の論文に彼女はそう記している。「妊娠・出産の必要性と人間に共通の社会的価値──独立、機会の平等、行動の自由、教育、キャリア、充実した人間関係──のあいだには、根本的かつ避けられない矛盾がある。[中略] 女性は子育てをするのだから、子どもの幸せのためにほかのことを犠牲にするべきだと考えるか、それとも社会的価値と医学技術の水準がもはや『自然な』生殖になじまなくなっているという事実を認めるか、道はふたつにひとつである」

誰もが知るように、妊娠は昔もいまも男女間に存在する最大の不均衡だ。家庭生活における男女の役割分担は、妊娠、出産、授乳、育児休暇といろいろあるが、どれだけ社会が進歩しようと、どれだけ父親に子育てに参加する意欲と決意があろうと、母親と父親のすべきことの差は大きくて当然という流れができあがっている。女性は最初から、子どものニーズを満たすエキスパートの役を割り当てられている。胎盤、母乳に始まり、お弁当づくりにいたるまで。

体外発生には生殖労働をあらゆる意味で社会に公平に再分配できる可能性があると考えられ、よって人工子宮開発を進めるための研究には道徳的な責務がある——アンナはそう主張する。バイオバッグやEVEが生まれる前に発表された彼女の論文は、「完璧な」体外発生、すなわち社会が女性の権利を守る場所であり、人工子宮に人間の子宮以上のリスクをもたらす技術的な問題がいっさいなく、健康な女性の子宮とまったく同じ機能を果たす人工子宮が存在している、という条件を前提としていた。

私はアンナを筋金入りのフェミニストと思い込んでいたのだが、それは無理もないと言えよう。妊娠を「野蛮だ」と言ったとき、彼女はラディカル・フェミニストであるシュラミス・ファイアストーン〔前章で紹介した『性の弁証法』の著者〕を引き合いに出したのだから。だが、彼女の研究にフェミニズムが重要かとたずねると、アンナは否定した。「私の興味はフェミニズムそのものにあるわけではありません。関心があるのは公正さと、人間の体が何かを生み出すと期待され、国や医学のさまざまな影響を受けている現状です」。体外発生はひとつの決まった思考のカテゴリーにおさまるものではない。アンナも同じだ。

「これは私の大事なテーマなんです」。いたずらっぽく微笑んで、彼女はそう言った。「私は常に生殖、とりわけ妊娠と出産に興味を抱いてきました。それらはまったく**奇妙なもの**だと思います。ほかの生き物の繁殖方法を考えてみれば、人間のやり方が唯一のものだとはまったく思えません。医者に行くのが嫌いだった私に、母はこう言いました。『あら、そんなこと言ってると、赤ちゃんができたときたいへんだよ。あなたの体はあなたひとりのものではなくなるんだから』。それほどまでに、社会には女性は子どもを産むものだという絶対的な思い込みがあって、体から新しい人間を生み出さなければならないことの異様さに誰ひとり気づいていません。西洋医学をもってしても、それがどれだけリスクの高い危険なプロセスであるのかもね」

その主張が正しいことを証明するため、アンナは親知らずが抜けそうになった同僚の話をした。アンナはあとで共有して楽しむために、そのすばらしい経験を映像で記録してはどうか——出産と同じように——とみんなに提案した。「ほら抜けた！　見て、ここが抜けた跡！　すごい、鎮痛剤なしでやったのね！」それを聞いて私は大声で笑った。親知らずを引き合いに出すのがあまりに大ざっぱなこじつけだったせいもあるが、それでも彼女が何を言いたいかわかるような気がしたからだ。出産に対する私たちの考え方は、**たしかにかなり異様**だ。万事順調にいったとしても、お産には血と痛みと縫合がつきものなのに、誰もそのことにはふれない。「母親であること」のうち、私たちは、妊娠・出産の側面を無疑問に崇拝している。

「妊娠・出産時の外科的介入への依存は高まっています。なぜなら、昔は死亡する女性と赤ちゃんが多かったからです。悲しいですが、それは避けられないことでした。今日では死亡率が下がり、お尻が小さくて頭の大きい赤ちゃんが生まれるようになりました。実際、医学的介入に頼った分娩はますます増えています。現代では出産は安全なものになりましたが、その大きな理由は抗生物質です」。抗生物質耐性菌が引き起こす危機が間近に迫るいま、母親たちの未来には黙示録的な終末の予感が漂っているということでもある。

産婦死亡率と死産率は世界的には低下しているが、それは必ずしも無条件に喜ばしい話ではないとアンナは言う。「だからといって、あなたやあなたの赤ちゃんが無傷で終わるわけではありませんから。医学の進歩に伴い、逆に何らかのダメージを受ける女性は増えているんです。子宮内の胎児を管理・観察するために、女性は行動制限を課されたり、医学的介入を強制されたりと、生活にも影響を受けます。母体胎児医学が飛躍的な進歩を遂げる兆しはありませんが、胎児の研究や、子宮にいる胎児にとって何がよくて何が悪いかについての理解**ばかりが**やたらと進み、女性がさながら『外付け妊娠装置』として扱われるようになるのは目に見えています。女性は自分のことは尊重せず、赤ちゃんによいことだけをしていればいいのだと」

妊娠していた当時はそんな言い方をしたことはなかったが、ふり返ってみると妊婦の私はまさしく「外付け妊娠装置」のような気分だった。私は仰向けに寝かされて病院の天井のタイルを見つめながら、息子のDNAを抽出するためにお腹に二十センチの針が刺されているあいだ、パニックにならないよう努めなければならなかった。定期的な超音波検査でダウン症の可能性をうかがわせる兆候が見られたからだ（息子はダウン症ではなかったし、ほかに異常はみられなかったが、その後私が虫垂炎にかかってしまった）。また、娘のときは、前回の検査で妊娠を危険にさらしかねない妊娠糖尿病の可能性が示唆されたため、何度も血を採られ、甘ったるいブドウ糖入りの飲料を飲まされ、吐き出すのをなんとかこらえなければならなかった（結果として妊娠糖尿病ではなかった）。その後ふたたび早産の危険があるとわかったときには、医師が子宮の出口を縛っているあいだ、私は両足を開いたまま手術台に固定されて寝かされた。妊娠は人生を一変させるすばらしい経験で、最初の子どもを身ごもったときは大喜びしたが、妊娠中や出産時ほど自分が物扱いされた気分になったことはない。たいていの場合、じつに有能で献身的な主治医たちが私の中で起きている**かもしれない**ことへの知見があるという以外、なんの根拠もなしに数々の処置を受けさせられたのだ。

「中絶が合法とされている国では胎児の利益が女性以上に優先されることはありませんが、胎児が『患者』

になるやいなや——妊婦が胎児に代わってモニターされ、処置が施されているときは常にそうですが、胎児の利益は母親のそれよりも重視されてしかるべきだとみなされるようになります」と、アンナは言った。

「それを母親も受け入れますね」

「ええ。それによって**子どもが生まれる前からよい母であること**が証明されるからです。それに、私たちの社会では、悪い母親とみなされること以上に重い罪はありません」

アンナは母親ではない。私がたずねる前に彼女が自分でそう言ったのだ。「私には子どもがいません。子どもがほしいと思ったこともありません。ですが、まあ、いろいろな人から子どもをもつようにとプレッシャーをかけられたことは、人生で何度もありました。ひとつの可能性として子どもをもつことを考えたとき、仮に私が妊娠したとして、とりわけ妊娠についてあのような論文を書いた私のような人間の場合、その事実が**みんな**に知られることになると思って愕然としました！　医師の守秘義務などどこかへ吹き飛んでしまうだろうと」と彼女は言った。「私には、妊娠を世間に秘密にしておけないところが気がかりでした」

確かに、見るからに妊娠しているとわかってしまうことは、彼女にとってはやっかいなことかもしれない。私はいっしょに仕事をする人たちに自分が妊娠していることを知ってほしいとは思わなかったが、妊娠を野蛮なものとみなして将来のキャリア計画を立ててきたわけでもなかった。

「私には子どもがいますが、自分が妊娠していることをみんなに知ってほしいとは思いませんでした。ところが夫のほうは、そんなことはおかまいなしに、自分が言いたいと思ったら、いつでも誰にでもその事実を打ち明けていました」

私がそう言うと場の空気が変わった。想像できたことだが、私の個人的な話は宙に浮いたまま、互いのあいだに見えないカーテンが引かれたような気がした。アンナは知的かつ学術的な観点から体外発生に関心をもっている。彼女はそれをきわめて論理的に見ることができるのに対し、私にはそれができないのだ。

アンナの主張の核心は、人間が肉体的にも社会的にも進化したいま、これまでの妊娠や出産のかたちがもはや機能しないところまできている、ということだ。「政府や雇用主は女性の妊娠・出産に配慮すべきだと盛んに言われていますが、それは単純に無理な話なんです。というのも、女性がキャリアを構築するのに最も重要な数年間は、医者の言う出産適齢期とぴったり一致するのですから。職業生活にいっさいの影響を及ぼさないで妊娠し、赤ちゃんを産むなんて不可能です」。彼女は、労働の世界の論理とキャリアを築くまでの道はすでに定着していて変えられないものなので、解決策は職場や生産手段〔マルクス経済学において、生産過程で労働と結合して生産物を産出するために消費・使用される物的要素。原材料や設備、インフラなどがそれにあたる〕ではなく、いわば生殖手段のほうを変えることだ、と思い込んでいるらしい。女性が真の平等を手にするのにそんなことまでしなければならないとしたら、考えただけで気が滅入る。

私たちが座っていたのは、世界で最も進歩的と言われ、充実した育児休暇と子育て支援制度で知られるノルウェーにある、非の打ちどころのないほどに清潔で現代的な大学のキャンパスだ。この国は母になるのに世界で最高の場所のひとつである。

「すべての国がノルウェーのように女性が赤ちゃんを産みやすくなれば、今日女性が直面している不平等の多くは解消されるでしょうか？」

「かもしれませんが、出生率は下がります」と彼女は短く答えた。「ノルウェーがそうですから」

その通りだ——数カ月前、ノルウェーのエルナ・ソルベルグ首相は、残念ながら昨今の出生率では制度を支える若い納税者が減り、福祉大国が崩壊するとして、国民にもっと子どもを産むようにと公の場で訴えかけた。「ノルウェーにはもっと子どもが必要です」と、ソルベルグは言った。「そのためにはどうすればいいか、説明する必要もないと思います」

「社会保障給付が潤沢な社会は裕福な傾向にあります。つまり、女性の教育機会が大きいということです。ノルウェーでは誰もが大学に進み、ほとんどの人が修士号も取得します」。アンナはおどけた感じで目を回した。「その結果、『教育を受けたのだから、まわりをよく見て、どんなキャリアを目指すかを決めることができる』という意識が生まれるのです。そうなると、子どもを産むことは、多くの可能性のひとつという扱いになります。子どもをもつことが人生でいちばん重要な目標になるのは、もしそうなればの話ですが、それ以外のさまざまな重要目標が達成されたあとのことなのです。体外発生が確立できなければ、社会には女性の母親としての役割を強化するきわめて深刻な必要性が生じます」

ＣＨＯＰの子ヒツジの画像を初めて見たとき、アンナは「それほど驚かなかった」という。「あの人たちは抜け目ないと思います。彼らの——」彼女は慎重にことばを選んだ。「動画やニュースを使った**マーケティング**は。もちろん、体外発生についてあまり話したがらないのも一種のＰＲ戦略のようなものでしょう。科学者は、何かにつけてこんなふうに言います。『私たちは体外発生には全然興味がない。私たちが関心をもっているのは、妊娠についての理解を進め、早産児の命を救うことだけだ』と。そうした発言によって、かえって体外発生が『赤ちゃんを』救う手段として水面下で浸透していくのではないかと、非常に心配になります。その方向性が、女性にメリットがあるとはとうてい思えないのです」

早産児の救命にリソースを投じるのではなく、最初から人工子宮で胎児を育てるべきだとアンナは言う。

「妊娠の完全な代替手段を見つけられれば、もっとよい結果になる可能性は高いです。なぜなら、たとえバイオバッグでなんとか生存できるとしても、子宮からの摘出は胎児にトラウマとなるからです」

「バイオバッグよりも、完全な体外発生のほうが倫理上望ましいと？」

「はい」

アンナは、明らかに強引な理屈で波風を立てることを好んでいる。二〇一三年の論文では、「思いやりの心は医療に必要ない。慈悲深い医師や看護師は燃え尽きてしまう可能性が高く、結局は危険につながる」と主張して世間を騒がせた(3)。だが何より物議を醸しているのは、体外発生に関する研究だ。彼女の両親はアンナの考え方を「恐ろしい」と言ったそうだ。しかも、そう思ったのは彼らだけではなかったという。

「抗議のメールがたくさん届きました」

「どんな人たちから？」

「いろいろな人たちです。男性、女性、フェミニスト、男性の権利の擁護者。保守主義者とカトリック教徒からは当然、嫌われましたね」

彼女はバチカンのメールアドレスから送られてきた皮肉なメッセージの話をした。その人は出産だけでなく排便も屈辱的かつ苦痛な行為と考えるようになったので、二度と恥をかいたり傷ついたりしないですむよう、体の外で消化ができるような何かを開発してくれと要求してきた（アンナはその人に同情の意を示し、エンジニアではないので現実的な解決策を与えることはできないと返信した)。

オロン・カッツ同様に、アンナは挑発的で突飛なアイデアを使って難しい問題を提起する。しかもそれは功を奏している。彼女のおかげで私は、社会における「正常な」出産、妊娠、母性の概念がじつはどれだけ理不尽なものなのかを真剣に考えるようになった。

アンナの考える完璧な体外発生がもし現実に存在すれば、それを使いたいという女性は少なくないだろう。てんかんや双極性障害を患う女性は、胎児に害が及ぶからといって薬をやめると、自らの命を危険にさらす可能性がある。妊娠中にがんと診断された女性は、妊娠を継続させて赤ちゃんの命を助けるか、治療を開始して自分の命を守るかを選ばなければいけない――たとえ部分的な体外発生が状況に変化をもたらしても。性的虐待を受けた経験から妊娠(出産)恐怖症(トコフォビア)になった女性もいる。彼女たちは子どもを切望していたとしても、妊娠・出産に対する恐怖や不安に耐えることができないのだ。

それから、子宮のない女性たち。子宮が欠損したロキタンスキー(MRKH)症候群の女性は四千五百人にひとりの割合で生まれている。そのほかにも、医学的な理由で子宮を摘出した女性もいる。子宮または子宮頸がんのサバイバー、悪化していく重度の子宮内膜症を抱える女性(レナ・ダナム〔アメリカの女優、演出家、監督〕は、それが理由で三十一歳のとき子宮摘出手術を受けたと書いている)。こうした女性たちには子宮移植を受ける候補者の資格がある。二〇〇一年以降(4)四十人ほどが子宮移植手術を受け、約十人の赤ちゃんが誕生している。ただし、そのためには免疫抑制剤を服用し、ドナーが生存している場合は(ほとんどがそうである)ふたりの健康な人間が大手術を受けなければならないことになる。子宮は生命維持に不可欠な臓器ではない。ほかの臓器移植が命を救う目的で行われるのに対し、子宮移植はそうではない。もし子宮移植が広く一般的になれば、移植を求める人々の競争はより激しくなるだろう。人工子宮なら、こうした倫理上の難問を避けられる。

体外発生はまた、サハキアンの社会的代理出産の患者や高齢女性——男性なら高年齢でも何も思い悩むことなく子どもが作れるのに——のように、人々の共感を得にくい状況にある女性の力にもなる。体外発生によって、妊娠は年齢と無関係になるからだ。若いときに胚を作り、リタイアしてから袋の中でそれを育てることだって可能になるだろう。

だが、このテクノロジーによって自由になれる可能性が最も高いのは、おそらく女性として生まれた人たちではない。生物学的な実子がどうしてもほしいと望む独身男性、ゲイの男性、トランスジェンダーの女性にとって、人工子宮は生殖の平等を叶える鍵となるかもしれない。

金曜の夜六時半、ロンドン、バービカン・センターにあるマティーニ・バーはにぎわっていた。ベルベットのロープのうしろ、「ファーティリティ（受胎能力）・フェスト・シード・レセプション——招待客限定」と書かれた看板の向こうで、マイケル・ジョンソン-エリスが三十代後半から四十代前半の女性たちに囲まれていた。彼は仲介業者のように自己紹介をし、左手にエスプレッソ・マティーニを持ち、右手で握手をしていた。

マイケルは夫のウェスとともに、このファーティリティ・フェストでスピーチをしたばかりだった。「パパは誰？」と題されたそのスピーチで、彼らは代理母を使って親になったことを知った人たちから浴びせられる、やっかいな質問や侮辱的な質問について語った。ふたりは「トゥー・ダディーズ」として知られる、イギリスの代理母制度を後押しし、父親になりたいという依頼者のオンライン・サポート・グループを運営するブロガーのカップルだ。ふたりは二〇一二年に交際を始めて二〇一四年に結婚し、二歳の娘タルーラをもうけた。もうすぐ息子も生まれる。ウェスには、以前結婚した女性とのあいだにもうひとり娘がいる。

マイケルは私を見つけ、バルコニー近くの少し静かな場所に手招きした。タブチェアー〔半円形の背もたれと肘掛けのついた、ひとり用椅子〕に腰かけると、彼は親になるまでにウェスとともにたどった「旅」の物語を話しはじめた。

「昔は女性とつき合っていました。二十歳で結婚したんです」と、かすかなバーミンガム訛りでマイケルは言い、自分を偽らざるを得なかった過去の自分を笑った。「まったく、しょうもないですよね！」

「ずっとお子さんを望んでいましたか？」

「ええ、それはもちろん」。彼は顔を曇らせた。「私に突きつけられたのは、このまま結婚生活を続けて自殺するか、それともカミングアウトして父親になれない人生を受け入れるかのどちらかでした。二〇〇一年当時、ゲイの男性で父親になった人はいませんでした。ですからもう無理だと思っていたんです。ゲイのコミュニティで、首を吊ったり服毒自殺したりする人をそれはたくさん見てきました。両親のためにもそうはしたくありませんでした。そのときの私は岐路に立っていました。パパになるのは諦めて、愛する人と幸せに暮らすか、子どもはもてても結局不幸になる関係を続けるか」

マイケルとウェスが出会ったころには、そんな世界も変わっていた。ゲイのカップルが子どもをもつようになったのだ。「たしか知り合って一週間もたっていなかったと思うんですが、彼に聞いたんです。『ねえ、頭がおかしいと思うかもしれないけれど、子どももほしくない？』って」。それから一カ月とたたないうちに、ふたりはいっしょに暮らすようになり、数週間後に婚約した。「そして、一年かそれくらいしてから、『よし、どうやって家族を作ろうか』となったんです」

ピンク色のマティーニを手に、ウェスが話に加わった。彼は遅くなったことをわびた。「今夜はみんながやたらと話しかけてくるのでね」

行動の早いカップルにとって、代理母はひどく時間のかかるプロセスだった。彼らはなんとか子どもをもちたいと三年半を費やした。「ネパールに行き、インドにも行きました。タイでも探しました。グアダラハラ〔メキシコ第二の都市〕にも」とマイケルは言う。

「そうこうしているうちに、状況もどんどん変わっていって……」とウェス。

「何もかも無駄になるところでした」。マイケルもうなずく。「タイから始めて、次はオーストラリアでしたが、例の裁判のせいで台なしになりました」。例の裁判とは、前に述べたタイの代理母、ガミーの一件だ。

「そのあと、ネパールで地震が起きたんだったかな？」とウェスが言う。

「そう。胎児もたくさん亡くなりました。それから、メキシコにつてがあるというスペインのクリニックに行きました。そこに決めるところでしたが、院長に『子どもを授かったイギリス人は何人いますか？』と聞くと、『まだひとりもいません』と答えるじゃないですか。『いや、ちょっと待て』って感じでしたよ」

ウェスは当初、外国に住む女性とビジネス契約を結ぶほうが安全だと考えていた。「代理母を利用すると決めたとき、女性が赤ちゃんを連れて逃げるんじゃないか、といった不安が頭をよぎるのは当然です。外国ならそのリスクは低いでしょう。生まれた赤ちゃんをイギリスに連れて帰れば、代理母に二度と会うことはありません。連絡をとることもないし、それぞれが自分の日常に戻るだけです。セインズベリー〔イギリスのスーパーマーケット〕でばったり会うなんてこともないわけです」

万策尽きかけたマイケルは、国際的なウェブサイトsurrogatefinder.comにプロフィールを載せることにした。すると四週間とたたないうちに、あるイギリス人女性が会いたいとメールを送ってきた。ふたりはその女性と彼女の夫に会いに出かけたが、何もかもがしっくりきたのはそのときが初めてだった。果たしてことは順調に進み、やがて彼女は彼らの娘タルーラを産み、いまは彼らの息子を身ごもっている。

「いまでは、彼女は私たちの人生の一部です。最初はそんなことは望んでいませんでしたし、起こるとも思いませんでしたが」とウェスは話す。

「彼女との関係は、最初に望んでいたようなものではないですが、いまとなってはほかの方法があったとは思えません」とマイケルは言う。

「ビジネスライクな割り切った関係のほうがいいと思っていましたが、正直いまはとてもよかったと思っています。タルーラには自分が何者で、どうやってこの世に生まれてきたのかをすでに話してあります」

「タルーラは弟ができたこと、彼がもう少し大きくなったら家に来ることも知っています」

アンナの言う「外付け妊娠装置」が現実に存在していたら、彼らはもしかするとそちらのほうを好んだかもしれない。しかし、実際には人間らしい温かさがプラスに作用し、彼らはいまの結果に満足している。もちろん、人工子宮なら繊細な人間関係とは無縁だし、誰かの善意に頼らなくていいし、スーパーマーケットでばったり会って、気まずくなる心配もないのだが。

タルーラはマイケルの精子と、ウェスと同じく金髪で青い目をしたドナーの卵子から作られた。生まれてくる息子は逆に生物学的父はウェスで、マイケル同様に黒い髪と瞳をもつドナーの卵子が用いられた。将来、同性の両親がこのようなやり方で疑似家族を作る必要はなくなるかもしれない。数十年もすれば、皮膚細胞から精子と卵子を作れるようになる（日本の科学者(5)がすでにマウスの細胞を使った実験に高い確率で成功している——人間の配偶子となるとまた別の問題だが）。カップルが何を求めるかに応じて、皮膚細胞の持ち主の性別を問わず、そこから卵子と精子のどちらも作れるようになるだろう。

「ずっと生物学的な実の子がほしいと思っていたので、養子を迎えることは考えなかった」。そう話すウェスとマイケルは、どこか引け目を感じているように見えた。どうやら、それを言うことで、私が彼らのことを素性のはっきりしない子どもを受け入れるつもりがない、子どもに対してその程度の愛情しかない人間だと思うのではないかと考えたらしい。これが異性のカップルなら、そもそもそこまで気を遣って実の子がほしい理由を説明する必要すらないのだ。

しかし、彼らは、血のつながりは思っていたほど重要なものではないことを知った。

「私は、娘の生物学的父親がマイケルであることに、折り合いをつけなければなりませんでした。ふたりの関係がどうなるかもわかりませんでした。けれど、娘が生まれた日にはっきりとわかりました……」

マイケルの目には涙が込み上げていた。「ああ、泣きそうだよ……」

「そんなのはどうでもいいことだと」。ウェスも泣いていた。「まったくどうでもいいことなんです」

ふたりは飲み物を口にして気持ちを落ち着かせた。

「家に帰るとき、私はタルーラと車の後ろに座っていて、泣きました。あんな感情がこみ上げてくるなんて、誰にも言われたことがありませんでした。ずっと、ああいった気持ちは母親だけのものだと思っていましたが、ちがったんです。あの瞬間、彼女は私たちに刻みつけられました。想像を超えるものでした、親として感じた大きな愛は」とマイケルは言った。

きっと、赤ちゃんに対する動物としての強烈な愛情は母親の専売特許ではないのだろう。私たち三人はしばし目頭を熱くして座っていた。すると、マイケルは言った。「誤解しないでくださいね。タルーラをどうしようもないくそガキだと思うことなんてしょっちゅうありますよ」

彼らは幸運だった。彼らが知り合ったゲイ・カップルのなかには、もっとつらい思いをしてきた人たちもいる。彼らは私に、代理母と揉めて「やぶれかぶれになった」人、代理母と固い信頼関係を築けないまま人工授精を行い、「ものすごく用心」している人たちの「ホラー・ストーリー」を話してくれた。海外の代理母を利用し、妊娠中に我が子の近くにいられないことに苦しみ、無力感を味わう人もいる。

「私たちが話を聞いたアメリカの代理母斡旋プログラムは、代理母に、『午後六時以降は外出禁止、家から二十マイル以上離れた場所に行ってはいけない、九カ月間セックスしてはならない、お酒は飲んではいけない、オーガニックな食事を摂りなさい』といった指示を出すことができるそうです。あくまでビジネスなので、依頼者がそのように希望するのでしょう」とマイケルは話した。

「それでも女性たちが代理母として契約を結ぶのは、大金が支払われるからです」とウェスは言った。そうは言っても、彼は商業的代理母というアイデア自体には賛成の立場だ。なぜなら、関係する全員が己の立場を理解し割り切っているからだという。

マイケルはその考えには反対だ。「需要と供給がひどく混乱している商品(プロダクト)の商業化には賛成しません。経済的に手が届かない低所得者がますます増えるからです」

「商品ですって?」と思わず大きな声が出そうになったが、なんとかこらえた。結局のところ、商業化された代理出産とはそういうものだ。サービスではなく商品。そしてその商品とは、女性の子宮である。顧客がその商品に大きな価値を見出した場合、たとえどんなに高い報酬をもらったとしても女性として耐えがたいような、ばかばかしいほどの行動制限を契約に盛り込むことになる。

最初にコンタクトをとったとき、マイケルはもうバイオバッグのことを知っていた。ファーティリティ・フェストでも、人工子宮の可能性の話で大騒ぎだったとウェスは話す。ほかの講演者のひとりは、いつか男性がその装置をつけて赤ちゃんを身ごもることができるようになるかもしれないと述べたという。機会があったらこのテクノロジーを使ってみたいかたずねると、ふたりの目が輝いた。

「ええ、もちろんです」とマイケル。

「やりたいです」。ウェスも同意する。

「それはあなたがたにとってどんな意味があると思いますか?」

「もし二十年後に、このテクノロジーが利用可能になって、倫理的にも認められ、正しく機能し、十分な試験も終了しているとすれば、人々の選択肢はうんと増えているでしょうね」とウェスは言った。

「ゲイ・コミュニティだけでなく、今日のスピーチを聞いていた女性たちにも。多くの女性たちが感情をあらわにして、子どもをもてないことを嘆いていました。この装置は大きな希望をもたらすと思います」

だが、そこに嫌悪感という問題が立ちはだかる。クリーンミート産業が人々の支持を得るまでに険しい丘を登らなければならないとしたら、人工子宮産業の前にあるのは山である。

「袋の中で育っていく赤ちゃんが見えるなんて不気味ではありませんか？」とたずねてみた。

「はい、たしかに。実験室で培養装置を蹴とばす胎児を思い浮かべてしまいます……『ターミネーター』でしたっけ」とマイケルは答えた。

「『エイリアン』だよ」とウェスが訂正する。

マイケルが「自然ではないですからね」と言うと、ウェスは「でも、それは人々が何を自然だと思うかの問題ではないでしょうか」と述べた。

「それが何であるのかわかるまで、私たちは見慣れないものを受け入れたがらないですからね。問題ないのだと誰かに教えてもらうまでは」とマイケルは指摘する。

言うまでもなく、ふたりの父親がいる家族にも同じことがあてはまる。

「同性の両親のいる家庭がいつか一般的になると信じています」とウェスは話す。

「私たちは小さな村に住んでいます。中部イングランドの、中産階級が暮らす村です。タルーラが通う保育園には、両親が同性の家族がほかにも二組います」。マイケルは誇らしげに言った。

「将来、人工子宮が選択肢のひとつになったファーティリティ・フェストを想像できますか？」

私がそうたずねると、マイケルは微笑んだ。「ぜひともそうなってほしいです」

「私は作家です。それが私のすべてです」と、ジュノ・ロッシュは語る。「わざわざそう言うのは、トランスジェンダーは全員『活動家』だと思っている人がいるからです。私は行進したこともなければ、叫んだこともありません。プラカードを持ったこともないんです。それから、私を指す代名詞ですが、私は『その人(they/them)』〔人称代名詞の三人称複数形として使用されてきたtheyには、セクシュアリティの議論の高まりとともに現在「自分の性自認は従来の男性・女性の枠で表現され得ないという意志を持った単一の人物」という三人称単数形の用法が新しく浸透している〕と呼ばれるのがとても気に入っています。しっくりくるんです。でも、私は自分をノンバイナリーとは呼びません。私はトランスジェンダーです。ほかのことばをあとにつける必要はありません」

「『トランスジェンダーの女性』とは呼ばれたくないということでしょうか?」

「嫌ですね。私はただのトランスジェンダーです。五十五歳という年齢になって、ジェンダーが常に問題だったことに気がつきました」

ジュノは薄くメイクしていた。ターコイズブルーの瞳に軽く塗ったマスカラがよく合っている。肩までの長さの髪に明るいブロンドのハイライトを入れ、ゴールドの輪っかのイヤリングをつけていた。私たちはユーストン〔ロンドン市内の地名〕にあるクエーカー・フレンズ・ハウスの静かな場所にいた。破れたデニムと白いトレーナーを身につけ、脚を組んで椅子の端にもたれかかる「その人」は、親しみやすいがどこか含みもありそうな顔を見せる人だった。

ジュノはかつて小学校教師を務め、セックスワーカーだったことも、ヘロイン中毒だったこともあるが、作家という天職に巡り会い、トランスジェンダーとしての自分自身の経験を伝えている。二〇一六年に発表した「トランスジェンダー女性としての、母であることへの憧れ（My Longing To Be A Mother, As A Trans Woman）」と題する心を揺さぶる記事(6)で、ジュノは「私が抱えるどうしようもない悲しみ、どうしようもない苦しみは、母親でないことだ」と語っている。

当時、ジュノは自らトランスジェンダー女性と名乗っていた。十年前に性別適合手術を受けたが、それで女性になったとは思っていない。「手術のあと入った病室には、全部で四人、トランスジェンダーがいました。手術から二日後、ほかの人たちは『わあ！　私の肌！　あなたも肌が柔らかくなったんじゃない？』『別に。精神病院に入ったら？』なんて話していました」。ジュノは横目でちらりと私を見た。

温厚なジュノは、ぶしつけな話もうまくかわす。「性器について聞いてくる人には、いつも『アップサイクルした』とか『リサイクルした』とか『作り直した』とか答えます。私にとってそれは芸術作品であり政治声明ですが、膣ではありません。『本物でありたい』という概念はやっかいで……『トランスジェンダー女性は女性だ』と言う人もいます。でも、そう言うのはたいていトランスジェンダーでない人たちです」

「トランスジェンダー女性は女性ではないとお考えですか？」

「はい。でも、そう考える人たちもいます。ほかの人の領域に踏み込むつもりはありませんが、私の場合、そうは思いません」

この話題が地雷原であることをジュノは理解している。イギリスでは、トランスジェンダー女性が女性かどうかは、法的な性別変更が医師による証明書なしで可能になる、性別承認法改正案を巡る議論の中心的な問題なのだ。法律が改正されれば、トランスジェンダー女性は自ら女性と称すれば女性として認められるようになる。だがそれに対し、男性の体をした人が女性を守るために設けられた女性専用スペースに入ってこられるようになることを危惧した一部のフェミニストが攻撃的に反対を唱えた。対して、一部のトランスジェンダー活動家は、女性として生まれた人を、現在の性自認を問わず「子宮のある人」と呼ぶようになった。トランス女性と彼女たちとの差異は子宮の有無だけなのだと主張するかのように。体外発生が可能になれば、もちろんトランスジェンダー女性もわが子を胚胎する機会を得られるようになるので、この点においては境界はあいまいになっていくだろう。

　しかし、生殖能力が備わった女性の体は、ジュノがこれまでずっと切望してきたものだ。

「私のいちばん幼いころの記憶は、妊娠した母の姿を見て、この世にこんなにすばらしいものがあるのかと思ったことです。それは本能から湧き起こったような、ありのままの感情でした。私は教師に、大きくなったらあのときの母のようになりたいと言いました。赤ちゃんで満たされた大きなお腹になりたいと」

　母が弟を妊娠していたとき、ジュノは四歳で、よく母のお腹に耳を押し当てて、ポコポコという赤ちゃんの胎動を聞いたという。自宅分娩だったので、ジュノは生まれたばかりの弟にも会えた。「母は**ばかみたいに**幸せそうでした」

　むろん、母親であるということは、そんなきれいな話だけでおさまるようなことではない。「あなたが心惹かれたのは、妊娠と出産の喜びですか？」と私はたずねた。

「母と子の結びつきだと思います。私と母との関係は良好で、とても強い絆で結ばれていました。母は愛情深く、子育てに熱心で、私を守ってくれました。そこはいちばん居心地のよい、安全で、安心できる場所でした。私のただひとつのよりどころだったのです。母との優しい関係。母親との絆のようなもの、それが人を世の中に根づかせるのです。母自身のことを考えても、彼女の意志の強さやすべての善良さは、まちがいなくそうした絆によって育まれたのだと思います」

思いがけず、私は心を動かされた。ジュノのことばは、母であることについて私が抱いている思いを完璧に言い表していた。私の目の前にいるのは、自分を女性とは呼びたくない、「彼女（she/her）」ということばを使って自らを表されるのも嫌だと主張する人物だ。その人がまさか、女性の情愛をこれほどまでに誠実に、感動的なことばで説明できるなんて。こう言うと私自身の予断を白状してしまうことになるが、子どものいないトランスジェンダーのジュノがここまでみごとに母というものを表現するとは、思ってもみなかった。

「私は五十年以上、このことについてあれこれ考えてきました。苦しみをやりすごそうと、ドラッグに依存したこともあります」と、ジュノは静かに言った。

「母親になれない痛みを紛らわせるために？」

「ええ、その通りです。何ひとつ納得がいきませんでした。誰かとつき合ったところで、まったく意味がなかったんです。赤ちゃんを作れないわけですから。自分が赤ちゃんを作れない体であることが、とうてい納得できませんでした」

言うまでもないが、赤ちゃんを作ることはできた。ただ、父親になることは選択肢になかったのだ。

「父親にならなれるなんて、みじんも思いませんでした。自分が男だなんて考えただけで気味が悪いです。昔はよく思っていました。なんでこんな体なのか、さっぱりわからないって。いつも心と体が引き裂かれたように感じていました。男性的な特徴など何ひとつ受け入れることができませんでした。まあ、なんと言うか、もっと気楽に考えられたらよかったんですけど」。代理母も選択肢になかった。「代理母とどうかかわればいいか、わからなかったでしょうね。自分がどんな役割を果たせばいいのかも。そもそも、トランスジェンダーの私は母親になれないわけですから。私は母親として子どもを作ることができません。代理母を使っていたとしたら、知らなくてすんだはずの怒りや、妊娠・出産のプロセスから締め出されていることに対する疎外感を覚えていたと思います。あんな夢のようなことがほかの誰かの体の中で起こっているんですから」。養子を迎えることもできなかった。ジュノは一九九二年にＨＩＶと診断されたため、資格がないと言われたそうだ。そして五十五歳のジュノは、子どもをもたない人生になんとか折り合いをつけている。

「もし子どもがいたら、作家ではなかったでしょうね。いまの仕事はとてもできなかったと思います。そこは現実的に考えないといけません」。そう言いながらもジュノは盛んに嘆く。「今日こんなふうにお話ししていても、思うんです。『私は子どもをもつことができないんだ』と」。ジュノは両手を胸の前で組み、瞳をうるませながら椅子に座り直した。「心からの、深い悲しみです。母親になれないのですから、私はこの無意味な人生をどうにか納得して生きていかなければなりません。とてもつらいです。悲しみというものは、すべてをのみ込んでしまいかねないからです」

生物学的現実に直面してもなお、ジュノはいつか自分の子どもをもてるという希望を手放せずにいた。性別適合手術から五日後、医者が術後の経過を診た。ジュノの「アップサイクルされた」性器の内側にできた空洞に詰められていたガーゼが取り除かれ、医者は「深度検査」を行った。

「医者は使い捨ての膣鏡を取り出し、空洞の中深くまで入れました。縫合したところが緩んでいたので、痛かったです」。ジュノはそのときのことを思い出し、私は痛みを想像して、ふたりとも恐怖に震えた。「医者が『おっと、ここが後壁だ』と言って、どれくらいの深さがあるかを私に教えました。私は顔をそむけ、ただ泣いていました。膣の後壁があったって、私は赤ちゃんを産めないんです。なんにもなりません」

「ですが、それはわかっていたことですよね」と、私は静かにことばをかけた。

「よくわかっていました。けれど、どうしても赤ちゃんがほしかったんです。頭でわかっていることと心が感じることには隔たりがあります。そういうことです」。ジュノは人差し指と親指で小さなすき間を作って見せた。「どうしようもないとわかっていても、そこに落ちてしまうんです。感情がとめどなく湧き出てきて……。私についているのはただの穴でしかありません。頸管はありません。卵管もありません。卵巣もないし、**子宮もない**んです」

男として生まれた人でも、消化器官のあいだのどこかに異所的に赤ちゃんを移植されて、体内で子どもを育てられるようになる日がいつかくる……といったさまざまなエセ科学的与太話や都市伝説を耳にしても、ジュノはそんなものは空想だ、危ない話だと頭から追いやってきた。「自分のこの体を別の体に変えられる人がいるかもしれないなんて考えにとらわれたくはないですね。そんなことできるはずがないと思います」

私が連絡をするまで、ジュノは体外発生について考えたことはなかったそうだ。「話を聞いたとき、私は即座に言いましたよね。『調べてみるつもりはありません。私が生きているうちになんとかなるものでもないでしょうし』と。けれど、あれ以来ずっと、何度も思い返したり、想像したりしています。あなたの話を聞いて、つい、三十年後に実現するかもしれないものについて考えてしまいました。そのころには、私はもうこの世にいないというのに」

「仮にいまそれが実現していたら、あなたにとってどんな意味があると思いますか?」

またもや目に涙をためながら、ジュノはしばらく黙った。「私のような人たちにとって、それは**世界のすべて**を意味するでしょう。完璧な人生を手に入れることができますから。いま、トランスジェンダーは手に入らないものへの大きな喪失感を受け入れながら、たぶん六十、七十パーセントの人生しか生きていません。体外発生が可能になれば、私も自分の人生を肯定できるようになるかもしれません」

「人工子宮と聞いて、なんだか不気味だとは感じませんでしたか? いつか人々の抵抗感はなくなるのでしょうか?」

「もちろん、なくなりますよ」とジュノは即答した。「私は二〇一二年のパラリンピックで陸上競技を観ました。人工装具をつけた選手たちのすばらしい走りを何度も目にするうちに、彼らがただ走っているだけでなく、勇敢でセクシーで魅力的で、最高にカッコいい人たちだと実感するようになりました。人工子宮に対しても、人はまちがいなくそう感じるようになると思います」

体外子宮が生物学的に妊娠不可能な人のための人工装具になれば、さまざまな絆を育む新たな機会が生まれるとジュノは言う。

「自分のそばで、人工的なものの中でだって何かが成長していくのを見ることができれば、そこに生まれるのは、**私**のつながりです。世話をするのは**私**です。隣に座るのは**私**です。様子を確認するのは**私**です。成長の過程を写真に収めるのも、話しかけるのも**私**なんです」。ジュノは、現実から逃れようとするようにことばを重ねる。「そこには深い絆が生まれるでしょう。自分の居場所を作ることができるでしょう。それは物理的な空間であり、私はその物理的空間の所有権を手に入れるのです。ほかの女性の子宮、ほかの女性の体を所有するわけにはいきませんから。そして、そこには直接的な関係が生まれます。深い絆とはそういうもの、つまり障壁のない直接的な関係です。人工子宮の中をのぞき、存在を確かめ、そこにある命が自分のものだと感じられるなんて、魔法みたいです」

アンナ・スマイドルとの別れ際に、私は彼女が論文のなかで言及したことのない、ジュノやウェスやマイケルのような人たちにとっての体外発生のメリットについて質問した。

「個人的な意見を言わせていただくと、赤ちゃんをもつ権利というもの自体をあまり支持していません」。アンナははっきりと述べた。「ほかの人間を作るなんてことは、不遜の極みだと思います」。それが乱暴な発言であることを承知しながら、それでも正直に答えてくれたことは、彼女の目を見ればわかる。「純粋な道徳的観点からすると、親子の関係は非常に、非常にやっかいなものです。子が親に抱く愛は一種のストックホルム症候群〔監禁事件などの被害者が犯人を信頼し、好意的な感情を抱くようになること〕です。じつに恐ろしいことです」

　このとき私はすでに、アンナが子どもをもつことをどれほど嫌悪しているか十分にわかっていたが、それでもその考えはおかしいと思った。

「そこに愛情がないとは言っていません。愛とは人々が思っているほど必ずしもすばらしいものではない、と言っているのです」。彼女は話しつづけた。「そういった多くの理由で、私は子どもをもつ権利を支持しません。体に介入されない権利には賛同します。それ以外の点については、トランスジェンダー女性の生殖が可能になるから体外発生がすばらしいものだ、とは言いたくありません。生殖の権利を理由に、私は体外発生に賛同しているわけではないですから」

私がいささか話についてこられなくなっていることに気がついたのだろう、アンナは少しのあいだ哲学的論理の世界から離れた。

「『体外発生の道徳的必要性』は一種の思考実験でした。この重要な命題についての議論の方法を模索するため、私は可能なかぎり考え方の範囲を広げようとしました。完璧な体外発生が実現できると仮定するなら、それは完全に公正な社会でやるべきことなのだと思います。問題は、私たちの社会がそうではないことなのです。私たちの社会には、自然な生殖は美しく喜ばしいもので、女性の人生で最もすばらしいことなのだという考えが染みついています。明示的であれ黙示的であれ、それを信じる社会では、体外発生はきわめて大きな問題を引き起こすでしょう。広く女性に害を与える方法で利用される可能性のほうが高いと思います」

「どんな方法ですか？」

「早産児の救命で言えば、子宮で胎児を育てるのにふさわしくない母親だからという理由で、母親の子宮から赤ちゃんを救い出そうという欲望が生まれるリスクがあります」とアンナは答えた。

か弱い赤ちゃんを早産の危険から救えるのなら、無謀な母親の危険な振る舞いからあらかじめ赤ちゃんを守るという発想が生まれずにいられるだろうか？　そのためには、アンナが言う完璧な社会も、完全な体外発生の技術も必要ないのかもしれない。バイオバッグがそれを可能にするのだから。

［注］

（1）完璧な妊娠

このことばは、スコット・ゲルファンドとジョン・シュックの著書『Ectogenesis: Artificial Womb Technology and the Future of Human Reproduction』（Rodopi, 2006）のなかの造語。

（2）人工子宮に関するふたつの革新的な学術論文

'The Moral Imperative for Ectogenesis', Cambridge Quarterly of Healthcare Ethics (2007), 16, 336–345; and 'In Defence of Ectogenesis', Cambridge Quarterly of Healthcare Ethics 21 (2012): 90–103.

（3）世間を騒がせた

Sophie Borland, 'Doctors and nurses "don't need to show compassion": Academic says staff should be able to carry out daily tasks without being kind to patients', Daily Mail, 18 September 2013, https://www.dailymail.co.uk/news/article-2424063/Academic-claimsdoctors-nurses-dont-need-compassion-patients.htm

（4）二〇〇一年以降

James Gallagher, 'First baby born after deceased womb transplant', BBC News, 5 December 2018, https://www.bbc.co.uk/news/health-46438396

（5）日本の科学者

Philip Ball, 'Reproduction revolution: how our skin cells might be turned into sperm and eggs', Guardian, 14 October 2018, https://www.theguardian.com/science/2018/oct/14/scientists-create-sperm-eggs-using-skin-cells-fertility-ethical-questions

（6）心を揺さぶる記事

Juno Roche, 'My Longing To Be A Mother, As A Trans Woman', Refinery29, 8 September 2016, https://www.refinery29.com/en-gb/trans-woman-motherhood

第12章「もう女に用はない」

アラバマ州モビール市、水曜日の午前五時。モビール・メトロ・トリートメント・センター〔オピオイド依存症治療のための施設〕の外には長蛇の列ができている。並んでいるのは、スーツ姿の中年男性、ウェイトレスの制服を着た女性、手をつないだ疲れ切ったカップル。モビール市の人口の半分以上は黒人だが、ここにいるのはほとんどが二十代から三十代の白人だ。その日の仕事をこなすのに必要なメサドンを手に入れるために、彼らは今朝、というか毎朝ここに来る。五月下旬の容赦ないアラバマの太陽はまだ顔を見せておらず、オレンジ色の街灯の下、彼らは自分の足元を見ながら、黙ってセンターのドアが開くのを待っていた。

バーバラ・ハリスはノースカロライナ州から九時間かけて車でここにやってきた。彼女は六十五歳で、足取りはおぼつかないが、身軽に動けないことを補って余りある存在感と揺るぎない自信を持ち合わせていた。彼女はよろよろと足を引きずりながら、列に並ぶ神経質そうな人たちに温かく微笑みかけていた。

「ドラッグを使っていて、妊娠する可能性のある人を知りませんか？」バーバラはひとりひとりにそう声をかけ、ピンクのカードを無理やり手渡した。そこには赤い文字で、「ドラッグ／アルコール依存者へのお知らせ」、「避妊手術を受けて現金三百ドルを手に入れよう」と書かれていた。右上の隅には、CHOPのプロモーション・ビデオで見たような、新生児集中治療室に寝かされ、体中にチューブが巻かれた、あり得ないほど小さくて真っ赤な早産児のカラー写真が載っていた。

非営利団体「プロジェクト・プリベンション」を立ち上げた一九九七年以降、バーバラは七千二百人を超えるドラッグやアルコール依存者の生殖能力を「買った」(1)。その圧倒的大多数——九十五パーセント——は女性だ。バーバラによると、彼女の使命は「薬物にさらされながら生まれる子どもをゼロにすること」だが、提案する方法はコンドームやピルではない。子宮内避妊具（IUD）、インプラント、避妊手術だ。法律上の理由から、プロジェクト・プリベンション自体は処置を行わず、バーバラはクライアントが長期的または永久的避妊手術を受けたことを証明する医師の書類を要求する。避妊手術を選択した人には三百ドルが一括で支払われる。永久的でない避妊方法を選択した女性は、その効果が証明できる期間に限り、それより少ない額が分割で支払われる。これまでにバーバラがお金を払った数千人の女性が一度受けたら妊娠能力が回復することがない卵管結索術を選んだのは、おそらくそうした金額の差からだろう。

バーバラはプロジェクト・プリベンションのマークがついたRV車でアメリカ中を移動しながら、手術を受ける依存者を探している。車には、「赤ちゃんをドラッグやアルコールから守ろう」のスローガンの下に、カラーの写真がいくつも貼られている——たくさんのコーラが載ったトレーの横で眠る赤ちゃん、自分で注射をする十代の妊婦（ポーズをとっているのは、じつはバーバラの十人の子どもや孫のうちの誰か）。ナンバープレートは「SENDUS$$（私たちにドルを送って）」だ。プロジェクト・プリベンションには毎年最高五十万ドルほ

どの寄付が集まるという。その出所のほとんどは白人男性だ。

「左派でも右派でも中道でも、誰もが同じ考えだと思います。子どもを虐待してはいけないのです」と、空調の効いたＲＶ車の中でバーバラは言った。彼女は脱色した髪をポニーテールにきっちりまとめ、茶色い瞳は自信で輝いていた。「だからこそ、これだけ多額のお金が集まるのです」

「妊娠中の飲酒やドラッグの使用は虐待なのですか？」

「はい」。彼女はうなずいた。「妊娠中はカフェインさえ摂ってはいけないと言われていますから、メサドンが赤ちゃんにいいわけがありません」

　バーバラは、ここまで読んであなたが思ったような熱狂的な右派ではない。神を信じてはいるが、ひんぱんに教会に足を運んでいるわけでもない。中絶権利擁護派（プロチョイス）だが、避妊しないドラッグ依存者となると話は別だ。バーバラは白人で、彼女が声をかける依存者の三十パーセント以上が有色人種であるため、人種差別主義者と非難されることがある。しかし、彼女の夫は黒人だし、子どもたちも黒い肌かミックスな肌色のいずれかである。さらに黒人の子ども五人を養子に迎えているが、全員、同じコカイン中毒の母親が相次いで産んだ子どもたちだ。

「そうした子どもたちを私は自分の目で見てきました。それに、栄養チューブや呼吸器チューブをつけた子どもたちを養子にした人もたくさん知っています。生きられなかった子もいます」。バーバラは話を続けた。

「たしかに、助かる子も、心身ともに健康に育つ子もいます。私の家にはその見本のような子どもたちがいます。でもその数は決して多くありません。賭けのようなものですよ、罪のない子どもたちの命を危険にさらしてまでお酒やドラッグに手を出すのは。子どもの運命は、親の行いにかかっているんです」

それはバーバラの率直な気持ちだ。子ども好きな人が、どうして彼女に反論できるだろう？

「しかし、このやり方だと、あなたのもとにやってくる人たちを、お金で支配していることになりませんか」と私は言った。「あなたとの取引で、彼らが自由な選択をしていると思いますか？　混乱している状況で、彼らが正しい理解の下に手術に同意していると言えるでしょうか？」

「それは彼らと医師との問題です」と彼女は言い切った。「彼らが避妊手術を受けられるかどうかを決めるのは医師の仕事です。私が考えるのは子どもたちのことです。胎内で子どもに無理やりドラッグを摂取させ、死んでしまうかもしれない、あるいは一生治らない病気を背負うかもしれない子どもを産む権利は誰にもありません。そんな権利など誰にもないんです」。こんなことをわざわざ説明しなければならないなんて信じられないと言わんばかりに、バーバラは肩をすくめた。

とくにここアラバマでは、バーバラに賛同する人は多い。一九五〇年代以降、アメリカの四十五以上の州で、妊娠中の薬物使用の罪で女性が起訴されている。妊婦について具体的に定められた法律はないにもかかわらず、各州は既存の法律を根拠に彼女たちを有罪にした。アラバマ州では二〇〇六年に、自宅でメサドンを製造する親から子どもを守るため、化学物質で子どもを危険にさらす（ケミカル・エンデンジャーメント）ことを禁止する法律が成立した。その数カ月後、この法律は、生まれた赤ちゃんが健康かどうかにかかわらず、妊娠中の女性が胎児を危険にさらすとみなされる行為をした場合にも適用されるようになった。有罪になれば、たとえ赤ちゃんが無事に誕生しても、母親は最長十年を刑務所ですごさなければならない。死産だったときは最長九十九年の懲役が言い渡される可能性がある。二〇一五年までに(2)、アラバマ州では四百七十九人の妊婦がこの法律に基づいて起訴された。彼女たちが使用したのは、ほとんどがケミカルではなくマリファナだった。

妊娠している女性に対する薬物検査は、アラバマ州のみならずアメリカ全土であたりまえに行われるようになった。サウスカロライナ州では、妊娠中期以降にドラッグを服用したか、アルコールを摂取した女性は、子どもに深刻な虐待を加えたとして罪に問われる可能性がある。ウィスコンシン州の子ども法典、通称「コカイン・マム」法では、妊娠中に薬物を使用した女性は意志に反して病院またはリハビリ施設に拘留される可能性がある。胎児には裁判所が任命した弁護士がつくが、母親にはつかない。

バイオバッグが人間に向けて実用化されるとしたら、それはまず重度の疾患をもつ、きわめて脆弱な赤ちゃんの命を救うためだろう。そして、将来それが送り出されるのは、薬物依存が児童虐待とみなされ、「重度の疾患」の意味がさまざまに解釈できる世の中だ。妊娠中のヘロイン、コカイン、マリファナ、メサドンの使用が胎児に及ぼす実際のリスクは、依然として不透明なままである。ヘロイン中毒の母親が産んだ赤ちゃんは数週間離脱症状に苦しむが、ヘロインが先天異常を引き起こすとまでは言われていない。出生前のコカインへの曝露(3)が、子どもの成長や知的発達に長期的影響を及ぼす明白な関連性も見つかっていない。薬物乱用者の親から生まれてくる赤ちゃんが抱える最大のリスクは、荒れた家庭環境で育つ、あるいは子宮の中でタバコやアルコール、一部の処方薬など、深刻な先天異常を起こすことが知られている合法的な物質にさらされたことから発生する可能性が最も高いのだ。だが、「薬物乱用＝子どもの虐待」という主張があらゆるファクトよりも強い力をふるう文化のなかでは、体外発生のような問題解決法がいったん現実になったら、その先きめ細かい議論が行われるとは考えにくい。

バーバラがモビールに来たのは、この街に住んでいる、ヘロインを使用した罪で三回の妊娠中に三度服役した女性についての記事が送られてきたからだ。「そういう女性を刑務所に入れたところで、なんの解決にもなりません」とバーバラは述べた。「刑に服しても、出所したらまたもやドラッグに手を出し、子どもを危険にさらす可能性がないとは言い切れないからです。それでは問題は解決しません」。彼女の考える解決策は、そうした女性たちが二度と妊娠できないようにすることだ。この場合、体外発生も解決策にならない。だが、どんな犠牲を払っても子どもを守ることを最優先にしようと思うなら、「無責任な」妊婦よりも人工子宮のほうが望ましいのかもしれない。子どもが依存者の家に生まれるのを防げないなら、そしてアメリカで妊娠する薬物使用者の数を考えるとバーバラがどれだけ力を尽くしてもその取り組みが焼け石に水でしかないなら、人工子宮を利用すれば少なくとも子どもを可能なかぎり早く「救命する」ことはできる。

これをアメリカだけの問題と片づけるのは簡単だろうが、世界でいちばん進歩的であると自認する国々であっても、女性が薬物を使用していない場合でも、胎児の「救命」――または別の名前で呼ばれている何か――はすでに何よりも優先されているのだ。

有名なのが二〇一二年に起きたイタリア人女性の事件だ。妊娠中のその女性は、ライアンエアー〔アイルランドの格安航空会社〕が実施した二週間の研修コースを受けるためイギリスに飛んだ。女性は宿泊先のホテルでパニック発作に見舞われ、警察を呼んだ。警察官が女性の母親に電話をかけたところ、母親は、発作はおそらく双極性障害の薬を飲まなかったことによるものだろうと説明した。精神保健法に基づいて警察は女性を精神病院へと運び、強制的に入院させた。五週間後、ミドルエセックスNHSトラストの要請によって出された保護裁判所の命令で、女性は強制的に鎮静剤を打たれ、彼女の同意なしに帝王切開手術が施されて赤ちゃんが生まれた。エセックス社会福祉課は生まれた女の子をただちに保護し、女性ひとりだけがイタリアに護送された。それから一年後、法に従って公表できた数少ない事実(4)が報道されると、エセックスの社会福祉課は「あくまでも子どもの利益を最優先にした行動だった」と弁明した。

自由で見識が高いと言われるノルウェーでさえ、多くの場合、妊娠している女性の権利よりも赤ちゃんの保護が優先される。二〇〇八年から二〇一四年までのあいだ(5)に、ノルウェーの児童保護局によって出産直後に母親から引き離された新生児の数は三倍に増加した。群を抜いて多い理由(6)は薬物やアルコールではなく、「養育能力の欠如」(7)だった。これは、子どもにすぐ手を上げてしまう母親、メンタルヘルスに問題を抱える母親、過去にすさんだ生活を送っていた母親までもが含まれる、非常にあいまいな基準である。

生まれたばかりの赤ちゃんの世話をする能力がないとみなされる母親がいるとして、妊娠の代替手段が実現した未来においても、彼女たちは妊娠してよいのだと思われるだろうか？「養育能力の欠如」なる基準によって「外付け妊娠装置」にすら不適格と判断されるのではないか？

仮に将来出産が体外発生と自然妊娠の二択になるとしたら、「自然」に対する私たちの考え方は一変するだろう。現在すでにシリコンバレーなどの雇用主は、キャリアでいちばん実り多い時期を仕事に集中してもらうため卵子を凍結保存する社員の費用を負担しているが、いずれはそうした「補助」のメニューに、妊娠・出産を気にせず継続して働けるよう人工子宮で赤ちゃんを育てるオプションが含まれるかもしれない。

そんな未来さえ容易に思い浮かぶ。そのうち、体にある本物の子宮を使うこと自体、社会的地位の低さ、貧困、乱れた生活、無計画な妊娠と同義語になり、危険な母親である証になるのかもしれない。それは私たちがいま、妊娠中も分娩時も医療の力をいっさい借りずに赤ちゃんを産む「自由出産（フリーバース）」を選ぶ人たちに抱いているのと同じような感覚だ。「自然な」出産自体が、無責任で無謀な選択とみなされるようになる可能性もあるのだ。

赤ちゃんが生まれてこられない最大の原因は、ドラッグでもアルコールでも妊娠に「適さない」女性でもなく、母親になりたくない女性たちである。体外発生には、中絶される胎児を「救える」可能性がある。人工子宮に胎児を移し、ほしいと思う親に渡すことができるからだ。イギリスでは、中絶できるリミットは子宮外での生存が可能になる前までと決められている。それを理由に、一九九〇年に中絶可能な時期が二十八週以内から二十四週以内に変更された。完全な体外発生ならすべての胎児——胚さえも——が生存可能になるので、まだ生まれていないすべての子どもにも生きる権利があるとみなされることになるだろう。

体外発生は、中絶を巡る議論を百八十度変えうる。中絶はひとつの選択、つまり胎児の命を終わらせる判断だと思われがちだが、それはじつはふたつの選択、すなわち胎児を宿すのをやめる、そして胎児の命を終わらせる、ふたつの判断なのである。体外発生によって初めて、そのふたつを切り離せるようになるのだ。女性の体内で胎児を育てなくてよくなれば、中絶を選択する意志（プロチョイス）と赤ちゃんの命（プロライフ）、どちらも尊重することができる。国は自分の体をどうするかを自分で決める権利を女性に与えるのと同時に、胎児の命を奪うことを違法にすることができる。テクノロジーで助けられるのなら、胎児を殺すという選択を女性に委ねなくてもよくなるはずだ。

フェミニスト活動家で作家のソラヤ・チェマリーは、袋に入れられた子ヒツジが元気な姿を世界に披露する五年前から、体外発生について考察していた。二〇一二年にRewire.Newsに寄稿したエッセイに、ソラヤは次のように記している。「現在の議論に内在する、女性の権利と国家が守りたい胎児の利益のあいだの葛藤は、女性と胎児を安全に、速やかに別々の存在として捉えることができれば、消えてなくなる。男女の生殖の選択が平等になり、そして、女性は妊娠によって与えられている優位性も失う」。彼女の文章は選択の権利がもたらす不穏な結果で締めくくられている。「リアルなディストピア的未来は、ロー対ウェイド裁判〔それまで違法とされていた妊娠中絶を女性の権利と認め、人工妊娠中絶を規制する州法を違憲とする連邦最高裁判所の判決がくだされた、一九七三年のアメリカの裁判。合衆国史上最大の議論の争点となっており、二〇二二年六月二十四日には判事の過半数を保守派が占める現在の最高裁によって覆される判断が下った〕が女性の生殖の自由を求める運動のクライマックスとしてわずかな影響力を保っていた短い時代を、私たちが懐かしくふり返る未来だ」

私はワシントンＤＣのソラヤに電話で連絡をとった。まず、バイオバッグを初めて知ったときどう思ったかたずねると、彼女は暗い声でひとしきり笑った。「そのテクノロジーはひどく破壊的、でなければ画期的ですが、私はまったく信用していませんし、かなり悲観的にとらえています。いまだに圧倒的に男性が多く、圧倒的に白人が多く、圧倒的にエリートが多い未来派の科学技術者たちが、自分たちのテクノロジーは進歩的だ、破壊的だと主張するのを聞くと、いつも笑ってしまうんです。なぜなら、彼らが作りたいのは家父長制度そのものだからです。彼らはすべての社会に潜む不平等の多くを作り直しているだけです。わかりきったことですよ」

ＷＩＲＦのマット・ケンプやＣＨＯＰのチームが大きな進歩を成し遂げたといっても、ソラヤは完全な体外発生が実行可能になり、生殖技術として普及するには数世代かかるだろうと慎重な意見を述べた。「信じがたいほどに複雑なテクノロジーですから、一部の人たちが考えているよりも長い時間を要するでしょう。とはいえ、そのときは必ずやってくると思います」。それは「母」という概念の崩壊の次なるステップにすぎない。男性がその手で牛耳る人工子宮のテクノロジーは、女性を男性同様に、子どもを身ごもることのない単なる配偶子提供者に変えるのだ。

超音波画像は、生殖医療において、生殖機能以外の女性の体というものがいかに単なる痕跡器官のように扱われているかをよく示している、とソラヤは言う。「何年も主張しつづけているんですが、女性の身体がまったく映っていない、胎児だけのいまいましい発達画像を見せるのはやめるべきです。人が妊娠を喜ぶ気持ちは理解しますが、私は場をしらけさせる最悪のフェミニストなので、画像を見せられたらこんなふうに言います。『あら、すごい。もっと全体表示できないの？』超音波画像は、あえて胎児の姿がまるで虚空の、真空管の、容器の、瓶の中に浮かぶ惑星みたいに見えるように作られています。背景も真っ黒です。その体に胎児を宿した女性の存在を完全に消し去っているんです」

全身の超音波画像を撮る意味があるかどうかはともかく、ソラヤの言わんとしていることは理解できた。フレークは、バイオバッグの重要なセールスポイントのひとつは、母親の体から切り離されているため、両親がリアルタイムで赤ちゃんの様子を見られるようになることだと語っていた。つまり赤ちゃんとの距離感は母親も父親も同じで、権利も平等というわけだ。だがそれは、女性が生殖能力を譲り渡すことによってもたらされる平等である。

ソラヤは、母になることにつきものの重荷から女性を解放する体外発生の可能性は認めている。「判断に迷っています。私たちは、文化によって押しつけられた、『母性は女性に本来備わっているもので、母になることは女性なら誰もが果たして当然の主要な役割である』という思い込みと、やっとおさらばできるのでしょうか？　だとしたらそれは一種の解放です」。だがソラヤは「ディストピア文学、なかでもとくにフェミニスト・ディストピア文学の熱狂的なファン」でもあるので、このテクノロジーが女性の権利を奪うために利用される危険性があるとも考えている。彼女によると、女性蔑視が根強い社会でさえ、子どもを産む能力は称賛される。「少なくとも、男の子を産める可能性が残っているうちは」。体外発生は生殖を平等にすることによって、明らかに男性にはない、女性だけがもっている力を奪うことにもなるだろう。

体外発生が実現する未来では、自分の存在を望まなかった母親の遺伝子をもつ子どもが世界を生きていくのかもしれない。そういう子どもたちが生まれてくるころには、遺伝上の親が誰かを容易に突きとめられるようになっているだろうし、ウェスとマイケルのようにどうしても**自分の**子どもがほしい人たちが家族を作るための科学的な解決策も多く存在しているだろう。マイケルが思わず口にした残酷なことばを借りれば、「商品」の供給が需要を大きく上回るとでも言おうか。だが、そうなれば、望まれない子どもたちはいよいよどこにも行き場がなくなるかもしれない。また、一部の女性が子どもを生きつづけさせる合法的な手段ではなく、違法な中絶手術に頼るようにならないとも限らない。

恐ろしいことだ。しかし、女性が母親になるのを拒む権利より胎児の生きる権利が重視されるようになれば、それは起こりうる話なのだ。

「いまのところは、女性は男性にない権利をもっていますが……」

「妊娠を終わらせる権利ですか？」話の途中でソラヤが口をはさんだ。

「親にならない権利です。妊娠を終わらせるというのは赤ちゃんの死を意味しますが、私が言いたいのは、女性は親になるかどうかを選択できるということです。これは男性にない権利です。人工子宮によって、この点は容赦なく平等になります。そうですよね？」

「ええ、そうでしょうね。そんな権利はあとかたもなく消えるでしょう」

「つまり、女性はいま手にしている力を失うわけです」

ソラヤは少しのあいだ考えて、こう言った。「あなたがおっしゃる合法的な手段による権利の平等化は興味深いですが、文化が女性に負わせようとする責任は今後も変わらないでしょう」。最初に妊娠を終わらせる責任は女性が負うことになる。なんにせよ、妊娠するのは女性なのだから。そう言ってふたたび彼女はしばらく黙った。「とても興味深い考えです。よい結果になるかもしれません。人々に、心の奥底に根づいた母性信仰と折り合いをつけさせる、という意味では」

「ある点においては、たしかにすばらしいと言えるかもしれません。ですが、私が考えたいのは、女性はこの権利を失いたいのか、ということです」

「もし、子どもを産める唯一の存在という意味で女性の価値がなくなってしまうとしたら？　まだそうなっていない現在ですら女性が蔑視される社会に私たちは生きているわけですが、あなたはどうしますか？　私たちは、その答えをもっていません。もちろん、みんなが人として、ある人は産み、ある人は産まない選択をし、誰もが尊厳を保ち、自らの意志で決断する世界に生きられたら、理想的でしょう」。母親や父親ではなく、人として、親として。ジュノや、マイケルや、ウェスのような人たち。「それはあくまでも非現実的な、公正な分配の理想です」。そして、私たちは、理想からも公正からもほど遠い世界で生きている。ラディカル・フェミニストでなくても、とりわけアメリカで女性の生殖の権利が脅威にさらされていることは理解できる。二〇一九年五月、アラバマ州では強姦や近親相姦などによる妊娠を含むほぼすべての人工妊娠中絶を禁じる法案が上院を通過した。同州の女性議員は全員これに反対したが、計三十五人の上院議員のうち、女性はわずか四人だった。

「体外発生は、男性による出産の支配を可能にするでしょうか？」

「はっきり言って、あからさまにそうしようとする男性はいると思います。女性がいなくても子どもができるようになれば、彼らはたやすくそれを実現できるでしょう」

金曜日の午後十一時。私は、バイオバッグに関するＣＨＯＰの論文が発表された二〇一七年四月二十五日にレディットに立てられた掲示板、その名も「もう女に用はない。人工子宮が子ヒツジの培養に成功――次は人間だ」を見ていた。

〈男の創意工夫と創造性がまたもやすばらしい偉業を成し遂げた！〉というコメントが一番人気だ。

別の人は、〈いいことだ〉とコメントしていた。〈十年かそれくらいたてば、どこかのくだらないばか女と卵子提供契約を結べば、プラスチックの袋で自分の子どもを育てられるようになる〉

私はニッチなオンライン・コミュニティ「我が道を行く男たち」（ミグタウ）〔第3章にも登場。Men Going Their Own Way の略。女性が独善的、利己的な存在であるとしてかかわりを避け、独身主義を貫く男性たちのコミュニティで、集まる男性もその名をとってミグタウと呼ばれる〕のサブレディットをしばらく眺めていた。ここで、女性とのあいだに問題を抱える異性愛男性のグループについて説明しておく必要がある。まず、男性の権利擁護の活動家（ＭＲＡ）は、男女が異なる基盤の上でそれぞれ存在できるように、彼らが男性蔑視（ミサンドリー）だと考える社会の価値や法律を変えるために闘っている。インセルがどんな手前勝手なやり方を使っても女性と自分の望むかたちで――共存したいと望んでいるのに対し、ミグタウは女性と距離を置こうと決めている。彼らは分離主義者の異性愛男性だ。

ミグタウは、世界は「過剰な女性中心主義」になり、その結果男性に敵意を向けるようになったと考えている。彼らが言うには、デートアプリで注目を集めるのは女性で、離婚裁判は女性びいきだし、多様さを重視する採用戦略は女性に有利だ。それに対して男性は、養育費に苦しめられ、自分の子どもの人工中絶をやめさせる権利を奪われ、強姦の濡れ衣を着せられ、#MeToo運動が起きれば必ず疑いをかけられる。

ミグタウの策は、ＭＲＡのようにフェミニズムに対抗して世界を変えるのではなく、女性との関係から完全に手を引くことだ。最も禁欲的なミグタウにいたっては「完全な修道士」と化すほど。女性との接触によって汚れた人生には罠が潜んでいると考え、それを避けるために禁欲生活を選び、パイプカットする人さえいるのだ。ミグタウは運動というよりは生活スタイルである。mgtow.comの手引きでもそう説明されている――〈マノスフィア〔「男性圏」を意味する造語で、フェミニズムに対抗しようとする男性たちのインターネットを中心とした集まり。ミグタウ、インセル、MRAなども含む複数のグループがある〕はすばらしい新世代の男性の心に存在しています。それは混沌とした、従来の「男らしさ」の概念が崩壊する際に起こるビッグバンであり、やがて自由を求めるひとりひとりに新たなる自由の世界を生み出すでしょう〉

自由とは女性に背を向けることであると定義する男性にとって、体外発生は二十一世紀における男性の役割や男らしさが衰退したのと引き換えに手に入れるべき対価だ。二十世紀に経口避妊薬が悲嘆にくれる女性の解放をもたらしたように、バイオバッグは男性解放の大きな鍵となる可能性を秘めている。人工子宮とセックスロボット、両方が完成すれば、男性は女性と生活しなくても、セックスと生殖という人間の欲求を満たして生きていけるようになるのだ。

レディットでは、ユーザーが投稿に賛成か反対かを投票できる。賛成、つまり「いいね」の数が多い掲示板ほど上のほうに掲載される。それに焚きつけられ、掲示板には感情を刺激するコメントが花盛りになる。二〇一七年四月二十五日に公開されたスレッドと同じテーマを扱う掲示板は、どうみてもこれひとつではない。「人工子宮」で検索すれば、ミグタウのサブレディットだけでも百以上のスレッドが見つかり、なかには人工子宮の初期の時代から存在しているものもある。コメントは痛々しいものもあれば、

〈これ（人工子宮）は実現してほしい。僕はもうすぐ四十歳。心から子どもを望んでいる。子どもは大好きだ。お金も時間もあるから、いますぐにでも子どもを育てられる。

でも、中年になって、子どもを望む気持ちが急に強くなってきたのと同じくらい、女性にふれたい、見たい、セックスしたい、話をしたいという欲求も、ほとんどゼロになった。そういうくだらないものさえ、思い通りに手に入らないんだから。人工子宮、セックスロボット、VRポルノ、終わらない映画にテレビ、趣味、**自分の**のお金、そう、太った牛を養うくらいなら、それを買おう……〉

……そら恐ろしいものもある。

〈俺たちの聖なる務めは、生殖を女どもから引き離し（SFの話じゃない。いまのテクノロジーと知識で実行可能だ）、女を物理的に完全に排除することだ。セックスの奴隷にして、洗脳し、牛小屋で人工授精してやるだけでなく、永久に追い払ってやるんだ。女は文明の破壊者だ。生まれながらの肉欲の悪だ。人間の姿をした、いまいましいがんなのだ。俺たちがあいつらをこんなに長いあいだ生かしつづけてきたただひとつの理由は、子孫や人種を継続させるには現実的にあいつらが必要だったからだ。生殖に女が必要とされなくなれば、奴らが存在する理由はなくなる〉

こういう男性たちは、自分をアピールしたくて、あるいは「いいね」がたくさんほしくて過激なことばを使っているのだろうか。それともソラヤがディストピア的な暗い夢の中でイメージするようなミソジニストたちが、体外発生を使って女性がいない未来を作ろうと本気で計画しているのだろうか？

私はオンラインで投稿中の人がいないか確認した。ユーザーネーム「DT1726」がいた。彼は最近、人工子宮についてのスレッドに次のようにコメントしている。〈セックスドールと人工子宮によって、女は身のほどを思い知るだろう。奴らの唯一の価値といえば赤ん坊を産む能力だ。セックスドールは永遠に美しいいままだし、生身の女よりもはるかに安全な投資だ。人工子宮があれば女は男と同じように使い捨て可能になる。我々の文明は救われるだろう。たくさんの女たちが死ぬだろう。それが僕の結論だ〉

私はレディットにログインし、ランダムに作られたハンドル・ネーム「StreetSetting」を選んだ。完璧にジェンダー・ニュートラルな名前だ。私は女性であることを前面に出して、ミグタウを驚かせたくないと思ったのだ。プライベート・チャットを開き、DT1726にメッセージを送った。

「私はジャーナリストです。うまくいけば人工子宮は文明を救えるだろうと書いていましたね。そのことについての考えをぜひ聞かせてください」

数分後、相手がメッセージを入力中であることを示す「…」が画面に現れた。

「個人情報でないかぎり、なんでも聞いてください」と、DT1726は返信をよこした。

「人工子宮は人間の文明をどう変えると思われますか？」

返信がすごい勢いで送られてきた。

「女は自分を守り養わせるために、男を誘惑します。女が母であり主婦であるという生物学的役割を忘れてしまった社会。女が誰でも好きな相手と制限なしに寝る社会。テクノロジーと重視されている生殖の価値によって女が力をもつようになった社会。女は自称お姫様になって、自分が生きている文明を支えている人たちを見下します。子宮がもう女の専売品でないとわかったら、いまのような考えでいつづければいずれ排除されるという残酷な現実を突きつけられるでしょう」

彼はA級ミソジニストだが、大々的なフェミサイド〔女性であることを理由にした殺人〕をしたいわけではない。彼が望んでいるのは、人工子宮が女性を「本来の」場所に戻すことだ。

「子宮をもつ唯一の存在というアドバンテージがないなら、女は卵子を取り出して受精させ、人工子宮の中で育てればいい。キャリアを追い求めたければ、そうするよう促されるでしょう。そうなったら、女は虐げられているだの、男とは競争できないだのといった言い訳がまったくできなくなります」。そう書いたあと、彼はテストステロン〔筋肉や骨格を司る、代表的な男性ホルモン〕がいかに人々に有能であろうとする意欲を与えるかということに関する科学論文へのリンクを矢継ぎ早に送ってきた。男性はテストステロンが多いので、これからも男性のほうがよい仕事をする。がんばっても無駄だとわかれば、女は家に逃げ帰るはずだ……。ミグタウの世界では、でたらめなエセ科学的進化心理学の受けがいい。チャールズ・ダーウィンはビーグル号で航海に出たとき、行き着く先がこんな場所だなどと、果たして想像していただろうか。

「人工子宮についての投稿で、赤ちゃんを作るのに女性が必要でなくなれば、女性は死に絶えるだろうと書かれていましたね。そうなることが望ましいと考えていますか？」

「適者生存の話ですか？　人間社会では、愚かな人間、精神障害や先天異常も受け入れなければなりません。そういう人たちも社会で生きています。私たちはそれほど残酷ではありません」

「女性はこれからも生きていくとして、社会における有用性はどうお考えですか？」

「女は、精神障害や先天異常の人たちよりもまちがいなく価値があります」。慈悲深いおことばだ。「男と比べると並の存在ですが」

「人工子宮があれば、男性は望まなければ女性とかかわる必要はいっさいなくなるでしょうか？」と、私は書いた。「多くの男性がそうしないことを選ぶと思いますか？」

「かもしれません。生まれながらの本能に抗うのは難しいですが。女と接触せず完全な修道士になれる人はそう多くありません。恋人ロボットやリアルなＡＩを使うことはありえます」。ＤＴ１７２６自身は、セックスロボットにも人工子宮にも興味はないという。「私は完全な修道士になりました」

「そうなってどれくらいたちますか？」

「一年です。ミグタウのことを知る前からそういうところはありましたから、数えたら十五年くらいです」

「そうなろうと決めたのはなぜですか？」

「欲望をコントロールできないかぎり、男は自由になれません。もちろん、思いのままにできる人工的な女をもつほうが、都合がいいです。私はそれにだってふれようとは思いませんけどね。自分で何不自由なく暮らす以上に何も生み出さない、冴えない男ですよ」

そのとき、ふと、この人は英語ネイティブではないだろうと思った。自己紹介をお願いすると、彼は二十八歳のベトナム人でＩＴ関係の仕事をしていると答えた。十五年も完全な修道士のような生活を続けているとすれば、彼は禁欲主義の童貞ということになる。もっとも、十三歳に満たない彼の身によっぽどひどいことが起きたのでなければの話だが。

「みなさん、掲示板では実生活より過激になるものですか？」

「そういう人もいると思います。とくに初めて書き込む人は。ひどく傷つけられたばかりの人たちですから」

「それが多くの人が掲示板に集まる理由ですか？　傷つけられたという個人的な経験が？」

「悲しいことに、その通りです」

私が次に連絡をとった「smithe8」（これは彼のユーザーネームではない。彼が使ってほしいと希望した仮名だ）の場合も、まさにそうした理由があったようだ。smithe8はシカゴに住む二十六歳の医大生で、二カ月前にレディットを利用しはじめたばかりだという。「#MeTooによるばかげた虚偽の告発」によって、いかに彼の人生が台なしにされたかについて書き込んだのが最初の投稿だった。〈極度の被害妄想を発症し、身内以外の女性と話すことがほとんどできなくなりました〉と彼は書いている。その夜、数時間前に書かれたsmithe8の投稿は、人工子宮をテーマにしたコメントのなかでいちばん多くの「いいね」を集めていた――〈もう女に用はない。このごろの女たちが男らしさをどれだけ憎悪しているかを考えれば、当然のことだ〉

「父親にはなりたいけれど、女性とともに生きていくのは嫌だという男性は多いのでしょうか？」私はプライベート・チャットにそう打ち込んだ。

返信はすぐに来た。「男性を『ブタ』呼ばわりする生意気なフェミニストを相手にするのは、子どもを強く望みながらも叶わない、孤独な男ぐらいのものです。まともな男性はフェミニストや男性嫌悪者(ミサンドリスト)なんかとデートしませんから。ていうか――そういう男性は人工子宮テクノロジーを選ぶべきですね」

「孤独な男性は、フェミニストでない女性とはデートできないという意味ですか？」

「そういう女性にはすでに相手がいる、という意味です。最近、男性はとにかくふつうの女性に飢えているんです」

「ふ、つ、う、の女性はそう多くはない？」

「ええ」

彼は私が女性であることを感じ取ったのだろうか。あるいは、自分が書いたコメントの意味を説明してほしいと言われて恥ずかしくなったのかもしれない。ちょっとそんな気がしたが、そうではなかったらしい。

「あなたは、〈もう女に用はない〉と書いていますが、そうなることを望んでいるのですか？」と、私は質問した。

「まったくそんなことはありませんwww　正直に言うと、掲示板にヘイトを煽るようなくだらない書き込みをするのは、過激な男を増やしてどんどんミグタウにするためです。ミグタウが増えれば、こっちは競争が楽になりますからね(^^)」

「ミグタウでもないのに、なぜそんな投稿をしているのですか？」

「ミグタウがもっと増えればいいと思って。多くのユーチューブ動画にも、ふって湧いたようにミグタウが書き込みをしています。私の友人にもとことんのめりこんだ人がいます。近くのピザ屋のトイレにさえミグタウのステッカーが貼ってあるくらいです。何百万人にだって増えるかもしれませんよ。おかしなファイト・クラブみたいなものです。私が将来すばらしい妻に出会うまで、彼らを闘わせておきましょう。その分私のライバルが減るでしょうから」

自分が相手を見つけやすくするために、同じように傷ついた男性が女性を拒絶するよう仕向ける、彼みたいなネット戦士はつくづく哀れだ。彼のコメント「もう女に用はない」には、ほんの数時間ですでに二百五十件の「いいね」がついている。彼らがみんな同様にかっこつけて虚勢を張っているだけで、本気でそう考えているのではないと思いたい。だが、実際に無差別銃撃事件を起こしたインセルもいるように、そうしたコメントを鵜呑みにする人がひとりかふたりでもいれば、現実の世界で悲惨なことが起こる。

「お話しいただき、ありがとうございました」と入力して、私はログアウトした。

「どういたしまして」

「女を物理的に根こそぎ排除したい」などと書き込んでいるからといって、ほとんどの男性は本気ではないかもしれない。だが、英語を母国語としない人でさえ、そういった投稿をするときの彼らは不気味なほどに饒舌だ。多くの人がイメージするように考える頭をもたない愚か者が指一本でキーボードを打ち合っているわけではなく、教養ある人たちがこのことについて考えを巡らせ、科学論文やニュース記事を読み漁り、ゆがんだ人間観を育んでいる。彼らはいつか医師、弁護士、議員になるかもしれない人たちだ。人工子宮や、そして誰がそれを利用するかについての判断が、彼らの手に委ねられる可能性は十分にある。

人工子宮は、信じられないほど強大な力をもつ新しいテクノロジーになるだろう。その力がどんなかたちで姿を現すかは、そのテクノロジーを誰が必要とし、誰が作り、誰がコントロールし、それに誰がお金を払うかに大きく左右されるにちがいない。

体外発生は妊娠・出産がもたらす不安や痛み、リスクから女性を解放する。そのいずれも経験する必要のない男性とともに暮らし、働き、競争している女性にとって、それらが大きな負担であることはまちがいない。けれども体外発生による平等は、男性が主導権のない立場に置かれてきた唯一の領域において、女性が自分たちにだけ与えられていた力を手放すことから生じる。そういう意味では、人工子宮のメリットは女性よりも、男性にとってのほうが何倍も多いと言っていい。

私がこれまでに見てきたどんなテクノロジーよりも、人工子宮は理想の世界と現実世界の隔たりを露わにする。この世界が完璧な場所ならば、それは女性を解き放ち、最もか弱い赤ちゃんの命を救うだろう。だが現実の世の中では、いっそう過激になった怒れる男たちによって、女性は非難され、権利を奪われ、起訴され、妊娠すらできなくされる。

ＩＶＦが主流となったいま、卵管閉塞をはじめとする不妊原因の治療に関する研究は終わったも同然だ。生殖補助技術によって回避できる問題を、わざわざ研究する必要などないというのだ。同様に、人工子宮が一般的になれば、女性が組織を切り取られたり、つつかれたり、切り裂かれたりすることなく、楽に安全に妊娠・出産できるようにするための研究の意義を説明することさえも難しくなるだろう。さらに、女性が赤ちゃんを産むのを難しくしている社会構造の問題を解決する理由もなくなる。短期的な解決策がもうあるのに、そんな根本的なことを考えてもなんの意味もないからだ。

自分の子どもを産むことで、女性は失うものより得るもののほうがうんと多いはずだ。母親は生まれたばかりの赤ちゃんとの絆、ジュノが心から望んだ親密な関係を手に入れる。そして母であることがもたらす創造力、我が子がまさに自分の子であるという実感、そもそも親になるかどうかを選ぶ権利を手に入れる。子宮があることはたしかに私たちの弱さだが、その反面、大きな力を与えてくれる。妊娠することなく子をもつ自由は、自ら産むことで得られるものを犠牲にする価値が本当にあるものなのだろうか。

完全な体外発生は今後数十年実現しないだろうが、人工子宮の完成は近いだろう。その日が来るまでに「生殖能力があるから」というだけの理由でなく真に女性が尊重され、人工子宮が社会的理由ではなく生物学的理由で妊娠できない人たちの利益のためだけに使われるような社会を作り上げるため、努力する時間はまだある。たしかに時間はある。けれど、十分ではないかもしれない。

［注］

（1）七千二百人を超えるドラッグやアルコール依存者の生殖能力を「買った」
'Statistics', Project Prevention, http://projectprevention.org/statistics/

（2）二〇一五年までに
'Special report: Alabama leads nation in turning pregnant women in to felons', AL.com, 23 September 2015, https://www.al.com/news/2015/09/when_the_womb_is_a_crime_scene.html

（3）出生前のコカインへの曝露
J. P. Ackerman, T. Riggins and M. M. Black, 'A Review of the Effects of Prenatal Cocaine Exposure Among School-Aged Children', Pediatrics, Volume 125, Issue 3, March 2010, pp. 554–65, https://www.ncbi.nlm.nih.gov/pmc/articles/PMC3150504/

（4）数少ない事実
Colin Freeman, 'Child taken from womb by caesarean then put into care', Telegraph, 30 November 2013, https://www.telegraph.co.uk/news/uknews/law-and-order/10486452/Child-taken-from-womb-by-caesarean-then-put-into-care.html and https://www.telegraph.co.uk/comment/columnists/christopherbooker/10485281/Baby-forcibly-removed-by-caesarean-and-taken-into-care.html

（5）二〇〇八年から二〇一四年までのあいだ

I. Jensen, A. Fredrikstad, S. Saabye and P. Haugen, 'Child welfare takes three times as many newborns', TV 2 News, 13 April 2016, https://translate.google.com/translate?hl=en&sl=auto&tl=en&u=https%3A%2F%2Fwww.tv2.no%2Fnyheter%2F8219203%2F

（6）群を抜いて多い理由

I. P. Nuse, 'Protests mount against Norwegian Child Welfare Service', ScienceNordic, 10 February 2018, http://sciencenordic.com/protests-mount-against-norwegian-child-welfare-service

（7）「養育スキルの欠如」

Tim Whewell, 'Norway's Barnevernet: They took our four children . . . then the baby', BBC News, https://www.bbc.co.uk/news/magazine-36026458

PART 04

死の未来

機械仕掛けのメフィスト

第13章 死のDIY

レズリー・バセットは落ち着かない気持ちを隠そうと、人々を笑顔で出迎えた。六十歳を超えていると思しき人たちが、次々とコベント・ガーデンの会議場に入って行く。男性はジャケットにネクタイ姿、女性はパステルカラーのカーディガンにきれいなスカーフというでたち。まるでブリッジ・クラブかクラシック・コンサートかと思うような優雅な雰囲気だが、彼らは自死の方法を学ぶために、お金を払ってここにやってきたのだ。みなプラスチックの名札をつけ、レズリーの話に期待を寄せながら席に座っている。

レズリーは、自発的安楽死を推進する団体「イグジット・インターナショナル」のイギリス支部の新人コーディネーターだ。イグジットは、この世界では有名なディグニタス〔スイスの自殺幇助団体〕〔安楽死の権利を訴える〕さえ穏健で保守的に思えてくるような主張を展開している。ほかの団体は終末期患者が自らの意志に基づいて自分の最期を決められる権利を求めているのに対し、イグジットは正常な精神状態の人なら誰もが、時と場所を自分で選び、医師や国の許可などなしに心穏やかに命を終える権利があると訴えているのだ。イグジットの創設者でディレクターを務めるオーストラリア人、フィリップ・ニチキ博士は、それを「合理的な自死」と呼ぶ。

イグジットは一九九七年にオーストラリアで設立され、現在カナダ、アメリカ、ニュージーランドに支部があり、このたびイギリスにも新しく支部が設けられた。会員になるためには、病気でなくても年をとっていなくてもいい。表向きは五十歳以上と定められているが、それより若い人もケースバイケースで入会が認められる。会員は会費を支払い、人生を終えるための情報や助言、そして道具を手に入れる。イギリス人の入会希望者が非常に多いため、イグジットはレズリーを雇い、数カ月前にイギリスにオフィスを開いた。

私がレズリーにとって招かれざる客であることは承知している。私がここに入るのを許されたのは、フィリップ・ニチキ博士がそう指示してくれたからだ。だから、私は彼女のじゃまをしないよう心がけた。白い髪をお団子に結ったボランティア・スタッフが紅茶とビスケット、今後のミーティングの参考にするためのアンケートを配っている。七十四歳の元看護師だというその女性は、紅茶を注ぎながら「イグジットとディグニティ・イン・ダイイング〔一九三五年に「自発的安楽死協会（Voluntary Euthanasia Sciety）」として発足した安楽死団体。二〇〇六年に現在の名称に改めた〕は相容れません」と私に言った。「ディグニティ・イン・ダイイングはフィリップのやっていることが気に入らないんです。彼らはイギリスの法律の範囲内で活動し、司法改革を目指しているんですよ。それから、フレンズ・アット・ジ・エンド〔スコットランドの安楽死団体〕は人々をディグニタスに送り込んでいます。彼らもやはりフィリップのことが嫌いです」。なんだかユダヤ人民戦線〔イギリスのコメディグループ、モンティ・パイソンによる一九七九年の映画『ライフ・オブ・ブライアン』に登場する、架空のユダヤ人過激派団体。本作には日本語訳するとどれも「ユダヤ人民戦線」になってしまう似たような四つの団体が登場し、些細なことで覇権を争うさまが描かれている〕の話を聞いているみたいだ。

開始四十五分前に到着したときには、すでに五十人分の席が埋まっていた。イギリス人会員の正確な人数は不明だが、イグジット本部の概算によれば千人前後だという。フィリップがイギリスで自死のための実践的ワークショップを有料開催すれば、毎回二百人もの人たちが彼に会いに来る。今日はフィリップは地球の裏側にいてここには来られないが、この部屋の中に強烈な存在感を放っている。架台式テーブルの上には販売用の書籍が置かれていた。全部がフィリップの著作だ――自伝『何をしたってはじまらない（Damned If I Do）』（二十五ポンド〔約四千百円〕）、最初の著書で哲学がテーマの論文『優しく殺して（Killing Me Softly）』（二十二ポンド）、さまざまな自殺方法の実践ガイド『ザ・ピースフル・ピル・ハンドブック（The Peaceful Pill Handbook）』（二十ポンド）。ただし、イグジットがすすめるのは、オンラインで配信される電子ハンドブックの二年間の定期購読（六十七・五ポンド）だ。フォームに記入すれば、フィリップが経営する企業に吸入用窒素を注文することができる。彼が推奨する自死の方法に従おうとするなら、窒素は不可欠なのだ。価格は一本四百六十五ポンド〔約七万八千円〕。この費用は、年会費（六十二ポンドから）とは別にかかる。

しかし、そこに集まる人たちにはそれを買うだけの経済的余裕があるように見えた。彼らは、一目でわかるほど似通っていた。白人のミドルクラスで、男女の割合は半々。フィリップの言う「これまでやりたいように生きてきた典型的なベビーブーマー」、つまり専門職を定年退職し、教養のある、自立した、元気で、活発で、現代医学が引き延ばした寿命が自分たちの人生にもたらす影響を心配している人たちだ。すでに何人かが窒素の注文用紙に記入していた。

私は前列の端の席に腰を下ろした。ふだんはダンススタジオとしても使用される会議場には、奥に大きな鏡があった。レズリーの話が始まるのを待つあいだ、人々はそこに映る自分の姿を見ないようにしていた。はき古したコンバースに紫のチェックのシャツを身につけ、メガネをかけたレズリーは、気乗りしない様子で司会をしている。彼女は子も孫もいる六十四歳で、二カ月前までデコレーション・ケーキのデザインをして生計を立てていた（レズリーのウェブサイトには、フォンダンをまとい何段にも重なったウェディング・ケーキにロイヤル・アイシング・パールを美しく飾る魅惑的な動画がいくつもアップされている）。イグジットの仕事を受けた当初は、週に五時間の電話対応をすればいいはずだったのだが、電話は鳴りやまず、ほどなくして週に四日間働くことになった。いまや仕事は週七日になり、ケーキのデコレーションには手が回らなくなっていた。

彼女は自宅のパソコンで今日の議題の資料を作ってきていた。プリントは、緑色のガスボンベを重そうに運ぶヘルメットをかぶった男、前足でマティーニのグラスを持ち、サングラスをかけたジャック・ラッセルテリア、手を取り合って踊る手足のついた色とりどりの四つの錠剤のイラストで飾られていた。

ミーティングが始まって早々に、レズリーの資料に誰も興味をもっていないことがはっきりした。次々に質問の手が上がったが、みなが知りたいのは、もはや伝説になりつつあるバルビツール酸系催眠薬のペントバルビタール、製品名「ネンブタール」をどこで買えるか、それだけだった。想像しうるほぼすべての自殺方法は、苦痛を伴うか、確実性に劣るか、見苦しい姿をさらすか、時間がかかるか、罪のない傍観者を危険にさらすかのいずれかである。人を「眠る」ように逝かせるという幻想を現実のものにできそうな手段は、ネンブタールぐらいしかない。ディグニタスの患者が摂取するのも、過剰摂取でマリリン・モンローが命を落としたのも、犬を安楽死させるのもこの薬だ。また、二〇一一年に製造元であるデンマークの製薬会社ルンドベックがアメリカの刑務所への供給をやめるまで、一時期死刑執行に使用されていたこともある。

ネンブタールはあなたがどこに住んでいようと身近なところにあふれている、どんな動物病院でも常備しているような薬だが、規制薬物なので、個人で売買したり所持したりすることは世界中ほとんどの国で違法とされている。購入して捕まれば懲役刑もありうる。毎年、生まれてこのかた法になど触れたことのない人たちが、ネンブタールの所持で逮捕されている。たとえば二〇一六年四月、インターポールの内部情報をもとに、警察は元大学教授でイグジット会員の八十一歳のアヴリル・ヘンリーがデヴォン〔イギリス、イングランド南西部の地域〕に所有するコテージを家宅捜索した。警察はアヴリルが隠し持っていたと思われるネンブタールを押収したが、じつは見つかったのは半分だけだった。数日後、アヴリルは残っていた薬を飲んだ。ふたたび警察の捜索が入り、残りの半分も持っていかれることを恐れ、予定していた時期を早めて命を絶ったのだ。

一年前、レズリーは二十七年間多発性硬化症（ＭＳ）に苦しんできた親友にネンブタールを渡し、彼女がそれを飲んで亡くなるのを見守った。

「私たちにはプランＡとプランＢがありました」とレズリーは会員たちに語りかけた。「私は彼女をがっかりさせはしなかったし、彼女はきっと永遠に感謝してくれることでしょう。私も同じです。フィリップ、そしてイグジットと出会えたことに感謝しています」

プランＡは成功したが、簡単ではなかった。ネンブタールは完璧な死をもたらす万能薬ではなく、思った以上に無慈悲で、死にいたるまでには時間がかかったと彼女は言う。詳しいことは話さなかったが、よい選択ではないという口ぶりだった。そして、親友の死を手助けしたことで、レズリーの人生は一変した。

「あのやり方はおすすめしません」。彼女はぽつりと言った。「ご自分でおやりになるほうがいいでしょう」

たしかに、南アメリカ、中国、東南アジアなどの怪しい獣医にオンラインで注文すれば、ネンブタールを無条件で売ってくれるし、『ザ・ピースフル・ピル・ハンドブック』の電子版は、確実に購入できる地域の最新情報を常に提供している。私はここに集まる品のよい男女が、仮想通貨を買い、ダークウェブをサーフィンしている姿を想像してみたが、イメージできなかった。しかし、すでに試してみた人は多いようだ。ピンクのパシュミナを巻いた女性が、以前は好意的だった供給者とのあいだに起こったトラブルについて話すと、同意の声が次々にあがった。どうやら信頼できる業者が不足しはじめているらしい。ネンブタールはもう、評判通りの解決策ではなくなっていた。

そこでレズリーはプランB――「イグジット・バッグ」――を紹介した。詳細な説明は割愛するが、かいつまんで言うとそれはプラスチックの袋、チューブ、窒素ボンベなど、合法的な部品だけでできている。そして話を聞くかぎり、ぞっとするような代物だ。

レズリーの後ろに、圧縮窒素の入ったボンベがあった。価格は四百六十五ポンドだ。色はグレーで、緑の菱形のマークがついている。製造しているのは、表向きはビールを自家醸造したい人にガスを供給するためにフィリップが設立した会社、マックス・ドッグである。しかし、同社のウェブサイトに掲載されている法的免責事項には、「製品の使用は精神疾患と診断されたことのない五十歳以上の人に限られる」と明記されている。容器から出るガスの流量を調整するマックス・ドッグ製レギュレーターは、一個三百二十五ポンドで別売りされている。

「フォームに記入すれば、完成品が届くんですか?」首からメガネをぶら下げた男性から質問があがる。

「いいえ」。レズリーは慎重に答えた。「部品をそれぞれ別々に購入し、自分で組み立ててください」

イグジットが完成ずみの「自殺キット」を提供することができないのを、彼女はよく承知している。バラバラなら手には入るが、それを組み立てるには化学の学位が必要になりそうだ。

緑色のパンフレットをながめながら、「どこかでもうちょっと安いものが手に入りませんか？」と別の人が質問した。

「入りますよ。イグジットの生命線を断ち切りたいのでしたらね」。レズリーはすげなく答えた。「国内で売られているものを買ってもかまいませんが、私たちが支えなければ、イグジットはつぶれます。それに、マックス・ドッグの製品なら作り手が同じなので安心ですよ」。あちこちで人々がうなずいていた。

レズリーがキットの一部を配ると、人々はそれを手にとった。みな楽しげに、金属製のレギュレーターの重さを確かめている。誰かがぐにゃりとしたチューブを隣の女性に手渡し、ふたりともぎこちなく笑った。

自殺装置の部品を前に打ち解け合う彼らを見ていて、私の頭の中は、本当にこれでいいのか？という思いでいっぱいになった。自分の死をコントロールしたいと切望するあまり、人はこんなふうに死ぬ――たったひとりで冷たくなって、頭を袋の中に突っ込んだ姿で発見される――ことも辞さないと思えるものなのだろうか？どうすればそれを「よい」死、「望ましい」逝き方だと考えられるのだろう？代わりの手段、すなわちネンブタールを使うとなると、違法薬物を使うことなど考えもつかなかったはずの人たちが、大金をつぎ込んで規制薬物を密輸するよりほかなくなる。それが無事に届き、注文通りのものが送られ、インターポールが家に押し入ってこないという望みをかけて。「よい」死を願っているだけなのに、なぜこんな方法に頼らざるをえないのだろうか？

イギリスでは、自ら死ぬ権利は認められていない。十三世紀半ばに「自己殺害」は普通法（コモン・ロー）で罪と定められ、そうでなくなったのは一九六一年のことだ。ほかの人が命を終えるのに手を貸すことはいまでも犯罪とみなされていて、懲役十四年以下の刑に処される。世論調査の結果、イギリス国民の八十四パーセントが自死の権利を望んでいることが明らかになったにもかかわらず、二〇一五年にイギリス議会は、余命六カ月以下の宣告を受けた人が二名の医師の幇助を得て死ぬことを認める法案を、反対多数で否決[1]した。

いっぽう、世界に目を向けてみると、自発的安楽死（本人の意志によって、苦痛からの解放を目的に命を終えること）、死の幇助（本人の要請に従って、余命数カ月と診断された人が命を終えるのを手助けすること）、自殺幇助（命を終わらせる手段を人に与えること）を問わず、死ぬ権利の法制化が進んでいる。スイスでは一九四二年以降自殺幇助が合法化されており、三百五十人ほどのイギリス人がチューリッヒにあるディグニタスのクリニックに赴き、そこで命を終えている。オランダでは二〇〇一年、ベルギーでは二〇〇二年、ルクセンブルクでは二〇〇八年に安楽死が合法化された。これらの国では肉体的苦痛のみならず、「耐えがたい」精神的苦痛も対象とされ、アルコール依存症やひどい鬱病を患う人たちも、合法的な幇助を受けて死ぬことができる（オランダでは全死亡者における安楽死の割合は約四パーセント[2]にのぼる）。北アメリカでも、一九九七年にオレゴン州、二〇〇八年にワシントン州、二〇一六年にはカリフォルニア州とカナダで死の幇助が法律で認められた。

人の寿命は延びているが、だからといって必ずしも健康に生きられるわけではない。高齢になれば慢性疾患を抱え、つらい症状がどんどん悪化していき、認知症を患い、自立と尊厳を失いながら生きなければならない。裕福な国ほど死ぬ権利を求める声は大きく、やがてそれが連鎖反応的にすべての国に広がっていくのは避けられないように思われる。とはいえ自死が合法化された国でも、実際に死ぬ権利が認められるかどうかは医師と精神科医にかかっている。つまり、これまで以上に医師が力を持つことになるのだ。その反面、気候変動からワクチン、ブレグジットにいたるまで、昨今の一般市民は各所で権威を拒絶し、専門家の話に耳を貸さなくなっている。「なんでもネットに書いてあるこの時代に、なんで先生と呼ばれる連中の言う通りにしなければならないんだ？」

人々は、死ぬ権利を得るためにイグジットに加入するのではない。彼らが求めているのは、自分の死を完全に自分でコントロールすることだ。年をとって不安な未来に直面し、彼らは自分の人生を自分で決める権利をほかの誰にも渡したくないと考えている。フィリップ・ニチキは、その力を与えてくれるただひとりの医師なのだ。健康診断も末期診断も不要。年齢を申告し、クレジットカードを用意するだけでいい。

イグジットのイギリス支部のオープンを祝うミーティングは数時間で幕を閉じたが、もの足りないと思った会員は多かったようで、次回はまる一日かけようという意見が出た。「ランチを持参すればいい」と言う人もいた。最後にレズリーに拍手が送られた。彼女は見るからに、無事に終わって安堵している様子だった。満面に温かい笑みを浮かべ、参加してくれてありがとうと私に礼を述べた。

ミーティングが終わると、会員たちが騒々しく私のまわりに集まってきた。みな、自分が入会にいたったいきさつをしきりに話したがった。元大学教師のアンは、関節炎を患っている以外は健康だ。「幸せな人生を生きてきて、あと何カ月かで七十五歳になります」と彼女は言った。「だんだん閉じこもりがちになって、できないことばかり増えていく。これから自分がどうなるか、目に浮かぶようです。みんなの手をもっと煩わすようになって、病院に行く回数が増えて、つらくて嫌なことばかりになるでしょうね」

「拳銃を撃ったことはあるかい?」。ブライアンと呼ばれている男性が、私にそうたずねた。彼はアメリカ系アイルランド人の元警官だ。八十歳だというが、まだ六十歳そこそこに見える。「四十年くらい前だろうか、ある警官が銃を口にくわえて自分を撃った。でも、彼は車椅子に乗って、いまもまだ生きてるよ」。ブライアンは肩をすくめた。銃は完璧な死を求める人々の解決策にはならないのだ。かといって、規制薬物や、プラスチックの袋をかぶってガスを吸うことが名案とも思えない。

ネンブタールを入手したがっているのは、七十七歳の元建築士、クリストファーだ。「いつでも、『グッドニュースです。リドル〔ディスカウント・スーパー〕でネンブタールが買えるようになりました』と連絡がこないかと思っています。それか、ウェイトローズ〔イギリスの高級スーパー〕からしゃれたギフト・パックが出るとか。まあ、無理でしょうけど」と語るその顔に表情はなかった。

寿命が短く、乳児死亡率が高かったころ、死は生活の一部だった。そのころの私たちは、いまよりはるかにひんぱんに死に直面していたのだ。一九四五年にはほとんどの人が自宅で亡くなっていた[3]が、一九八〇年には、その割合はわずか十七パーセントだった。死が目の前に迫ってくるような年齢になるまでほとんどそれを身近に感じることなく生きていけるものだと、いまの私たちは思っている。死はかつてより、ずっと恐ろしいものになった。「苦痛のない、尊厳ある、自らコントロールできる死を約束しましょう」と言う人には、巨大な市場が用意されている。彼らが約束を本当に実行できれば、の話だが。

フィリップと連絡をとるのは難しかった。彼はオーストラリアにいて、医師免許を取り戻すための裁判で多忙だったのだ。二〇一四年、ナイジェル・ブレイリーという男がパースで開かれたイグジットのワークショップに参加し、のちにフィリップに直接メールで助言を求めた。それを受け、オーストラリア医事局は非常権限を行使してフィリップに停職を命じた。フィリップは当時知らなかったが、ブレイリーは元妻の殺害および恋人の失踪への関与が疑われ、捜査が行われていたのだ。彼は起訴される前に中国製のネンブタールを飲んで自殺した。

フィリップは数年おきに、なにかしらで世間をにぎわせている。あるときは、仮釈放なしの終身刑となった受刑者に自死の手段(4)を与えるべきだと訴えた。数年前には、いずれの国の法的権限も及ばない国際水域に人々を船で運び、そこで彼らを安楽死させる「デス・シップ」計画を発表している。ひとつも実現していないが、知名度だけは上がった。そしていつしか彼は「死の医師」と呼ばれるようになった。

反安楽死団体ケア・ノット・キリングは、フィリップを「自己アピールの強い過激主義者」と評している。死ぬ権利に反対しているイギリスの障害者団体ノット・デッド・イェットは、彼に関して「人々の感情をもてあそんでいるばかりか、金儲けの手段にまでしている」と非難した。死の幇助を支持する運動を展開するディグニティ・イン・ダイイングもまた、フィリップのワークショップは「無責任で、危険をはらんでいる」と考えている。

常に悪評を受け入れてきたフィリップだったが、ブレイリーの一件はいささかおおごとになりすぎたようだ。医師免許を取りあげられる前から、フィリップは長いこと一般開業医として患者の治療をほとんど行っていなかった。イグジットの仕事が多忙だったからだ。それでも、医師免許はどうしても取り戻さなければならない。医師でもないのに死の医師を名乗るわけにはいかないからだ。

フィリップと話す予定を立てようとしているころ、デイヴィッドからメッセージが届いた。何通もだ。彼は、イグジットのミーティングが終わって帰ろうとする私に、電話番号をたずねてきた人物だ。ほかの人のいる前では話しにくかったのだという。ちなみにデイヴィッドは本名ではない。彼は三人の子どもたちに、自分がイグジットに入会して何をしようとしているかを内緒にしている。友人や親族も知らない。だから、それ以外の誰かに話がしたいのだそうだ。

デイヴィッドは五十五歳で、離婚してバークシャーに住んでいる。十年ほど海外で働いていたが、慢性的な腸の不調に苦しむようになり、最近イギリスに戻った。診断はまだ確定していない。命を脅かすような病ではなさそうだが、気分がすぐれないことが多く、仕事を辞めざるをえなかった。

「ずっとひとりきりで考えてきましたから」と、彼は言った。「あらゆる場面で、何度もその考えが浮かぶんです。死んだほうが楽なんじゃないか、いや、ちがう。楽と言ったら語弊があるな。人生がうまくいっていないのに、なぜわざわざ続けないといけないんだろうって」と、電話で彼は言った。「自分の人生なのだから、何を選ぼうと自由だと思います。いつであろうと、『よし、もうこのゲームはおしまいだ。次に進もう』と自分で決断すればいい。それで、それを実行するための方法にとても興味をもったんです」

グーグル検索の末に、彼はイグジットにたどり着いた。「プラスチックの袋の話を初めて聞いたときは、背筋が寒くなりました」とデイヴィッドは言う。「ですが、よく調べてみると、それがいちばん単純で簡単な方法のようです」。窒素を吸っても、と彼は説明を始めた。「ぜいぜいあえぐとか、そういうことはありません」。気を失って、数分後には死んでしまうのだという。頭に袋をかぶったままで。デイヴィッドはネンブタールは使いたくないそうだ。吐いてしまわないようにあらかじめ嘔吐防止剤を飲まなければならないのが嫌だし、現在市場を独占している中国の製品を使いたくないからだ。「中国製は信用できません。何が入っているかわかったものではありませんから」

「イグジットではネンブタール純度試験キットも売られていますが、けっこうな値段です。イグジットで買うものは、もちろん経費もかかっているので妥当な額なのでしょうが、ものすごく高いんです」と彼は話す。デイヴィッドは袋をはじめ窒素自死キットに含まれるものの大半を、イグジットの何分の一かの価格で自分で買えることを突きとめた。「彼らを批判するつもりはありません。あなたがどうとらえようが、これはビジネスです。彼らが利益をあげるために人々から搾取しているとは少しも思いません。簡単に手に入れたければ、クリスマスに届けてほしければ、それ相応の対価を払わなければならないということでしょう」

こんな話にクリスマスということばは、どうもしっくりこない。マーケティング戦略としてはあまり趣味はよくないが、イグジットは最近、電子ハンドブックの定期購読を新たに申し込めば購読料をさらに六カ月間無料にするというブラック・フライデー・セールを始めた。イグジット本部と最初にコンタクトをとって以来、彼らのメーリング・リストに登録されている私のところにも、数週おきに新しいメールが届く。そこには、割引価格のオファーのほか、イグジットの方針に反してフィリップの許可を受けていない業者からものを買った人たちから寄せられた教訓が盛り込まれている。「前にも言いましたが、もう一度言います。オンラインにはネンブタール詐欺師が**そこらじゅうにいます！**」と、あるメールには書いてあった。「オープンなインターネットを使ってネンブタールを買おうとすれば、九十九・九パーセントの確率でお金をだましとられるでしょう。もしかすると脅迫され、お金をゆすられるかもしれません。オンラインの現状を継続的に監視できるのは、『ザ・ピースフル・ピル・ハンドブック』電子版だけです」。死という大いなる未知の世界への旅において、安全性と信頼性が保証されているのはフィリップが管理する製品だけのようだ。

それでも、フィリップの承認を得るためにお金を払う価値はあると、デイヴィッドは考えている。「フィリップ・ニチキはすばらしい人物です。彼はひどい圧力をかけられています。何が彼を突き動かしているのかわかりませんが、彼の目に見えているもののことを知ってしまえば、とてもフィリップを非難しようという気にはなれません」

そう言うと、デイヴィッドは少し黙った。「話せて本当によかったです。ありがとうございました」。声にようやく安堵の色がにじんだ。いまのいままで、彼は絶望に打ちのめされたような声を出していたのだ。

「不調の原因がわかっていないということは、逆にあなたは末期の病気ではないということなのかもしれません。そこがはっきりしていないのに、本気でいまから死の準備をしておこうというのですか？」

「正直なところ、末期かどうかは別にして、健康に関係なく、『そろそろこの世を引き払って、立ち去る潮時だな』と、満ち足りた気持ちで思う日があるんです」

「でも、そうは思わない日もありますよね」

「ああ、もちろん」

「キットがそろったら、よく考えてから使いますか？　それとも、もう決心はついているのでしょうか？」

「すぐには無理です。子どもたちの許可を得ていませんから」と彼は答えた。「どうにかして伝えないと」

デイヴィッドはイグジットや私とではなく、彼を愛している人たちや、彼を治療する医師ともっと話をしたほうがいい。彼が探している答えは、プラスチックの袋の中ではなく、友人や家族のなかに見つかる可能性のほうがうんと大きいと、私は思った。


数週間後、私はイグジットの英国オフィスでレズリーに会った。ロンドンの南東、ケントにある彼女の自宅近く、メッドウェイ川沿いに建つ波形鉄板で作られた倉庫群の一角を占める工業団地の一室。そこはかつてレズリーがケーキ・デコレーションの作業をしていた場所だが、思っていたようなキラキラした甘い景色ではない。テーブルのデコレーション用ツールの横には、自殺マニュアルが置かれていた。

彼女はいつもの一日について話した。「まだ元気な朝のうちに、まずコンピューターを開きます。オーストラリアではその数時間前にもう業務が始まっているからです。それから留守電のメッセージをチェックします。一日に六〜八件くらいでしょうか。たいした数じゃないと思うかもしれませんが、折り返しの電話をかけて話をするのがとてもやっかいで、時間がかかるときがあります」

いちばん扱いにくい電話の相手にはふたつのタイプがあるそうだ。「まず、鬱状態にある若い人たちです。彼らが落ち込んでいるのはすぐにわかります。年齢が五十代以上でないことも。その場合、入会は絶対にお断りします。無理なんです、と言って」。レズリーは目を閉じた。「どうでもいい話をいろいろしますよ。

『かかりつけ医とは話をしましたか？』『カウンセリングは受けましたか？』という感じで。向こうは耳を貸しませんが、それでも聞かなければなりません。みな決まってこう言います。『そんなものは役に立たない。ネンブタールを買うのを手伝ってほしい』。そんなことはできません」。彼女は顔をしかめた。「そのお手伝いはできない。そう答えると彼らは電話を切って、もっとたちの悪いことをします」

そしてもうひとつは誰かの代理でかけてきた人、つまり自殺を助けたい人からの電話だ。「『おすすめするわけにはいきません』と言うよりほかありません」。レズリーは悲し気に言った。「ものすごくつらいです。なかには私と似たような状況に置かれている人もいますから、私の経験を話せたら何かの役に立つかもしれません。そうできればどんなにいいか。でも、お話しすることはできないんです」

レズリーの物語の始まりは一九九四年。ケーキのデザインの仕事をする前、レズリーは金融関係の会社でシルビア・アルパーという女性の下で働いていた。レズリーより五歳若いシルビアはすでに上司のそのまた上司で、「高慢なキャリアウーマンで、やたら偉そうだった」という。レズリーはそのころ、長年つき合ったパートナーと別れていた。「苦しみを乗り越えて、ひとりもまんざら悪いものじゃないと思うようになっていました。ひとりでできることはたくさんあります。いっぽう、シルビアのほうは夫とうまくいっていなくて、ちがう人生があるかもしれないと考えていました」

シルビアが離婚すると、やがてふたりは親友になり、いっしょに映画や芝居を観たり、旅行に出かけたりした。「ふたりでヨーロッパ中を回りました。周りを見渡して、お互いを見て、そして思うんです、ここに来られた私たちはなんてラッキーなのって。あのころはとにかく何もかもが楽しかった」。レズリーは九〇年代後半にヴェネチアで撮った、ゴンドラに乗るふたりの写真を見せた。シルビアは豊かなとび色の髪をカールさせ、レズリーはいまと同じショートヘアだった。にっこり笑うふたりの顔は輝いていた。「はじめは、これだけ正反対の私たちがうまくいくはずがないと思いました。でも、うまくいったんです」。目をうるませて彼女は言う。「お互い、自分にないものを相手に見出していました」

友だちづき合いを始めた当初から、レズリーはシルビアが多発性硬化症を患っていることを知っていた。シルビアは昇進のチャンスを逃すことを恐れ、その事実をほかの社員に知られたくないと思っていたので、レズリーは秘密を守った。「片足が動かなくなったり、片目が見えなくなったとき、シルビアは少しのあいだ休みましたが、私は事情を知っていましたから、お見舞いに行きました。でも、初期の段階では症状は治まるんです。しばらくすると視力も足も回復します」。ふたりとも新しいパートナーに出会い、シルビアがイーストボーンに引っ越すと、会う機会は減ったが、電話で連絡をとりつづけていた。しばらくたつとシルビアの症状は寛解しなくなった。独立心の強い親友は、車椅子なしでは動けなくなり、二十四時間の介護が必要になった。

シルビアは以前から、時機が来たらディグニタスに行きたいと話していた。「電話があって、お昼を食べにきてほしい、だいじな話がある、と言われました。なんの話かは察しがついていました。そのときに、ディグニタスのことを調べてほしいと頼まれたんです。いっしょに働いていたころのように、彼女にプロジェクトを任された気分でした。私はメモをとり、『わかった、任せて』と言いました。仕事だと思って」

だが、すぐにディグニタスは候補から外れた。「そのころにはもう、彼女は自力で椅子からベッドや車椅子に移ることもできなくなっていました。尿失禁と便失禁の両方がありました。私が彼女をスイスまで連れて行くのは、現実的に無理な話でした」。方法はあるにはあったが、いかんせん費用が高かった。「一万二千〜一万三千ポンド〔約二百一万〜二百十八万円〕かかると言われました」

「なぜそんなに高額なのですか？」

レズリーは苦笑いした。「そんなにかかるわけがないんです。それが向こうの言い値だというだけです」

現在のディグニタスのパンフレットには、かかるコストは約八千三百ポンドと書かれている。医師の費用、薬、葬儀、登記所の費用は込みだが、交通費、宿泊費、強制加入させられるディグニタスの会費、付加価値税は含まれていない。夫に遺すためのお金を使うのを、シルビアは嫌がった。しかも、そもそも夫は彼女をディグニタスに連れて行くのに反対だったのだ。「彼の協力を得るのは無理でした。ですから、次にどんな策に出るにせよ、彼に内緒でやらなければなりませんでした」

「ずいぶんと重い責任を背負わされたのですね。迷いはなかったんですか？」

「シルビアは、すべてにおいて非常に意志の強い人でした。人生のどんなことにもひたむきに取り組む人でした。ですから、頼まれたときも彼女の本気を疑うことはありませんでした」

私が聞きたかったのは、レズリー自身が自殺幇助に手を染めることに迷いはなかったのかということだったのだが、彼女が質問をそうとった様子はなかった。

レズリーはイグジットのウェブサイトを見つけ、フィリップが数カ月後にロンドンでワークショップを開く予定であることを知った。「死の医師なんて呼ばれているので気味が悪いと思う人もいるかもしれませんが、彼こそ私が求めていた人でした」。他人の代理であることなどおくびにも出さず、レズリーはそのワークショップに参加した。周囲の人たちの会話に耳をそばだて、必要なものを買えそうな業者の名前のほか、薬の価格はいくらか、届くまでにどれくらいの期間がかかるのかをメモした。自殺幇助によって自分の身にどんなことが降りかかる可能性があるかについても調べた。自首したとき何もかも包み隠さず話せるように、あえて記録は全部紙に残した（彼女は最初から、ことがすんだらその足で警察に行くつもりだった。シルビアの死に対する自分の責任を果たしたいと思ったからだ。彼女になんら恥じるところはなかった）。レズリーは得体の知れない業者にメールし、四百ポンド支払った。そして待った。

「その数週間は、生きた心地がしませんでした」。目の前に置かれた手つかずのコーヒーを見つめながら、彼女は言った。「それまで誰かに頼まれたどんなことよりも重要なことでしたから」

荷物はちゃんと届いた。シルビアはすぐにそれを使いたがり、お願いだから早く来てほしいとせがんだ。シルビアの夫は彼女たちをふたりきりにした。「少し話をしました。いっしょに楽しいことをたくさんしたね、できるときにやれてよかった、最高の人生だったねって」。レズリーはことばを切り、息を整えた。「それから、どちらからともなく『やりましょうか』と言い、私はキッチンに行ってボトルを開けました」

シルビアが致死量の薬を飲んでいるあいだ、レズリーは彼女の手を握っていた。レズリーの話では、ネンブタールは決してすばやく尊厳ある死をもたらすものではなく、シルビアの最期は安らかとはほど遠かったそうだ。吐き気に襲われ、目や鼻や口からあらゆる液状のものがとめどなく流れ出てくるので、シルビアが本当に致死量を飲んだのかどうか心配になったほどだ。「どれくらいのあいだ彼女を抱きしめていたのか、覚えていません」。静かにレズリーは言った。「シルビアがいつこと切れたかもわかりません。脈を測ろうとしましたが、自分の心臓があまりにも早鐘を打っていて、誰の脈を感じているのかわからない始末でした」

シルビアの死を確信し、彼女の夫に電話をかけて家に戻るよう告げると、レズリーは警察に自首した。救急車と警察が来て、レズリーは自殺幇助と規制薬物の密輸の疑いで逮捕された。その夜はつなぎを着せられて勾留された。そのときの状況を、彼女は二人称で話した。「あなたは家宅捜索を受けます。衣服はすべて没収されます。トイレに行っても女性警官に監視され、証拠を洗い流す恐れがあるからといって手も洗わせてもらえません……そのうちに半ば何も感じなくなります。とにかくあなたは別世界に足を踏み入れたのです。それでも、しまった、これはとんでもないことになったと、頭のどこかでぼんやり思うんです」

検察が訴追を打ち切る決定を下すまでに十カ月かかった。そのあいだにレズリーの人生は壊れていった。彼女は「精神的にぼろぼろになり」、仕事は「めちゃめちゃになった」。パートナーは、彼の人生までも危険にさらしたと言って怒った。勾留中に警察がふたりの家を捜索した際、彼のコンピューターも残らず押収され、訴追が打ち切られるまで返却されなかった。彼はIT関係の仕事をしていたので、仕事上でも大打撃を受けた。「彼はすっかり心が取り乱し、憔悴していました」。このときばかりは、レズリーの声にかすかな後悔が感じられた。

イギリスでふたたびフィリップのワークショップが開かれたときも、当時まだ起訴の可能性は残っていたが、レズリーは足を運んだ。彼にお礼を言いたかったたし、何か役に立つようなら自分の話をしてもいいと思ったからだ。そのときレズリーは、イグジットが週に数時間電話番をするイギリスのコーディネーターを探していることを知った。不起訴になってわずか一カ月後には、彼女はイグジットで働くようになっていた。

合理的自殺を推進する団体のイギリス支部の代表になると決めたとき、レズリーは明らかに山ほど問題を抱えていた。自分がどんなやっかいごとに巻き込まれるか、想像がつかなかったのだろうか。

「どうして、またこうしたことにかかわろうと思ったのですか？　どんなことが起こって、その結果がいかに悲惨なものか、身にしみているはずなのに」。彼女にそう問うていいのか迷いつつ、私はたずねた。

「こんな状況はまちがっているからです！」半ばわめくように彼女は言った。「まったく、おかしな話ですよ」。長い沈黙があった。「自死を助けるのは正しいことなんです。ほかに言いようがありません。打ちひしがれている人たちに手を差しのべるのは正しいことです。彼らはどうすることもできず、ただただ心を痛めています。年老いて、自分がどうなってしまうのか思い煩うなんておかしいんです。すべての人には、死をどのように迎えたいかを表明する権利があります」

「では、人々の死ぬ権利が認められるように、法律を変えたいと思いますか？」

「ええ、それはもちろん！」

「でも、そうなればあなたは職を失うかもしれません」

「そんなこと気にしません。仕事なんかやめたっていい。リタイアして、本でも読んですごしますよ。全然かまいません。もともとなくたっていい仕事です。なくなるのなら、早ければ早いほどいいんです」

レズリーは合理的自殺を熱心にすすめたいわけではない。ただ親友に力を貸したかっただけだ。そして自分と同じような目に遭う人を作りたくないだけなのだ。彼女がイグジットのイギリス支部の代表者になったのは、ほかにイギリスの人々に力を貸す方法がないからだ。

「数十万人が、**まさにいま**つらい思いをしています。何年も先、法律が変わるころの話ではありません。この瞬間、人々は心を痛めているのです」と、レズリーは言った。「彼らには、頼れる場所が必要です」

医師免許をめぐる裁判の審問の二日目、私はようやくフィリップと電話で話をすることができた。死の医師その人の声を直接聞くのは、なんだか緊張する。オーストラリアのダーウィンは午後十一時だが、フィリップはエネルギッシュで、自分に向けられた疑いをきっぱりと否定した。だがそれでも、彼は自分の行為が連続殺人犯に法の網をくぐらせる結果をもたらした可能性は認めている。

「このケースは合理的自殺です」。フィリップは落ち着いた声でそう言った。「ブレイリーには病気もなく、まだ四十五歳でしたが、人生を終わらせたい理由にはかなり説得力がありました。この先二十五年も刑務所ですごすくらいなら、と思ったのでしょう」

「つまり、たとえブレイリーが殺人の疑いで捜査されていたことを知っていたとしても、彼の自殺は合理的で、あなたは彼の死に満足していただろう、ということですか?」

「満足、ということばはしっくりきますね」とフィリップは答えた。

フィリップは、死ぬ権利に関してここまで過激な自由主義的見解をもつにいたった経緯を語ってくれた。始まりは一九九六年。ちょうどそのころ、ノーザンテリトリー〔オーストラリア北中部の準州〕において、終末期病者権利法の下で、死期の近い人が医師の力を借りて死を選ぶことが合法とされた。ただ、それは九カ月間だけの話で、一年後にその法律はオーストラリア連邦政府によって無効とされた。当時フィリップは四十代後半で、医師の資格を取得したばかりだった。彼が医療の道に入ったのは遅く、それ以前は短期間空軍に所属し、アボリジニの土地の権利活動家や、ノーザンテリトリーの公園および野生動物管理者として働いていた。

「私は死ぬ権利が認められたという話をラジオで聞き、いい考えだなと思って、また眠ってしまいました」と彼は言った。自死に本格的にかかわるようになったのは、認められたばかりのこの権利に対して、医師と教会が先頭に立って進めた反対運動が注目を集めたことがきっかけだ。「これだけ多くの人々が望んでいるのに、医療や宗教の専門家たちがその実現を阻もうとしていることに、心底うんざりしました。彼らの主張にはがまんがなりませんでした。上から目線で、『たとえあなたたち一般市民が安楽死をすばらしいと思っても、あなたにとって何が最善かを知っているのは医師なんだ』といわんばかりに。ひどい侮辱だと感じました」。フィリップが自分の考えを表明すると、死を望む人々が彼のもとにやってきた。

「当時の私はまさに、重い病気を患っている人には、ある時点で医師が薬物を与えて人生を終わらせるのが理にかなっていると考えていました。四人の患者がそうやって人生を終えました。あの法律を実際に使った医師は私だけです。それどころか、しばらくのあいだ、私は法律を有効に活用して致死薬を投与した、世界でただひとりの医師でした」。そう話す声には大きなプライドがにじみ出ていた。

「そういうわけで、イグジットは誕生しました。あの法律が破棄されて以降、人々が次々と私のところに来るようになったからです。ですが、しだいに様子が変わってきました。やってくる人たちは、全員が末期の病人というわけではありませんでした。むしろ、病気以外の理由で死にたいと願う人たちがいたんです。なかには、だめだと言うとかなり強い調子で食ってかかる人もいました。『なんであんたが決めるんだ？』とね。たしかに、本来それはその人自身が決めるべきことなんです。私たちはそこに注目しました。政治家にまとわりついて法律を変えてくださいとお願いするのではなく、実行可能な選択肢を人々に与えようと」

「死の医師と呼ばれることに誇りを感じていますか？」

「他にひどい誹謗中傷がいくらでもあるのだから、そんな呼び名に意味はありませんよ」。彼は軽蔑するように言った。「そうは言っても、道を歩いていたら、誰かが近づいてきてうれしいことばをかけてくれる、なんて日もしょっちゅうです。かつてペニシリンの処方箋を書いていたときは、そんなことはありませんでした。重要な、最先端の社会的議論に関与できるのはすばらしい経験です。非常に刺激的です」

「イグジットが販売している製品の価格を見てみたんですが、ハンドブックは安くありません。推奨されているように、窒素ボンベなどの製品を全部イグジットから買おうとすると、なかなかの値段になります。こうした製品で収益を得ているんですか？」

「たしかに安くはありませんが、世界中を回ってワークショップを開くのも安くはありませんから」とフィリップは言い返した。「財政的な基盤なしに組織を運営するのは不可能です。イグジットは非営利組織です。人々に安らかな死をもたらすお手伝いをして金を儲けるとは何ごとだ、という意見をときどき耳にします。そういう人たちは、私たちのような組織は収支がトントンでも許されない、ましてやそれで生計を立てるなんてもってのほかだとでも言いたいんでしょうか」

私が彼の動機にけちをつけて活動を貶めようとしていると感じたのか、フィリップは不機嫌になった。だがすぐに、命を終えたい人の手助けをする自分の役割を、まるでビジネスの話でもするかのように語り出した。「イギリスに支部を置くことで、大きなちがいが生まれるでしょう。著しい成長が見込まれます。ヨーロッパ、とくにイギリスは人々の関心が高い地域ですから」

私はそのとき知らなかったのだが、フィリップは誰ひとり想像できないやり方で市場を拡大する計画を抱いていた。彼には、すべての国の法的境界線を超える大胆なアイデアがあったのだ。それは、薬物やプラスチックの袋よりもはるかにハイテクで、誰の助けも許可も必要としない。人々を完璧な死へと導く乗り物だ。

［注］

（1）反対多数で否決

'Largest Ever Poll on Assisted Dying Finds Increase in Support to 84% of Britons', Dignity in Dying press release, 2 April 2019, https://www.dignityindying.org.uk/news/poll-assisted-dying-support-84-britons/

（2）全死亡者における安楽死の割合は約四パーセント

'Dutch Regional Euthanasia Review Committee Annual Report 2018', https://english.euthanasiecommissie.nl/the-committees/documents/publications/annual-reports/2002/annual-reports/annual-reports

（3）一九四五年にはほとんどの人が自宅で亡くなっていた

これらの数字は、テクノロジーがいかに死の意味を変えたかを理解したい人の必読の書、アトゥール・ガワンデの『死すべき定め——死にゆく人に何ができるか』（原井宏明訳、みすず書房二〇一六年）に引用されていたアメリカの国家統計。

（4）自死の手段

Philip Nitschke, 'Euthanasia is a rational option for prisoners facing the torture of life in jail', Guardian, 27 September 2014, https://www.theguardian.com/commentisfree/2014/sep/27/euthanasia-is-a-rational-option-for-prisoners-facing-the-torture-of-life-in-jail

第14章 「自殺界のイーロン・マスク」

「死の医師」として悪名を馳せた者は、ハロルド・シップマン〔イギリスで医師として働いていたが、患者を殺害していた疑いで一九九八年に逮捕。二〇〇二年の政府発表によると少なくとも二百十五人、一説には四百九十三人を手にかけたといわれる〕、ヨーゼフ・メンゲレ〔第二次大戦中、ナチス・ドイツのアウシュヴィッツ＝ビルケナウ絶滅収容所で収容者に対して人体実験を繰り返し「死の天使」と恐れられた医師。戦後アルゼンチンやブラジルに逃亡し、最後は溺死した〕をはじめ少なくとも十三人はいる。死の医師として、フィリップは元祖でもなければ、いちばん有名なわけでもない。その称号の持ち主のうちもっとも有名なのは、ミシガン州の病理学者ジャック・ケヴォーキアンだ。死刑囚の臓器摘出を求める運動を展開し、遺体から血液を採取して輸血に使用した先駆者でもある彼は、一九九〇年代、百三十人に及ぶアメリカ人の死に手を貸した。

ケヴォーキアンは、フォルクスワーゲンのキャンプ用バン、ヴァナゴンのシートの一部を取り払い、後部座席に患者を乗せ、彼らを死の装置につないだ。最初のマシンは〔ギリシア神話に登場する、死を神格化した神タナトスにちなんで〕「タナトロン」と呼ばれ、すべて身近で手に入る材料――車の部品、磁石、巻き上げ鎖、コイル、おもちゃの部品――を使って作られた。むきだしの金属のフレームに三本の瓶がぶら下がり、一本の点滴の管につながった簡素な作りで、箱型の土台部分には昔のゲーム機のような大きな赤いボタンがついていた。学校の化学の時間に行うような薄気味悪い実験の装置と見まちがえそうな出来栄えだった。

患者をタナトロンにつなぐと、最初は無害な生理食塩水が点滴される。患者が赤いボタンを押すと生理食塩水は止まり、即効性の高いバルビツール酸系麻酔薬の点滴が始まって、患者は昏睡状態に陥る。六十秒後に致死量の塩化カリウムが投与され、心臓が止まる。患者は眠っているあいだに心臓発作で死亡するのだ。

最初に使用されたのは一九九〇年。患者のジャネット・アドキンスはオレゴン州ポートランドに住む五十四歳の教師で、アルツハイマー病の初期段階にあった。彼女とケヴォーキアンはその前の週末に出会ったばかりだった。患者に自分が何をしようとしているか理解できるだけの精神的な能力があると判断したケヴォーキアンは、次の月曜日の午後、近くの公園に彼女を車で連れて行った。彼女はその後部座席で亡くなった。二日後にケヴォーキアンが『ニューヨーク・タイムズ』紙に語ったところによると、こと切れる前、「ジャネットは感謝の目で私を見つめ、『ありがとう、ありがとう、ありがとう』と言った(1)」という。

タナトロンが非常に簡単なしくみでできているのは、ケヴォーキアンが責任を逃れるためだ。患者は自分の意志で赤いボタンを押さないかぎり、生理食塩水が点滴されるだけで、死ぬことはない。つまり、死を引き起こすのは患者自身ということになる。だが、ミシガン州医療委員会の見解は異なり、二度目にタナトロンを使用したあと、ケヴォーキアンの医師免許は取り消された。その結果、彼は装置を動かすのに必要な物質を合法的に入手できなくなった。そこで使いはじめたのが「マーシトロン」だ。これは窒素と二酸化炭素のタンクにつながったガスマスクで、ガスの流入を止める洗濯ばさみがついていた。ケヴォーキアンが見守るなか、患者は洗濯ばさみを外して自らの命を終わらせる。

ケヴォーキアンによる患者の死はアメリカで激しい議論を巻き起こした。ジャネット・アドキンスが死亡した当時、ミシガン州には自殺幇助を取り締まる法律はなく、ケヴォーキアンを殺人罪で告発しようという動きはあっても、実際に彼を罪に問うことはできなかった。また、彼の患者の大半(2)は末期の病人ではなく、解剖の結果(3)少なくとも五人は死亡時の健康状態が良好だったことが判明した。ケヴォーキアンの逃げ道になったのが、患者を死にいたらしめたのは彼自身ではなく、彼の作った装置であるという事実だ。その死に患者本人以外の人間は介在しておらず、よって責任を問うべき人は存在しない。だからこそ、自分の意志でコントロールされたクリーンな死が約束されるのだ。それを実現させるしくみがお粗末でも、しばしばそれが混乱した状態で下された判断だったとしても。

その後ケヴォーキアンは死の装置を使わなくなり、やがて破滅の道をたどることになる。一九九八年、彼は筋萎縮性側索硬化症(ALS)の末期だった五十二歳のトーマス・ヨークに致死量の薬物を注射した。ケヴォーキアンはしだいに自信過剰になっていった。ヨークが死にいたるまでの様子を動画に収め、自分に安楽死をやめさせてみろと平然と当局をけしかけたのだ。その挑戦を受けて立った当局は、ケヴォーキアンを第二級殺人の罪で起訴した。彼は七十代で十年から二十五年の不定期刑の判決を下され、八年服役したのち肝臓がんを発症し、血栓が原因で二〇一一年に亡くなった。享年八十三歳――病院で、医師らに囲まれながら、死の装置の力を借りることなく。

支持者にとって、ケヴォーキアンはヒーローであり、多方面に才能を発揮する人物だった。ジャズ・フルートとオルガンを演奏し、一九九七年にはインストゥルメンタル・アルバム『A Very Still Life(とても静かな音)』をリリースしている。派手な油絵を描き、ヨハン・セバスティアン・バッハから、切り落とされて血がしたたる頭部にいたるまであらゆるものをモチーフにし、「昏睡」、「熱」、「吐き気」、「麻痺」といったタイトルをつけた(いくつかは彼の死後オークションにかけられ、四万五千ドルの提示価格がついたものもあった)。二〇一〇年のテレビ映画『死を処方する男　ジャック・ケヴォーキアンの真実』でケヴォーキアンを演じ、エミー賞とゴールデングローブ賞を獲得したアル・パチーノと一緒にレッドカーペットを歩いたこともある。目立ちたがり屋のケヴォーキアンは、望み通りに世の中に悪評をとどろかせた。

いっぽう、フィリップは「その他の死の医師」であることに飽き足らず、もっと偉大なレガシーを遺したいと考えた。ケヴォーキアンのわずか数年後に安楽死にかかわるようになったフィリップには、ケヴォーキアンにはなかった強みがある——コイルやクリップや洗濯ばさみではなく、コンピューターを使うのだ。

次の画面に進み、「はい」をクリックすると、自分が死ぬことをきちんと理解していますか?

これらの文字が青みがかった画面の中央、クリックできるふたつの仮想ボタン——「はい」は右、「いいえ」は左——の上に表示される。

「はい」をクリックすると、別の画面に切り替わる。

十五秒後に致死量の薬物が注射されます……

続ける場合は「はい」をクリックしてください。

「はい」をクリックすると、十五秒後にリズミカルで陽気な音楽が流れる。画面は暗転し、たった一言だけが浮かび上がる。

「終了」

これがボブ・デント、ジャネット・ミルズ、ビル・W、そしてヴァレリー・Pが目にした最後のことばだ。最後の「はい」をクリックすると、致死量のネンブタールが静脈に投与される。彼ら四人は、ノーザンテリトリーで終末期患者に対する自殺幇助が合法とされていた一九九六年から九七年の九カ月間に、フィリップの助けを借りて亡くなった人たちだ。彼らの人生はフィリップが発明・製作し、現在はロンドンの科学博物館に収蔵されている「デリヴァランス」によって終わりを迎えた。

画面は、フィリップがメール・チェックやネットサーフィンにも使用していたグレーの東芝製ノートパソコンのものだ。九六年当時、すでに三年使い込まれていて、ぼろぼろで薄汚れていた。そのパソコンは内側に断熱材が貼られたプラスチック製の小さなハードシェル・スーツケースに接続されていた。中には絡み合った赤と黒のワイヤー、透明な管、バルブ、ポンプ、圧力計、注射器数本が収められていた。そのうちの大きな一本の注射器には、フィリップが患者に刺す鋭く長い針がついていた。

デリヴァランスというのはフィリップが作成したソフトウェアの名前で、当時彼はそれを「対象者の意志に基づき、医師の幇助を受けた自殺のためのプログラム」と説明していたのだが、そのうち装置自体をデリヴァランスと呼ぶようになった。終末期患者の権利法のもとで、直接患者にネンブタールを投与することもできたはずだが、きっとケヴォーキアンを強く意識していたのだろう、フィリップはあえて人目を引く奇抜な装置を作ることを選んだ。

一九九六年九月二十二日に初めてその装置を使った直後、フィリップは短い記者会見を開いた。患者のボブは六十六歳で、末期の前立腺がんだった。「ふたりで食事をし、お酒を飲みました。そして、ボブのほうから進めてほしいと言ったんです」と、フィリップは集まったジャーナリストに説明した。そして、ボブのコメントを読み上げた。「私のつらさは、私を看病し、風呂に入れ、体を拭き、真夜中に私の粗相の後始末をし、私の命が消えていくのを見守りながら苦しむ妻の姿を見ることで、いっそう強くなります」。ボブは自分が病気で苦しいから死を選んだのではない。いちばん大きな理由は、体が言うことをきかなくなり、自分が妻の重荷になっているという事実だった。

ほかの三人も、ほどなくしてみずからこの世を去った。五十二歳のジャネットは外見を損なう珍しい皮膚がんを患い、余命九カ月と言われていた。六十九歳のビルは末期の胃がん、七十歳のヴァレリーは乳がんだった。ヴァレリーはフィリップが合法的な自殺幇助を行った最後の患者で、その死は最大の物議をかもした。ヴァレリー本人の告白によると、彼女は適切な緩和ケアを受けていて、なんの症状にも苦しんでいなかったが、フィリップはそれでも彼女の自死に手を貸したのである。

法律が無効とされてから数年後に撮影されたインタビューを、フィリップ自身がヴィメオ〔動画共有サイト〕に投稿している。フィリップは派手なヤシの木の模様が入ったライトブルーのアロハシャツを着て、ボタンを留めずにまばらなグレーの胸毛を見せていた。自分のことを報じる新聞記事が貼られた壁の前で、フィリップはデリヴァランスを使っていたときのことをふり返っていた。

「とても重い責任が肩にのしかかっていると感じていました」と彼は話す。「たとえば私が小さなケースを持って、装置を用意して行ったとき、忘れ物をしたと言って家に戻る人も、『明日にできませんか？』などと言う人もいませんでした。みなさん、自分はその日に死ぬんだと決めていました。その意志を汲み、その希望を叶えるのが私の仕事です。それを**可能にし、つつがなく運ぶ**ようにしなければなりませんでした。そして、私自身、自分で思っていたよりも、ことの重さに打ちのめされていました」

フィリップはケヴォーキアンのようなやり方で自殺に手を貸すつもりはなかった。要するにすべての責任を負いたいとは思っていなかったのだ。自らの手に注射器を握るのではなく、患者の膝の上のコンピューターを使えば、自分と行為とのあいだに距離が生まれるはずだった。だが、デリヴァランスではその点が十分とは言えなかった。レズリーがイグジットのミーティングで話していたことばが、私の頭の中にこだましていた――「あのやり方はおすすめしません。ご自分でおやりになるほうがいいでしょう」

フィリップの次なる発明によって、イグジットの会員はそれを実現できるようになった。二〇〇二年十二月に発表された「コージェン」は、缶、点滴袋、ガスを吸入するのに使う鼻カニューレでできた一酸化炭素発生器だ。どこでも入手できる強力な酸を缶の中で混合させて一酸化炭素を発生させ、それを吸った人をわずか一、二回の呼吸で殺す、とフィリップは断言した。イグジットのミーティングで、彼は「ベジマイト〔オーストラリアではメジャーな発酵調味料。真っ黒なペースト状で強烈な匂いを放ち、トーストに塗ったり、日本の味噌のような使われ方をする〕の空き瓶と合法的に買える材料を使えば五十ドル〔ここではオーストラリア・ドル。約四千七百円〕ほどで誰でも作ることができる」と請けあった。「そんなに難しくはありませんよ」(4)。当時『シドニー・モーニング・ヘラルド』紙にフィリップはそう語っている。「高校で化学を学んだ人なら、誰でも作ることができます」。しかし、コージェンを使用して人が亡くなったという報告はこれまでのところ一件もない。強力な酸を扱うのには危険が伴う。それに、一酸化炭素には毒性があり、この方法で自殺を企てると、死体を見つけた人の命までむざむざと奪う結果になりかねない。

コージェンが不評だったことを受けて、次に開発されたのが科学的知識をほとんど必要とせず、毒ではなく酸欠状態を起こして命を奪う、その名も「イグジット・バッグ」だった。それにしても、人生の最期をプラスチックの袋の中で窒息して迎えるなんて、想像するだけで不快きわまりない。フィリップ自身も、イグジット・バッグが人々に嫌悪感を生じさせることは承知していたという。どちらの装置もハイテク機器としての魅力、シンプルさ、安定性、いずれをとってもデリヴァランスを上回ることはできなかった。ソフトウエアは、簡単な化学や機械では伝わらないなんらかの品格を、死へのプロセスに与えるのかもしれない。

コベント・ガーデンで開かれたイグジットのミーティングでレズリーに会ってから八カ月後の二〇一五年七月、フィリップからメールが届いた。ロンドンを訪れるという。彼がエアビーアンドビーで借りたハックニーのシックな家で、私たちはようやく会うことができた。金の額縁に入った高そうな油絵が壁のあちこちにいくつも飾られている。窓には木製の白い雨戸がついていて、床板は白いしっくい塗りだ。フィリップは緑色のショーツとトレードマークのアロハシャツを身につけ、上品な白いソファに無作法に座っていた。

彼の妻のフィオーナは、かわいがっている肥満気味のジャック・ラッセルテリア、ヘニー・ペニーが私たちのじゃまをしないよう気を使っていたが、いずれにしても私は落ち着かなかった。膝をむき出しにして私のそばに座っているこの人が手を貸して死出の旅路に送り出したすべての人たちのことが、頭の中を駆け巡っている。その数は、彼自身でさえ数えようにも数えきれないだろう。それに、フィリップは気分屋で、こうして直接会うとその印象はいっそう強くなった。そのそっけない態度に、彼がたちまち天空に姿を消すか、二度と私とは話さないと言い出すのではないかと思えてならず、私はフィリップが目の前にいる短い時間にすべての答えを引き出さなければという気になっていた。

しかも、今回フィリップがイギリスに来た理由は、いつもとはちがっていた。彼は、エディンバラ・フェスティバル・フリンジ〔エディンバラで毎年八月に開かれる大規模な芸術祭〕で披露するスタンドアップ・コメディのワンマン・ショーの準備をしているというのだ。フィリップはそれを「死の医師とのサイコロ遊び」と名づけ、その話をしたくてうずうずしていた。

「一晩の休みをはさんで二十日間、夜の六時から七時まで、ザ・ケイブズというすばらしい会場で行います。死体を盗んでエジンバラ医学校に売っていたあの悪名高き連続殺人鬼、バークとヘアの家が舞台です」。まるでお祭りの客引きみたいに、彼は言った。「犯罪、死、医学校の一連の関係性をネタにするつもりです」

フィリップがコメディアンだったとは知らなかった。もちろん、彼はショーの演じ方は心得ているだろう。そもそも記者会見も、彼にとってはある意味パフォーマンスに近いのだから。そう、言うなれば最も暗い場所に存在するコメディだ。それにしてもフィリップがコメディ？　なんのつもりだろう。言うまでもなく、このキャリア・シフトには現実的な理由があった。フィリップの医師免許がいまだ一時停止されたままなのだ。イグジットの会員は彼の裁判費用に二十五万ドルを寄付したが、裁判は継続中だった。

だが当のフィリップは、そんなのどこ吹く風だった。「お役所とはそういうものです。こちらが発信した情報がきわめて正確だから、国は免許を取り消すのです。それが有益な情報だという証拠ですよ」

「つまり、裁判によってあなたの影響力は高まったということですか？」

「**ステータス**が得られました」

コメディ・ショーでは、たぶんいつものロンドンのワークショップとは比べものにならない熱気の中で、自死のアドバイスをすることになるだろうと彼は言う。ショーが始まる前に観客は免責条項に署名するが、彼らが実際に健全な精神の持ち主かどうかをチェックするすべはない。

フィリップのパフォーマンスは記憶に残る最大の目玉になるだろう。そして、そこで紹介されるのが「デスティニー」だ。「長年の研究開発によって、私たちはついに、きわめて簡単に自らの人生の幕を閉じることができる装置を完成させました」。フィリップは興奮気味に語る。「観客に、これが未来のやり方だと説明するつもりです」

私たちの左側にあるテーブルの上に、デスティニーは置かれていた。フィリップはこれをツイッターで「デリヴァランスの息子」と呼んでいたが、それはむしろデリヴァランスと、ジャック・ケヴォーキアンの作ったマーシトロンとの間の婚外子といった感じだ。デスティニーの開発に先がけて、フィリップはケヴォーキアンの長年の友人で支持者だったニール・ニコルと話し合い、マーシトロンと同様に一酸化炭素と窒素の圧縮混合物を使用することにしたのだ。デスティニーは、どこかで見覚えのある、内側に断熱材を貼ったプラスチック製のハードシェル・スーツケースで、中にはラズベリーパイ〔イギリスのラズベリーパイ財団が教育用に開発したシングルボード・コンピュータ〕の超小型の黒いマイクロプロセッサが入っていて、マックス・ドッグ製のガスボンベと数本の鼻カニューレにつながっていた。マイクロプロセッサはスマートフォンのアプリ、またはHDMIで接続できるあらゆるスクリーンで操作可能で、デリヴァランスのソフトウェアとまったく同じ質問が表示される（「致死量の薬物」が「致死量のガス」に変わるだけ）。ユーザーの心拍数と酸素飽和度を測定するフィンガー・カフもついている。両方の数値がゼロになると、マイクロプロセッサがガスの流れを止める。プロトタイプ製作の費用は、どうしても自分で装置を試したいイグジット会員からの寄付によってまかなわれたという。死の装置は、まぎれもなくクラウドファンディングとスマートフォンの時代に突入しているのだ。

「観客の中にいる会員が舞台に上がって装置を試すことになっています。本番で使うようなガスではなく、無害なガスですがね。それでも、プロセスの全体像を確かめることができるでしょう。あのボタンを押してガスが流れ出すと、危険がないとわかっていても心拍が乱れてくると思います。どうなるか楽しみです」

フィリップによると、エディンバラのショーが終わったら、イグジット会員と『ザ・ピースフル・ピル・ハンドブック』電子版の購読者はデスティニーを二百ポンドで入手できるようになるという。使用する部品はすべて法律にかなっているが、それぞれ別々に購入しなければならない。アプリとマイクロプロセッサはイグジットで、窒素はマックス・ドッグで、鼻カニューレは好きなところで（アマゾンなら一セット一ポンドちょっとで買える）。イグジット・バッグといっしょで、お金がかかるうえに、完成までのプロセスを考えたら途方に暮れそうになるが、フィリップを守る法律の抜け穴としては申し分ない。

「最新テクノロジーに後れてはならじと、当局は死に物狂いで法律を整備しようとするでしょう。ですが、それはまるで馬が駆け出して行ってから馬小屋の扉を閉めようとするようなものです。やがて法律が変わるといううわさが世間をにぎわすことでしょうが、イグジットの成長にはなんら影響を及ぼしません」

数週間後、エディンバラのステージのレビューが発表されたが、評価はなんともいえないものだった。『デイリー・テレグラフ』紙は星ひとつだ。「ばかばかしくて幼稚」(5)と、批評家は切り捨てた。「ひどく質の悪い、本物を装った自己宣伝のためのショー」。だがそれに臆することなく、フィリップは「オーストラリア向け」バージョンをメルボルン・コメディ・フェスティバルで演じた。『シドニー・モーニング・ヘラルド』紙の批評家はやや好意的で、星ふたつ半の評価をつけ、「笑いが足りなかった」(6)と記している。

本業を辞めるにはいささか物足りない結果だったが、それはさておき、フィリップは医師を辞めた。オーストラリア医療委員会が彼の医師免許の一時停止を解除すると発表したのを受けて、フィリップは記者会見を開き、集まったカメラの前で取り戻したばかりの医師免許を燃やした。そして「本日、断腸の思いで、私は二十五年間の医師としてのキャリアを終えることを発表します」と宣言した。数カ月後、彼はオーストラリアを永久に離れ、オランダで新たな人生をスタートさせた。

私がふたたびフィリップに会ったのはそれから四年後だ。そのあいだメッセージに返信はなく、電話も無視された。それでもイグジットのメーリング・リストには私の名前がまだ残っていたので、数週間に一度、認可を受けていない業者から購入する怪しいネンブタールや法外に高いディグニタスの料金に警告を促し、オーストラリアに比べオランダがいかに進歩的かを伝え、イグジットの次のミーティングの予定を知らせるメールが届いていた。レズリーはすでにイギリス支部のコーディネーターを辞め、行方はわからない。デスティニーも同じだ。エディンバラでの初披露のあと、大々的に宣伝され、マスコミにも取りあげられたものの、その後はほとんど話題に上らず、会員に購入を促す連絡もいっさいなかった。

そんなとき、フィリップがカナダのトロントで二〇一七年に開く国際会議で発表を行うスピーカーを募集する内容のメールが届いた。会議の名称はニューテックといい、「世界中から専門家が一堂に会し、本人の意志で選ぶ安らかな死のDIY〔Do It Yourself の略。既製品に頼らず、欲しいものを自分で作ること〕を容易にするための、新しいテクノロジーの取り組みについて議論する」。ニューテックは新しい会議というわけではない。フィリップと安楽死推進運動の活動家であるデレク・ハンフリー、ロブ・ニールズ、ジョン・ホフセスが一九九九年に立ち上げ、以降数年おきに開催されている。ただ、これまでは招待者限定イベントだったため、死ぬ権利の支持者、医師、薬剤師、またはエンジニアでなければ参加を許されなかったのだ。今年は初めて一部がインターネットでライブ配信されるうえに、こちらも初めて「最も優れた死の装置」を決定するコンペが開催されることになっていた。「安らかな死をDIYする確実な方法、そのための高度なテクノロジーについての画期的な提案には、現金五千ドルが賞金として与えられます。これは、イグジット・インターナショナルに対する惜しみない遺贈によって可能になりました」と、メールには記されていた。

その後の数カ月間に、ニューテックで検討される提案の詳細が明らかになっていった。アメリカのチームが設計した「リブリーザー・デブリーザー」はおそろしげな見た目をした奇妙な装置で、車輪つきの青いスーツケースから波状のチューブが三本突き出し、パッド入りのマスクにつながっているという代物だ。同じくらい不気味なのはオーストラリア製の一酸化炭素発生装置「GULP（息がつまる）」で、これはギ酸および硫酸の入ったガソリン携行缶と小瓶につながった小さな酸素マスクだ（コージェンにインスパイアされたのは明らかで、一酸化炭素の毒性と強酸性に伴う問題まで同じだった）。リトアニアのエンジニアでアーティストのユリオナス・アーボナスが作った、乗客を極端な重力加速度に一分間曝露して七回宙返りさせ、「優雅に幸福に」殺すという「安楽死ジェットコースター」なるものまであった。

開催の一週間前、メールボックスに新たな知らせが届いた。それを読んで、私は、なぜフィリップがオランダに移り住み、突然ニューテックを一般公開することにしたのか、その理由がようやくわかった。そのプレスリリースには、「世界初、３Ｄプリンターで作られた安楽死マシンをカナダで初公開」とあった。フィリップはそこで新しい装置を発表しようとしているのだ。彼が「サルコ」と呼ぶその装置に比べたら、いままでに作られたどんな死の装置もひどく見劣りしてしまうとのことだった。

「イグジットのディレクター、フィリップ・ニチキ博士とエンジニアのアレキサンダー・バニンクによりオランダで開発されたこの装置は、３Ｄプリンターがあればどんな場所でもプリントして組み立てることができます。カプセルの中はリクライニング・シートになっていて、起動させると液体窒素が揮発して窒素ガスが充満し、酸素濃度を急激に低下させ、数分で安らかな死が訪れるでしょう。カプセルはサルコ本体から取り外し、棺として利用できます」と書かれていた。サルコ（Sarco）の名は「サルコファガス（sarcophagus）」――人の肉を食い尽くすという語源のある、古代の石棺――に由来する。

プレスリリースには、誰もいないビーチに、昇る朝日に向けて置かれた、金色の光を浴びたパールホワイトのサルコのイメージ写真が載っていた。これはヒース・ロビンソン〔十九〜二十世紀にイギリスで活躍した画家、漫画家。ナンセンスな機械を描いた漫画が有名〕やルーブ・ゴールドバーグ〔アメリカの漫画家。二十世紀の機械文明の複雑さやばかばかしさを風刺する目的で彼が発案した装置は、ループ・ゴールドバーグ・マシンと呼ばれた〕が描いたような、余った部品の寄せ集めではない。サルコの外観はジェームズ・ボンドやバットマンが乗りそうなスポーツカーか、はたまた人を異次元へと連れ出す宇宙船みたいだ。楕円形のカプセルにはムール貝のような不思議な光沢があり、傾斜がついていて左右はやや非対称、茶色がかった透明の窓がついている。サルコは魅惑的な装置だ。次のニュースレターには、サルコが「スタイリッシュで優雅」な、「陶酔感に満ちた穏やかな死」を約束する、と書かれていた。

デリヴァランスやタナトロンが自死とそれに手を貸した人を隔てるものだったとすれば、サルコは自殺幇助という概念を完全になくしたと言えるだろう。本人が死の装置をダウンロードし、それを使って自ら命を絶つのだから、ほかの人が責任を負う必要などあるだろうか？　フィリップは顧客に何ひとつ発送する必要はない。フィリップはその発明を使用する人たちと完全に切り離されることになるだろう。彼がニュースレターに書いているように、サルコなら「法を破る必要はありません。手に入りづらい薬をインターネットで輸入する必要もありません。医師もいらないのです」

いや、それだけではない。針もチューブも、ワイヤーさえもいらない。頭にプラスチックの袋をかぶる必要もない。そこに不快な要素はひとつもないのだ。サルコは、合理的自殺の支持者が長年夢見てきたものだ。それがもうすぐ、そこらにある3Dプリンターで作れるようになる。しかも設計図は無料だ——もちろん、イグジットの会員と電子版ハンドブックの定期購読者に限られるが。それでも、完璧な死がいよいよ実現するのだ。インターネット接続のある、すべての人に。

カンファレンス当日、フィリップは七分の一スケールのサルコの3Dプリント・モデルとともにライブストリーミングに登場した。縮小版サルコは、うちの子が持っている『すすめ！　オクトノーツ』のおもちゃみたいだ。フィリップは、液体窒素を使うので装置は静かだ——ガスが轟音をたてて噴出したりしない——が、カプセル内の温度が下がるので、使用の際はそれに合わせた服装をする必要があると説明した。ただ、窒素のほかにもうひとつ、まだ3Dプリントできないものがある。ドアロックを解除するのに使うデジタル・キーパッドだ。ユーザーは、精神状態に問題がないことを確認するテストに合格しなければ、アクセスに必要なコード（二十四時間有効）を入手することはできない。だが、そのキーパッドもいずれ3Dプリンターで作れるようになるという。すでに銅電気回路はプリントすることができる。時間の問題だ。

疑り深い私は、フィリップは自分が優勝して賞金を手に入れるためにコンペの開催を決めたのではないかと思ったが、そうではなかった。サルコはフィリップが開発した装置なので、そもそもコンペに参加できないのだ。優勝したのはリブリーザー・デブリーザーとGULPだったが、これらはニューテックについて伝える国際的なニュースの話題にはならなかった。主役はなんといってもサルコで、発表されるや『サン』紙からフォックス・ニュース、ヴァイスにいたるまで、あらゆる媒体で速報が流れた。なかでも印象的だったのは『ニューズウィーク』誌だ。「自殺界のイーロン・マスク誕生」(7)の見出しのあとに、「彼が開発した最新の自殺幇助装置、サルコはテスラに匹敵する」、「サルコはスタイリッシュでゴージャスだと、ニチキ博士は主張する。［中略］つまりこれは、安楽死マシンの『モデルS』なのだ」と続いた。

フィリップはそう言われただけでは満足しなかった。次のイグジットのニュースレターにもそのことばを盛り込み、ウィキペディアのページもすぐに更新された。死の医師がほかに十三人いようとかまうものか。彼こそが唯一無二の、自殺幇助の業界におけるイーロン・マスクなのだから。

それから一年半のあいだ、イグジットから届くほとんどのメールはサルコに関するものだった――オランダ、ハールレムの3Dプリンターで実物大のプロトタイプ第一号を製作中だとか、ニューテックでサルコを公開したときの配信動画がフィリップのユーチューブ・チャンネルから削除されたときには、ユーチューブは「検閲をいっそう強化するほど落ちぶれた」とか、フィリップがVRヘッドセットをつけてアムステルダム・フューネラル（葬儀）・フェアに出席する際に、ユーザーは実際に死ぬことなくサルコを体験できるとか。

そしてようやく、待ちに待った知らせが届いた。「三年の歳月を開発に注いだ、世界初となる3Dプリンター製作の安楽死カプセルが、パラッツォ・ミキエル〔ヴェネチアにある世界遺産でもある宮殿〕で開催されるヴェネチア・デザイン・フェアで展示されます」。プレスリリースにはそう記されていた。「サルコがアートの中心地、ヴェネチアで公開されることを心から喜んでいます。今年のヴェネチア・ビエンナーレのタイトルは『数奇な時代を生きられますように』。これほどぴったりなテーマはないでしょう」とフィリップは書いている。

まるでサルコがビエンナーレで展示されるような言い方だが、実際はそうではない。ヴェネチア・デザイン・フェアは、この名誉ある現代美術の展覧会の時期に合わせて行われる、まったく別の周辺イベントにすぎないのだ。とはいえ、エディンバラで舞台を踏んで以降、おそらくフィリップは世界中のメジャーなイベントにかたっぱしから顔を出すと決めたのだろう。ケヴォーキアンにはジャズ・フルートと油絵があった。フィリップにはコメディと人目を引くオランダのデザインがある。

ヴェネチア・デザイン・フェアは無料で一般公開されている。初日の夜には大がかりな記者会見が行われ、サルコの全容がついに明らかになるにちがいない。このチャンスを逃すわけにはいかない。

パラッツォ・ミキエル・デル・ブルサはカナル・グランデのほとりにある、バロック様式の威厳とむき出しのレンガ造りが織りなすヴェネチアの幻のような建築だ。一階のホールは水面と同じ高さにあって、アーチ形の出入り口から射し込む午後の陽の光で照らされていた。いかにもインスタ映えしそうなフルーツのピラミッドが、部屋の中央にある台座の上に置かれていた。短すぎるパンツ、ロングコート、黄土色のサテン・シューズを身につけた——洗練されていない私の目には滑稽に映る——人たちが、せわしなく動き回り、自撮り棒(セルフィー)を掲げていた。もう片方の手には、プロセッコの入ったグラスか、削ったパルメザンチーズと角切りのハムが載った小皿を持っていた。

かかとが細く尖ったシルバーのハイヒールをはき、床につきそうな長さのアイボリーのケープを着た女性のあとについて、私は階段を上がった。木造の階段の踊り場に巨大な黄色いスポンジが置かれている。壁に貼られたキャプションを読むと、『XXXXLスポンジ』と題されたオランダ人デザイナーによるスポンジ・シリーズの作品のひとつで、「人間が自然に与えた害を表現している」とあった。部屋の入口はエジプト人デザイナーによって作られた、さまざまな大きさのクリーム色とグレーのゴム製の球体だらけだった。

歩くとどうしても頭がぶつかって、それらを押しつぶしてしまう。ほかにも、いろいろなタイプの鏡、椅子、ラウンジャー〔プールサイドなどによくある、足を伸ばして座れる椅子〕、プフ〔足を載せる台。オットマンとも言う〕があって、まるで鏡に映る自分の姿を見ながら休憩するのが好きな人たちのための展示会みたいだ。イタリア語はもちろん、フランス語、英語、ロシア語、中国語の会話が聞こえる。観客のほとんどは、スマートフォンで写真を撮るのに夢中だった。

角を曲がると、別の部屋の入口があった。「この部屋の展示には過激なコンテンツが含まれています」と、興味をそそられる注意書きがある。部屋の中央、斜めに当たるスポットライトの下に、サルコは置かれていた。イグジットのトレードマークである紫色にラッカー塗装が施されて光り輝き、ドラマチックで印象的で、ものすごく不気味だ。内側の布張りされたシートはここに展示されているほかのシェーズ・ロング〔足を伸ばして載せられる、背もたれつきの長いソファ〕同様、エレガントに後ろに傾いている。だが、予想に反してサルコのボディの作りには粗さがあった。フレームのグレーの部分に3Dプリントの積層加工の跡がくっきり見え、未完成の手作り品のような印象を与えるのだ。これは意図的なものだと、展示キャプションでは説明されていた。「3Dプリントのプロセスをありのまま見せるため、あえて処理をしていない」のだという。それでも私はもっと完璧に近いものを期待していた。ジェームズ・ボンドだったら、絶対にこの中で死にたくないだろう。

それればかりか、ボンドはこの中に入ることさえできなそうだ。小さすぎる。明らかに背の低い人でなければ入れないし、小柄な人だってスイッチを押す前に閉塞感のあまり死んでしまいそうだ。いずれ『バック・トゥ・ザ・フューチャー』のデロリアンのようなキャノピー・ドアがつくのかもしれないが、そうなると高齢者や体を動かせない人がよじ登るのは無理だろう。私がかつてコベント・ガーデンのミーティングで会った人たちが、よしんばなんとか自力で中に入れたとしても、そもそも本当にこれを3Dプリントして組み立てることができるのだろうか？　組み立てられたとして、実際に機能するだろうか？　光るデジタル入力キーパッドはドアの横の少し奥にあるが、数字を押しても反応しなかった。カプセルの土台部分には液体窒素が入るはずの引き出しがあるが、ぴったり閉じられていた。実際に機能する装置には見えない。

ラウンジジャズの生演奏の音に引き寄せられ、私はフィリップを探そうと一階に戻った。運河沿いのデッキは、自撮りをする人たちでにぎわっている。ベビーカーに犬を乗せた人までいる。太ったジャック・ラッセルテリア……ヘニー・ペニーだ！　連れているのはフィオーナ、そしてフィリップだ。今日はアロハシャツではなく、ベージュのリネンジャケット、素敵な麦わら帽子に黒のスカーフといういでたちだ。丸メガネの奥の目は私を見つけてぎょっとしたようだったが、私たちは握手を交わした。イタリアのビールの瓶を手にしたまま、フィリップはのろのろと石の階段を上り、私とともにサルコが展示されている部屋に戻った。

私はすぐに本題に入った。「これは動きますか？　いま目の前にあるこの装置は？」

「カプセル内の酸素濃度がどうなるか測りました」

「テストしたんですか？」

「ええ。じつに順調に動きましたよ。最初の酸素濃度はここで私たちが吸っている空気と同じ二十一パーセントでしたが、一分以内に一パーセント以下にまで落ちました。酸素濃度一パーセントの環境に置かれたらどうなるか、察しはつくでしょう。強い眠気に襲われ、意識を失い、ほぼ陶酔状態になります。さあ、アレックスを紹介しましょう」

フィリップは、きちんとプレスされたブルーのスーツを着た背の高い男性に向かって手招きをした。彼がアレキサンダー・バニンクだ。オランダ人のエンジニアで、ふだんはバスや電車、医療用スプリント、人工装具のデザインをしているが、今回初めて、死についてのフィリップの考えをスタイリッシュなかたちにするために協力している。ふたりは兄弟みたいに互いの背中をポンと叩いた。

「ご感想は？」アレックスはいきなり質問してきた。

私はどう答えていいかとまどった。このような装置は見たことがないが、これが正常に機能するようには思えない。彼らのいう合理的な自死を本当に合理的にしようと真剣に考えるなら最初に取りかかるべきはずのキーパッドが、あとからのつけ足しみたいに見える。私は感心するとともにがっかりし、興味を引かれながらも不安を感じていた。

「いいご質問ですね」と私は答えた。「乗り物のような見た目です」

どうやらどんぴしゃな答えだったらしい。「これはアレックスのアイデアなんです！　動くイメージを表現したくてね。じつは、サルコのデザインの多くはアレックスのアイデアなんですよ」

「詳しく説明していただけますか？　これはどういうものなのでしょう？」

「死ぬプロセスの脱医療化です」とフィリップは答えた。観客が彼の発明品に近づき、写真を撮っていた。「人々のあいだで人生をどう終えるかを自分の意志で決めたいという傾向が強まるなかで、私が懸念しているのは、死ぬまでのプロセスの医療化が進むことです。それでは私たちは本当の意味で**自分の意志で選ぶことにならず**、ほかの人、たいていは医療の専門家に舵取りを**委ねる**ことになります。サルコなら、『私は自分で決断する。ほかの〝エキスパート〟の助けは必要ない』と言うことができます」。フィリップは人々に死をコントロールする真の力を与えるために悪役を買って出た医師、というわけだ。

「医療の手を借りるのは、最初にあなたの精神が健全かどうかを判断するときだけです。私たちが次に目指すのは、精神状態を測れる人工知能の開発です。キーパッドはあなたがテストに合格しなければ作動しません。そこにいたるまでには多くの手間がかかります。また、言うまでもなく、そんなの不可能だ、人工知能に精神科医の代わりが務まるはずがないと考える人々の根強い反対があります。ですが、開発はさほど難しくありません。問題は私たちがそれを受け入れるかどうかです。自分たちの役割を奪う人工知能に対する医療従事者の抵抗はかなりのものです。何が可能かの観点から言えば、大きな変化が起きていますからね」

アレックスはサルコが環境にやさしい製品としてグリーン認証を受けたことが誇りだと言う。3Dプリンターでその場で製作すれば、輸送に伴う二酸化炭素は発生しない。「土台部分は生分解性プラスチックであるPLA、要するにじゃがいもでんぷんや甜菜の糖分でできています」。まるで古いポテトチップスでも使って作られているかのように、彼は語った。現実には、それがきちんと分解されるのには数十年の歳月を要するのだが。「仕上げ塗料も可能なかぎり環境にやさしく、水ベースの車用ラッカーを使用しています」

「なぜそれが重要なのですか？」

「えーと、そのまま一緒に埋葬されるかもしれないからです」

「それに、埋葬するかどうかは別にして、環境にやさしいものを作りたいですから」。フィリップが口をはさんだ。「地球環境に与える負荷を抑えたいんです。こんなふうに言う人たちがいますからね。『資源を消費していいるからいますぐ死にたい』、『寿命が来たんだ、地球に負担をかけたくない』、『地球のために正しいことがしたい』。興味深い視点だと思います」。話を聞いていて、デリヴァランスを使った最初の患者であるボブ・デントが、妻の重荷になるのを拒んだのを思い出した。誰だってお荷物になるのは嫌なのだ。

だがフィリップが何を言おうと、私は目の前にある装置が機能するとはどうしても思えなかった。そこで、アレックスに質問を投げかけた。

「まだコンセプトの段階なんです」と彼は慎重に答えた。「展示スケジュールの関係で、今回の土台は作動しませんが、上の部分は動きます」

「中で寝てみましたか?」

「いえ」。ビールを飲みながらフィリップは言った。

「僕は怖いよ」とアレックスは笑った。

「尻がはみ出すかもしれません。公開前にそんなことになるのは嫌なので」

「背の高い人も入れるでしょうか?」

「めいめいで作るものですからね。体が大きい人は自分の体格に合った大きさでプリントすればいいんです。ただ、それはどこでサルコを使うかによります。自分のクリニックがある人なら、誰にでも対応可能なサイズをひとつ置いておくということになるかもしれません」

「スイスではそうなるでしょうね」とフィリップはうなずいた。

フィリップは意気揚々とスイスの話をしはじめた。イグジットは医療施設とは異なる世界初の安楽死クリニックを開き、そこで死ぬためのサポートを提供する予定だ。スイスでは自殺幇助が法律で認められているため、3Dプリントしなくても、クリニックに行けばすぐに装置を使うことができるようになる。すでに建物を見つけ、スタッフを採用したという。「サルコを直接提供できるのはスイスだけです。イギリスの家で使いたければ、3Dプリントしなければなりません」

「プリントするのにどれぐらい時間がかかりましたか?」

ひきつったような笑みを浮かべながら、ふたりは互いを見た。

「言ってもいいかな?」アレックスは笑った。「ちょっとかかりました。作業は四カ月続きました」

「そんなにですか。つまり、安らかな死を願うなら、ずいぶん前から計画しなければならないわけですね」

「ええ。せっかちな人には向きません」。フィリップはそっけなく言った。

プロトタイプを作るのにいくらかかったかという私の質問に、彼らは「かなりの額」だが、「イグジット会員からの多額の寄付」を充てたと答えるだけだった。フィリップの名誉のために言っておくと、彼はいますぐサルコをプリントしたいという人々が殺到するとは予想していない。二〇三〇年には普及しているのではないかとみている。そのころには大規模な3Dプリントも一般的になり、価格も手頃になると見込んでいるのだ。ただ、部分ごとにプリントしなければならないことに変わりはなく、フレーム、本体のパネル、それ以外の部品を組み立てる必要があるのだという。そのほかに、ガスも必要だ。

「液体窒素はどこで手に入れればいいのですか?」

「自分で買ってください」。うんざりしたようにフィリップは答える。

「どこで？」

「だから、液体窒素を売っている店で」。そんなものどこにでも売っているだろうというような口ぶりで、小ばかにするように彼は言った。きっとマックス・ドッグがまもなく独自の製品を出すのだろう。「そのへんにたくさんありますよ。別に薬物じゃないんですから」

サルコをプリントアウトしたら、液体窒素を注いでコードを入力する。内部にはサルコを動かすためのボタンがいくつかある。緑の「死ぬ」ボタンを押せばガスが充満しはじめ、もし途中で気持ちが変わったら赤い「ストップ」ボタンを押すことができる（これらのボタンはカプセル内でしか押せないようになっている。サルコが殺人の道具として使用されることを防ぐための安全対策だ）。緊急を要する場合に押す脱出用ハッチのボタンも備わっているが、決断までに与えられる時間は長くはないようだ。

フィリップの説明では、「一分で意識を失います。ふつうに呼吸をしていると、すぐに頭がぼんやりしてきて、強い高揚感を覚え、陶酔状態に陥り、意識を失い、五分後には死んでいます」

いっぽう、デザインのほうにははっきりした意図があるとアレックスは話す。「周りに武骨な防御線が張り巡らされていて、あなたを制止して『考え直せ』と訴えかけます」。彼は交通整理をする警官のように手のひらをこちらに向けた。「反対に、近くで見てみたい、どんなものか知りたいと思わせるソフトな側面もあります。というのも、見た感じが車に似ているからです。しかし、左右非対称という変わった車です。こちら側からは中に入れず――」と言って、アレックスはコントロール・パネルのないほうの側面を指さした。イギリスでいう運転席側だ。「ドアがありませんので、反対側に回り込まなければなりません。この中で命を終える次のステップに進むには、自分からもうひとつ行動を起こす必要があるわけです。最後に決断するのは本人なんです。サルコを使うことで、その死がこの中で人生を終えた人が望んだ、正しい決断なのだということがほかの人々に伝わるのです」。法的な理由から、サルコの使用方法は直感で理解できるものでなければならない。「誰かが使い方を説明しなければならないとなると、人の力を借りることになりますからね。装置を見てすぐわかるようでないといけません」

フィリップは、人が死ぬのを手伝っても罰せられないようにするためだけにサルコを開発したのではない。それを使って死を魅力的なものにしたいのだという。「そのスタイル、特別感。人に知られないようひとりでこっそり死について考えるのではなく、人々がその意味をとらえ直してセレモニーに生まれ変わらせる機会を与えるところが気に入っています。あらゆる人に適しているとは思いませんが、同意する人は多いです。外観もとても素敵です。アルプスや北海やオーストラリアの砂漠が眺められる場所に運ぶのもいいでしょう。行きたいところ、どこにでも」

「サルコの需要は必ずしも尊厳ある死ではなく、死をイベント化したい願望にあるということですか？」

「ええ」。ゆっくりうなずきながら彼は言った。「それが一部の人たちに魅力的に映るようです。いまサルコを使いたいと言って連絡してくる人たちは、サルコならネンブタールを飲むというやり方では得られない、死を特別なできごとにする機会が手に入ると考えています。サルコが人々の旅立ちに特別感を演出するのです。『行ってくるよ。君とはここでお別れだ』と言ってドアを下ろす、そういう最期がいいという人たちはいますから」。生前葬をやりたがるタイプの人たちだろうか。

サルコにはまた、フィリップがいつも話しているような、恍惚状態で死ぬ「高揚感」という魅力もある。彼自身、空軍時代に高速飛行による減圧症を経験したとき、低酸素が引き起こす陶酔感を味わったことがある。気分がよかったという。

「人によって向き不向きがあります。サルコに入りたいと思う人ばかりではないでしょう。『そんなのは嫌だ。死ぬときは愛する人の手を握っていたい』という人もいます。それはサルコには無理ですから」

「背の高い人用の装置を作れるなら、一台にふたり乗れる装置もプリントできるかもしれません」。助け船を出すように、アレックスが口をはさむ。「なんだって可能性はあります」

「でも、ふたりで乗る場合、双方が死に同意していることをどうやって確認するんですか？」私はたずねた。

「それはソフトウェアの問題です。ふたりともテストに合格しなければなりません」とフィリップは答えた。

「けれども、コードを入力したのがどちらかひとりだけではないことを、どうやって確認するのでしょうか？」

フィリップは歯ぎしりした。十秒の沈黙があった。それから、ふたりはばかみたいに笑いだした。

「インタビューはここまで！」アレックスが叫んだ。「終了（カット）！」

夕暮れのヴェネチアでデザイナーに囲まれ、サルコの検討不足な点について釈明し、ＸＸＸＸＬスポンジと同じひとつのアイデアでしかないと言い、あくまで話の種でしかないとはぐらかそうとするのは簡単かもしれない。だが、これはオロン・カッツのカエル肉とはちがう。サルコは死を自らの手でコントロールしたいと切に願う人たちの資金によって支えられ、実行可能なアイデアと広く報じられているうえに、イグジットの有料会員に積極的に売り込みが行われ、問い合わせも増えている。お遊びではないのだ。

「十年後には実際に世界中で人々がサルコの中で死ぬようになると考えていますか？」と聞いてみた。

「そういうことが受け入れられるようになると思います」

「袋をかぶるよりはいいですよ」。アレックスは穏やかにそう言った。「テクノロジーは世界の様相を変えつつあり、死もその例外ではありません。人生の最期を自分でコントロールする人はもっと増えるでしょう。ただ生きつづけさせるだけの現代医学に、人々は言うでしょうね。『もううんざりだ』と」

「だからといって人を殺す機械や、死に対する考え方を変えることが、その答えなのでしょうか？」

「それらは密接に関連していますよ」とフィリップは言った。

アレックスは安楽死ビジネスに足を踏み入れて、それほど日がたっていない。「自分が作った装置で初めて誰かが自殺を図ったとき、自分がどう感じるか考えたことはありますか？」

「彼らがサルコを使えるかどうかを判断するのはフィリップでしょうし、私は彼を信じています」。アレックスは肩をすくめてそう答えた。「私たちの責任は装置を作るところまでです」

私はアレックスにプロセッコを飲むようにすすめられた。地元産ですこぶる質がよいのだそうだ。受付に戻ると、フルーツのピラミッドは食べ尽くされていたが、お酒はまだあった。私はグラスを持ち、カナル・グランデそばのデッキに立った。生バンドが休憩をとっているあいだ、スピーカーからはエラ・フィッツジェラルドとルイ・アームストロングの歌う「チーク・トゥ・チーク」が流れていた――「まるで天国にいるみたいだ」。この世は穏やかで、バラ色で、美しく、気楽で、楽しい。

いや、そんなことはない。現実はグロテスクだ。フィリップのヴェネチアまでの旅費と発明品に資金を出した人々は、喜びに満ちて華々しく次の世界に飛び立ちたいわけではない。彼らは絶望、恐怖、悲しみ、苦しみ、そしてパニックを抱えて生きていて、その現実から救い出してくれる誰かを求めている。だが、サルコは彼らを助ける実行可能な方法などではなく、ここでの公開はどう見ても自己満足、つまりフィリップの自我を満足させるひとつの通過点でしかないように見える。

上の階で見たプロトタイプが完璧に動作する状態にあったとしても、それは死を自分の手でコントロールしたいと切実に願う人々にとっての答えにはなりえない。このテクノロジー、そしてそれを使用する権利を手中に収めているのはフィリップだ。彼が知的所有権を持っているのだから、それを使いたければ、彼の組織に入会を認められ、彼にお金を払わなければならないのだ。

そのとき、フィリップが別れ際に言ったことばがふと頭をよぎった——「サルコをオープンソース化するつもりです」と、彼は言ったのだ。『ザ・ピースフル・ピル・ハンドブック』の購読者が使用できるようにするつもりです。要するに、一定年齢以上の人で、契約が必要になります」。彼は肩をすくめて見せた。「いいですか、たしかに法外な金がかかります。でもそれは本質的な問題ではないんです」

フィリップは、自分の発明を誰が利用するのかを完全にコントロールできないことなど、わかっている。それを生み出したのは自分だと誰もが知ってさえいれば、彼にとってあとはどうでもいいことなのだ。

[注]

(1)「ありがとう、ありがとう、ありがとう」と言った

Lisa Belkin, 'Doctor Tells of First Death Using His Suicide Device', New York Times, 6 June 1990, https://www.nytimes.com/1990/06/06/us/doctor-tells-of-first-death-using-his-suicide-device.html

(2)彼の患者の大半

L. A. Roscoe, J. E. Malphurs, L. J. Dragovic and D. Cohen, 'A Comparison of Characteristics of Kevorkian Euthanasia Cases and Physician-Assisted Suicides in Oregon', Gerontologist, Volume 41, Issue 4, 1 August 2001, pp. 439–46, https://academic.oup.com/gerontologist/article/41/4/439/600708

(3)解剖の結果

A lot of this comes from work done by the Detroit Free Press, referenced here: Update, Volume 25, Issue 3, Patients Rights Council, 2011, http://www.patientsrightscouncil.org/site/wp-content/uploads/2011/07/Update_2011_3.pdf

(4)「そんなに難しくはありませんよ」

'Nitschke launches $50 death machine', Sydney Morning Herald, 18 November 2003, https://www.smh.com.au/national/nitschke-launches-50-death-machine-20031118-gdhss2.html

(5)「ばかばかしくて幼稚」

Mark Monahan, 'Edinburgh 2015: Dicing With Dr Death, The Caves, review: "witlessly infantile"', Daily Telegraph, 8 August 2015, https://www.telegraph.co.uk/theatre/what-to-see/edinburgh-2015-dr-death/

(6)「笑いが足りなかった」

Cameron Woodhead, 'Melbourne International Comedy Festival review: No one dying of laughter in Philip Nitschke's Dicing With Death', Sydney Morning Herald, 4 April 2016, https://www.smh.com.au/entertainment/comedy/melbourne-international-comedyfestival-review-no-one-dying-of-laughter-in-philipnitschkes-dicing-with-death-20160404-gny6oz.htm

(7)「自殺界のイーロン・マスク誕生」

Nicole Goodkind, 'Meet the Elon Musk of Assisted Suicide, Whose Machine Lets You Kill Yourself Anywhere', Newsweek, 1 December 2017, https://www.newsweek.com/elon-musk-assisted-suicidemachine-727874

第15章 「完璧な死」とは何か

人はなぜ、なんでも車にたとえたがるのだろうか？　リアルドールはアダルト・トイのロールスロイス。DSドールはブガッティ・ヴェイロン。クリーンミートは馬や、肉を運ぶカートを時代遅れにする自動車。そしてフィリップがイーロン・マスクなら、サルコは自殺マシンのテスラだ。

だがフィリップの場合、サルコを生み出した真のインスピレーション源は自動車ではなく、チャールトン・ヘストンが主演した一九七三年のカルト映画だった。

「じつを言うと、もともとのアイデアは、『ソイレント・グリーン』の死のシーンから生まれたんです」。ヴェネチアで、彼はビールをすすりながらそう言った。「この映画が描き出す未来では、人は『私の人生はそろそろ終わりだ。地球のために正しいことがしたい』と考えます。私たちのもとには、そういう考えの人たちがやってくるんです」

そう聞いてもなんの興味もわかなかったが、公開から数週間、フィリップはサルコについて語るとき、必ず『ソイレント・グリーン』を引き合いに出した。プロモーションのためにハフィントン・ポストに書いた記事(1)では、その「画期的な」映画について熱く語った。ヴァイスの短いインタビュー(2)では、「地球にとって正しいことをするための死」という奇妙な考えを繰り返し口にしていた。そのため、私は映画の中古DVDを買って、彼が何を言おうとしているのか理解しようとした。

映画の舞台は、悪臭がたちこめ暴力がはびこる二〇二二年のニューヨーク。人口は四千万人を超え、うだるように暑い。粗暴な刑事(名はソーン。チャールトン・ヘストンが演じた)がある殺人事件の捜査の過程で図らずも世界的陰謀を明らかにしてしまう、月並みなストーリーだ。増えすぎた人口と地球温暖化によって従来型農業では食料を供給できなくなり、人々は研究室で生み出されたスーパーフード、ソイレント・グリーンの配給を受けて生きながらえている。「高エネルギーのプランクトンから作られる奇跡の食品」と謳われているそれと似たようなものが、今日のシリコンバレーでまことしやかな謳い文句とともにいくらでも作られていそうだ。

フィリップが影響を受けたという死のシーンは、映画の最後のほうに出てくる。ソーンの親友で同居人、古き良き時代を知る老人ソルが不気味な建物に入って行く。そこではやさしそうな微笑みを浮かべた人々が、彼に好きな色(「オレンジ」)と好きな音楽のジャンル(「クラシック」)をたずねる。オレンジ色のフリンジのついた白いガウンを着たスタッフがソルの腕を取り、墓のようなかたちをした高さのあるベッド――まさに棺(サルコファガス)だ――にソルを連れて行く。その上に寝かされてシーツをかけられ、オレンジ色の光を浴びながら、ソルはコップに入った何かを飲まされる。ボタンが押されると、巨大なスクリーンには画像が映し出され――オレンジ色のチューリップ、オレンジ色の夕日、さらさらと流れる小川、熱帯魚、山、一面に睡蓮が咲いた湿地帯――、ベートーヴェン交響曲第六番が鳴り響く。

ソルは目を見開いたまま亡くなる。スクリーンとオレンジ色のライトのスイッチが切られる。ガウンを着た人々は彼の遺体をシュート〔ものを下に滑り落とす装置〕に運ぶ。ソルの体はソイレント・グリーンの工場へ送られ、加工される。ソイレント・グリーンの秘密の材料はプランクトンではなく、人間だったのだ。「ソイレント・グリーンの原料は人肉だ！」ラスト・シーンでヘストンは叫ぶ。「ソイレント・グリーンは人間なんだ！」

私はエンドロールを茫然とながめた。『スタートレック』や『フューチュラマ』など、安楽死のシナリオが想起されるSF作品が数々あるなかで、フィリップがインスパイアされたのがこの作品だというのか？『ソイレント・グリーン』で自らの意志に基づく穏やかな死を通じて描き出されるのは、過剰な人口を抱える地球の負担を軽くしようという、年老いて元気を失い、絶望した人の従順さだ。ほかの人間の食料になるための死。正気とは思えない。フィリップは本気でこれを教訓とすべき物語ととらえ、死の場面を観て「地球のために正しいことをしている」と思ったのだろうか？　たしかに、ソルは痛みも感じず、いつ死ぬかを自分で選び、好きな色の光を顔に浴びながら亡くなった。だがその死の先は最悪だった。

地球を救うサルコのリクライニング・シートについてのフィリップの説明は、カート・ヴォネガットの短編小説『モンキー・ハウスへようこそ』(3)に出てくる、合法的な自殺ホームに不気味なほどそっくりだった。物語の舞台である百七十億人が暮らす世界では、人口過剰を食い止めようと、政府が国民に「だれでも最寄りの自殺ホームに行き、ホステスにたのみさえすれば、ゴンドラ式の寝椅子、バーカラウンジャーに横になっているうちに、痛みもなく殺してもらえる」〝道義自殺〟を奨励している。おそらくこれが、残酷なまでに合理的な自死だ。生きる目的を果たしたと思ったらその足で、できるだけ早くこの世を去り、貴重な資源を消費するのをやめる。理にはかなっている。

このような選択をしなければならない時代に、私たちは近づいている。シリコンバレーでは死に抗うことが重要な目的になった。アンチエイジング研究に投資するベンチャー・キャピタリスト(4)は、死が現在のような、いつ降りかかってくるかも知れない恐ろしい影ではなく、生きるのに飽きたとき積極的に選ぶものになる未来が来ると考えている。死から逃れるのは不可能でも、少なくとも裕福な国々では、人間の寿命は想像をはるかに超えるところまで延びていくだろう。サルコは終末期の病人のためではなく、その席になんとか体をねじこめる力がある人、寿命がきたわけではないが生きるのにうんざりして死ぬ決断をした人のために作られたのだと思う。そして将来、このような死を人々の権利として認めるかどうかを判断するにあたって病気や障害といった要素は重視されなくなり、命の門番の役目を果たすものがなくなる。よって、死が自由意志に基づく合理的な選択であるという確信が、これまで以上に重要になるのだ。

だからこそ、サルコに入力するコードを手に入れるためには精神の健全性や自らの行為への理解度の基準を満たす必要が出てくるわけだ。フィリップがうかつにも、頑迷な医療界が避けがたい技術の進化に屈したら、すぐにでもＡＩに任せるつもりだと言ったあのテストだ。はたから見れば、そのプログラムは、容易に開発できそうに思える。デリヴァランスのソフトウェアに、すでにその機能がうまく組み込まれていたからだ。画面を開くと、まずは「最後の画面に進み、『はい』をクリックすれば致死量の薬物が投与され、自分が死ぬことをきちんと理解していますか？」続いて「次の画面に進み、『はい』をクリックすれば、自分が死ぬことを本当に正しく理解していますか？」と質問される。そこにはあいまいさのかけらもない。

しかし、決断の合理性を正確に判断するには、状況の適切さをも評価しなければならない。患者が一時の感情でなく真に本人の価値観から決断しているかどうかを評価するのに、医師が行うのが価値判断である。つまり、テスト中のみならず、テストを受ける数日間、さらには数年前の言動についても考察するのだ。医師は患者の決断に同意する必要はない。患者の答え、行動、既往歴に基づいて、それが合理的になされた判断であることを確信しなければならないだけだ。それは科学であると同時に、技術でもある。この価値判断は、フィリップが嫌う「患者にとって何が最善かを知っているのは医師だけだ」という姿勢の最たるものだが、同時に、合理的な死が一般化した近未来を予測するにあたって私たちが頼れるたったひとつの方法でもあるのだ。人それぞれの込み入った事情をコンピューターが正しく理解できる可能性はいまのところ低いし、フィリップが３Ｄプリンターの普及によって入手しやすい価格のサルコをどんどん世に送り出せるようになると予想する二〇三〇年までにどうにかするのも、おそらく無理だろう。だから、毎回のテストを確実に行うことが本当に重要なのだ。なぜなら、それは常に生死にかかわる決断だからだ。

ソフトウェアは中立ではない。ＡＩはそれをプログラムした人間がもつ偏りの影響を必ず受けるからだ。どんな医師の評価もそうなる可能性があるように、フィリップがよいと思うことがＡＩの価値判断の基準として組み込まれるだろう。安らかな死を迎える手段を手に入れられるのは本人がそれを自らの意志で選んだときに限定するべきだ、というのは自由主義者の見解、つまり政治信条ではあるが、実際にはそうなっていない。フィリップはテクノロジーを駆使し、国にも医師にもじゃまされることなく、自分の世界観や死生観を押しつけることができる。実際に、彼は自分が生み出した装置の中で死んでいく人々のみならず、遺族たちにもそれを強要している。自分が軽蔑する上から目線の医者たちと同じパターナリズム〔強い立場の者が、自分の行動が弱い立場の者の利益になると思い、当人の意思を問わずにその意思決定に介入・干渉すること〕にどっぷり染まった態度だと言ってもいい。

死ぬ権利に関するフィリップの見解がどれほど極端かを最も雄弁に物語るのが、ノア・ポトーベンの死を伝える報道に対する彼の反応だ。ノアはオランダの十代の少女で、十一歳のときに性的虐待を受け、十四歳でレイプ被害に遭ってから、自傷行為、拒食症、鬱病、心的外傷後ストレス障害（ＰＴＳＤ）に苦しんでいた。二〇一九年六月四日、デイリー・メール・オンラインは「鬱病で、生きていくのが耐えがたい苦痛である」という理由で、ノアが十七歳の若さで「安楽死クリニックの助けにより、自宅で合法的に安楽死していた」と報じた。記事はサイトのトップニュースとなり、オーストラリア、インド、イタリア、アメリカでも大きく報じられた。

その翌日、フィリップから浮かれたプレスリリースが届いた。「精神疾患を患う十代のオランダ人少女が亡くなり、安楽死を巡る各国の議論の微妙な差異が明らかになった」。見出しにはそう記されていた。「本日世界中でニュースとなった、アルンヘムに住む十代のノア・ポトーベンの、クリニックの幇助を受けた安楽死は、この二十年のあいだにオランダで安楽死に関していかに高度な議論が行われてきたかを証明しています。いま私は、すべての人の人生の終わりにかかわる意思決定を偏見なく受け入れる、世界の先頭を走る国に住んでいます」と、彼は大げさにまくしたてた。「この国には、彼女の病気はそれほど重かったのかとヒステリックに騒ぐ人はいません。ノアは病気ではありませんでした。少なくとも身体的には。彼女が精神疾患を患っていたという事実には、議論の余地はほとんどありません。［中略］苦しみから解放されたいという**彼女の**意志が尊重されたのです」

だが、それは真実ではなかった。フィリップが見解を発表した数時間後、じつはノアはいっさいの飲食を拒絶して自宅で亡くなっており、誰も彼女の死に手を貸していなかったことが明らかになったのだ。ノアは二〇一七年、両親に黙って安楽死クリニックを訪れたが、依頼を断られていた。「私は若すぎると言われました」と、亡くなる半年前に彼女は『ヘルダーランダー』紙(5)に語っている。「まずPTSDの治療を終わらせるべきだ、私の脳はまだ完全に成長していないのだから、というのが彼らの考えです。つまり、この状態が二十一歳の誕生日まで続くのです。そう聞いて心が折れました。そんなに長いあいだ耐えることなんて、できません」

国際的な関心が高まるなか、オランダのヒューホ・デ＝ヨンゲ保健相はノアの死について調査を行うと発表した。「ノアの家族に連絡をとっていますが、このケースに安楽死の疑いはないと彼らは話しています。ノアの死と彼女が受けていた治療について疑問が生じるのは理解できますが、事実関係が明らかにならないかぎり、はっきりしたことはわかりません」と大臣は述べた。

その後フィリップはブログに訂正コメント(6)を投稿し、ニュースを誤解したものの、それは問題ではないと記した。「オランダでは、ノアの死因にまつわるフェイクニュースにそれほど意味はありません。［中略］彼女の両親が娘に意志を貫き通させることができたこと、そして早まった行動をとるなと騒ぐ（ヒーロー気取りの）医師がいないという事実に、この国のすばらしさが表れています。彼女に手を貸さなかったことはともかく、少なくともじゃまをしないことでノアに敬意が払われたことは、私たちの死に『過保護に干渉』したがる国家にとってよい教訓になるでしょう。合理的自殺は基本的な人間の権利なのです」

私も、人間には自らの意志で死ぬ権利があると考えている。絶望の淵にある人々を苦しむがままにさせ、愛と慈悲の心に突き動かされたレズリーのような人が法を犯してまで尊厳ある安らかな死をひたすら願う友人を助けた結果として測り知れない重圧に押しつぶされているこの時代を、未来の世代が恐怖におののきながらふり返るときが、いつか来ると信じてもいる。しかし私は、心に傷を負って拒食症に苦しみ、自傷行為を繰り返した子どもの飢餓による死を「教訓」にすべきだとは、とうてい思えない。

フィリップは誰でも自分で時と場所を選び、苦しむことなく死ぬ権利があると考えている。たとえノアのようにPTSDの治療を受けている最中だろうと、脳がまだ発達段階にあろうと。そして、いつか彼らの気持ちが変わるかもしれないと考えるに足るもっともな理由があっても。精神の健全性をテストして、彼が提供する情報やテクノロジーを利用することができないという結果が出たところで、もしフィリップが「重い精神疾患を患う人でも問題なく死を決断できる」と判断すれば、無意味だ。サルコのキーパッドはそのうしろ暗さを覆う隠れ蓑であり、誰が使おうが自身はいっさいの責任を負うことなく、フィリップが装置を売り込めるようにするための免責事項なのだ。この先最先端のAIが精神科医に取って代わるかどうかなど、じつはどうでもいい。フィリップが望んでいるのは、とにかく誰でも彼の装置が使えるようになることだ。たとえ、彼らがもっと生きたいと思い直す日がいつか来るかもしれないという希望が残されていても。

のどかなノーフォークにある、四方を野原に囲まれたコテージで、私はレズリーに会った。彼女はこまごまとした文章を書き、地元の英国王立鳥類保護協会の活動に熱心に取り組んでいた。人々に自殺の方法を教えていたのは、もう遠い日のできごとだ。イグジットにかかわった時間は、いまでは苦い記憶でしかない。「すばらしいと思ったんです」。強い日が射し込むリビング・ルームで、レズリーはそう語った。「ミーティングに行くと、みな誰かに話ができて心からほっとしていることが、手に取るようにわかります。安楽死を考えているなんて、なかなか誰にも打ち明けられないですからね。自由に心おきなく話ができる安全な場に、このうえなく価値があるように思いました」

レズリーは会員同士が交流できる全国的なイベントを企画した。オーストラリアのイグジット本部も乗り気に見えたが、彼らのいちばんの望みは会員数を増やすことだった。「できるだけたくさんの人を入会させ、ハンドブックの定期購読をすすめ、本やその他の製品を売り、収益をあげつづけろと言われました」。彼女は悲しげに微笑んだ。「あの仕事を受けたとき、自分がセールスをすることになるとは思いませんでした」

イギリス支部の会員は、お金を払った見返りに何を得られるのだろう。レズリーはしだいに疑問を感じはじめた。連続殺人犯ブレイリーの一件以降、フィリップはロンドン警視庁の監視対象になったため、彼自身が指導するワークショップの開催は約束できなくなった。「あれは、イグジットが知名度をあげたくてわざとことを荒立てたんじゃないかとも思いました。新聞やニュースなど、イギリスでフィリップの評判をいっそう落としそうな報道があるたびに、彼らはむしろとても喜んでいましたから。でも、会員のために行っていた活動に影響が及ぶようになって、私は落胆しました」

レズリーは自殺志願者との電話に加え、イグジットに装置を注文したのに届かない、場合によっては一年以上待たされている顧客からの苦情まで処理するようになったという。彼女はそうした人たちに代わって本部と交渉し、全額返金させた。だが、彼らはなにもお金を取り戻したかったわけではない。フィリップが約束した安らかな死を、是が非でも叶えてほしかったのだ。彼らにはほかに頼れる場所がないのだから。

最悪だったのは窒素の販売だ。イグジットは、圧縮窒素ボンベをオーストラリアからイギリスまで手ごろな費用で運んでくれる運送業者を見つけることができなかった。だがそんなとき、イギリス国内でボンベの供給業者が見つかった。マーゲイトにある会社で、価格は一本四十三ポンドだ。イグジットはそれをマックス・ドッグ製として一本四百六十五ポンドで売った。

「『国際送料込み』の値段でした」。レズリーは申し訳なさそうだった。

「ぼろもうけですね」

「はい。その通りです」

「では、会員は、マックス・ドッグ・ブランドだから、自分はイグジットの製品を買ったと思っていたのでしょうか?」

「マックス・ドッグのステッカーが貼ってありましたが、みなさん、イギリスで調達されたことは知っていました。ですから、詐欺などには当たらないと思います」。彼女は座ったまま体を動かした。「莫大な利益に思えますが、イグジットには安定した収入がどうしても必要でした。マックス・ドッグ製品の開発に多額の資金を投入していたからです。だから私は満足でした。最初のうちは。そういうものだと思っていました」

「いまになって、どう感じますか？」

レズリーは眉をひそめた。「もちろん、コストをまかなわなければ倒産するのは理解しています。ですが、人々の願望や必死の思いにつけ込んで利益をあげていたケースもあったと思います。会員が自分で窒素ボンベを調達できるわけがないと、彼らはよくわかっていました。高齢だったり病気だったりでそう簡単にはいかないことも、目的を支えるほんの少しの忠誠心があれば、イグジットから法外な値段で買う以外の選択肢がないことも」

供給業者が見つかっても、イグジットはイギリスで安価な窒素を継続的に販売する方法を確立することができなかった。レズリーの話では、彼女が勤務していたときなんとか発送できた窒素ボンベの数は、たったの三本だったという。購入した人がそれを使って命を終えたかどうか、彼女は知らない。

レズリーとイグジットは、彼女がイギリス支部のコーディネーターになってわずか半年で袂を分かつことになった。「会員が当然手に入れるべきものと、実際に手に入れられるものの差があまりに大きかったのです。フィリップはとにかく熱心に、イギリス支部はこのまま活動を進めていくべきだと言い、私たちは妥協点を見出そうとしましたが、無理でした」。彼女の契約は双方の合意のもとに終了したそうだ。「信じていたことが実現せず、とても失望しています。イグジットがたくさんの人たちのためにすばらしい活動を行っていると、私は心から信じていました。組織の内情を知ってしまったいま、彼らが会員を最優先に考えているとは言えません。多くの会員が見捨てられ、裏切られています」

バークシャーに住むデイヴィッドの体調は快方に向かっていた。ＮＨＳが、原因不明の腸の不調の理由を突きとめたのだ。「それ以来順調です。正しい治療法がわかったので、調子がいいんです」

私たちは彼の家のリビング、海外旅行で集めたオーナメントに囲まれた大きなテレビの横に座っていた。デイヴィッドは少し落ち着きがない。もうすぐ娘が帰ってくるのだが、なぜジャーナリストが彼の家のソファに座っているのか、説明するのが億劫なのだという。だが彼は、どうしても私と話をしたがった。今度の理由は落ち込んでいるからではない。怒っているからだ。

「イグジットには心底幻滅しました。知れば知るほど、裏の目的があるんじゃないかと疑うようになりました。彼らは話題作りだけはとてもうまいですが、イギリスにインフラ、つまりサプライ・チェーンのひとつもありません。いったいなんのための話題作りなのかと、疑問に思わずにはいられませんよ」

デイヴィッドはイグジット会員がやるべきことを全部実行した。『ザ・ピースフル・ピル・ハンドブック』を購入し、苦労しながら読み終えた。ワークショップや支部のミーティングに出席できるよう、会員にもなった。ただクレジットカード情報を教え、申し込み用紙に年齢を記入しただけだ。イグジットは彼の年齢も精神状態も、いっさい確認しなかったそうだ。そして、デイヴィッドは求めていた情報を手に入れた。そこまではよかった。

初めて話したとき、彼はイグジットの料金が法外なのは承知しているが、フィリップを信じているのでかまわない、と語った。ところが、あとになってだんだん怪しいと感じはじめたという。

「彼らはいちばん弱い人たち、そしてなんとしても目的を果たしたいと思う人たちを利用しています」とデイヴィッドは言う。

「イグジットの存在を知ったときのあなたは、とても落ち込んでいたんですよね？」

私の質問の意図に気づいて、彼は「思うに、私の目的と気持ちの落ち込みとはなんの関係もありません」と水を差した。「私は基本的に、どんな人にもいつどこで死ぬかを選ぶ権利があると考えています。安楽死に反対するグループは鬱病を槍玉にあげて死ぬ権利を認めない理由にする傾向がありますが、それはまちがっています。ええ、たしかに私は落ち込んでいました。でも、鬱病にのみ込まれたことはありません。鬱病の影響を軽んじる気はありませんが、気分の落ち込みが必ずしも自殺の引き金になるわけではないのです」

デイヴィッドが最も怒りを感じているのがデスティニーだ。「これぞ完全な解決策だ、たいしたものだと思いました。二百ポンド払って装置を手に入れたら『どうもありがとう、問題はひとつ残らず解決しました』となるものだと。ところがよく見てみると、装置を動かすにはいろいろな付属品をそろえなければならないらしい。たとえばガスの混合物を入れる缶が必要ですが、イグジットでは売っていないんです」。彼が話しているのは、デスティニーやマーシトロンで使用される一酸化炭素と窒素の混合物のことだ。「たとえ販売されていたとしても、イグジットの窒素の価格を知れば、それにどんな値がつくか想像できると思います。数百ポンドもするんです。装置の二百ポンドのほかにですよ。『ザ・ピースフル・ピル・ハンドブック』を読むかぎり、デスティニーは使用されたことがありません。効果が証明されていないテクノロジーなんです。なのに、じつのところ、とんでもなく誇大な宣伝をされていたんです」

フィリップがエディンバラでデスティニーを公開したとき、デイヴィッドは自分が最初の顧客のひとりになれるかどうか知りたいと思った。「少なくとも二回はイグジットに問い合わせて、システム全体がどう機能するのか、何が含まれていて何が含まれていないのか、何を買わなければならないか質問しました。でも残念ながら、答えてはもらえませんでした」。いまとなってはデスティニーは客寄せのための道具でしかなかったと、デイヴィッドは考えている。「イグジットが有名になれば、それでよかったんです。彼らが望んでいるのは会員を増やすことです。ハンドブックの購読者を増やすことです。ああいう宣伝をして得をするのは、彼らだけですよ。死ぬ権利の法案が下院に提出されてからはとくにそうです。法案の内容はずいぶんと生ぬるく、反対多数で否決〔二〇一五年の議会で賛成百十八、反対三百三十票で否決された〕されましたから、今後しばらく再検討されることはないでしょうが」

デスティニーを使って亡くなった人がいないことは、フィリップもあっさり認めている。彼はぼんやりした「法的理由」を挙げて、デスティニーはプロトタイプで終わらせるよりほかないと述べている。デスティニーやコージェンと同様に、トップニュースになっただけで、サルコも失敗に終わるのかもしれない。いや、果たしてそうだろうか。サルコについて、フィリップはずいぶん具体的なプランを立てていた。イグジットの新しい安楽死クリニックのための建物をすでにスイスに確保し、サルコはそこの「目玉」になると話していた。数カ月後に開院の予定だと。こうしているあいだにも、サルコ2・0のプリントは続いている。今度の試作品では、実際に土台部分に窒素を入れることができる。しかも、イグジットのプレスリリースには、スイスでサルコを利用する最初の人の名前まで明記されているのだ。多発性硬化症を患う四十一歳のアメリカ人女性、マイア・キャロウェーだ。

デイヴィッドは会員資格を継続しなかった。その必要がないからだ。知りたかったことがすべてわかった彼は、オンラインで見つけたイグジットと無関係の業者を使って、独自の自殺用キットを作ったのだった。私はイグジットのビジネスモデルの欠陥がわかったような気がした。会員のニーズを首尾よく満たしてしまえば、イグジットの会員数は必然的に減少していくのだ。

デイヴィッドは自作の装置の話をしたがった。「作るには自分で調べないといけないんです」。

「どれも合法的な製品で、合法的な業者から入手したんですね？」

「すべて合法的です」

「全部そろえるのはたいへんだったのではないですか？」

「ええ。海外から取り寄せなければならないものもありました。ジグソーパズルをしているようでしたよ。機能させるには、いろいろな部品を組み立てなければなりません。私は技術系の仕事をしていましたが、それでもところどころ手こずりました。イグジットの会員の大半は装置のしくみもわからないでしょうから、どうしたって必要な部品に取扱説明書、組み立てマニュアルがついた便利なキットをほしがるはずです。『AをBに差し込んで、Cの作業をしたら、はいできあがり』となるような、ね」

デイヴィッドは私を上の階にある寝室へと案内した。ドアの近くにクローゼットがある。彼は身をかがめ、管と缶とレギュレーターがからみあったものを、下のほうにある隠し場所から引っ張り出した。こんな場所に私といるところをよほど娘に見られたくないのか、デイヴィッドはとにかく急いでいた。それでも、自分の手で完成させた自慢の装置を、どうしても私に見せたがった。

「自分の命を絶つのに必要なものは、それで全部ですか？」

「はい。そこの棚にしまってあります」

いつか自分を殺す装置が目と鼻の先にある部屋で、果たして安眠できるものなのだろうか。

「寝室に置いてあったら、落ち着かなくないですか？」

「いいえ」。彼はじっくり考え、きっぱりと言った。「私にとっては心強い、保険証券のようなものです。穏やかな気持ちになれるんです。多くの人が、年老いて、病気になり、役に立たなくなり、ほかの人の重荷になることを恐れています。そうなりたくないと思う人は、現実にいるんです。自分の選ぶタイミングで、文字通り命を終わらせる手段があれば、誰かの重荷にならないですむ。将来の不安は消えてなくなります」

デイヴィッドに必要なのは死の装置ではない。必要なのは、老い、病、そして死を恐れなくていい世界だ。私たちが死ぬ運命とともに生きることを学び、人生の必然として病気と死に向き合う準備ができる世界だ。そのためには、認知症、筋萎縮性側索硬化症など、私たちを怯えさせる病気の研究にしかるべき投資をしなければならない。誰ひとり自分を「お荷物」と思わないですむ、よりよい緩和ケア、社会的ケアにもっと資金を投入しなければならない。自分の死を自らコントロールしたいと切望する人たちが心から求めているのは、尊厳と安心であって、死そのものではないのだから。

そして何より、私たちは死ぬ権利を法制化しなければならないとも思う。生きたいと思う人を危険にさらすことなく、合法的に死を手助けする方法を見つけなければならない。それには、死の装置を作るよりもはるかに知的な取り組みが求められるだろう。そして、その取り組みは、誰かを金持ちにしたり有名にしたりするものであってはならない。それを実現させないかぎり、これからも切実な望みを抱えた人たちが餌食になりつづけるのだ。

マイア・キャロウェーに連絡をとるのは難しくなかった。彼女が死ぬ権利に関して綴ったブログのコメント欄にメールアドレスが記載されていて、メッセージを送ると彼女からすぐに返信が来た。「喜んでお話しします。何かお役に立てたらうれしいです」と記されていた。「サルコと、それによって希望が叶えられることに魅力を感じています」。私たちはその翌日にスカイプで話をすることにした。

イグジットから定期的に送られてくるプレスリリースは、何度かマイアのことにふれている。ヴェネチアでサルコが公開された日に届いたものを、私はその展示会場に向かう水上バスの中で読んだ。そこには、痩せた肩にストライプのショールをかけ、ベンチに座って微笑む、細面でアイスブルーの瞳をしたマイアの写真があった。彼女は以前、自殺幇助を受けるためスイスに行ったものの、結局アメリカに帰国していた。「**あれからおよそ一年半がたち、マイアはそのときが近いと考えています。彼女はサルコを使うことを望んでいます**」。息が詰まるような太字のイタリック体で、プレスリリースにはそう書かれていた。

その日の夜、ヴェネチアで話したときも、フィリップのほうからマイアの件をもち出してきた。

「プレスリリースを読みました」。私は答えた。「マイアはスイスに行って気持ちを変えたのですか？」

「まるっきり気が変わったわけではありません。多発性硬化症の進行が思ったよりもゆっくりだったので、家に帰ろうと考えたのです。でもまた戻ってきます。問題は彼女のタイミングとこちらの都合が合うか、それだけです。装置が利用できるかどうかですね。マイアはコンセプトには賛成していると言っているので」

「マイアがサルコの最初の利用者になるのですか？」

「タイミングが合えば」。中指と人さし指をクロス〔幸運を祈るジェスチャー〕させながら、フィリップは答えた。人の死を願っているようでぞっとする。

スカイプでチャットする時間になったとき、マイアからメールが届き、電話をくれないかという。介護スタッフがいないため、スカイプの立ち上げ方がわからないそうだ。

「ごめんなさい」。電話口で謝った彼女の声は、静かだがしっかりとしていた。「この次はうまくやれるようにします。病気が原因で、認知機能に問題が起きているんです」。四十一歳になったばかりだが、「病気の進行のせいで、子どものような気分です。幼くなっていく感じがします。子どもと同じで安心できるものがほしくなるんです。いつも誰かにハグしたり抱きしめたりしてほしいし、食事の用意をしてもらう必要があるし、ベッドまで運んでもらわないといけません」。マイアは親友のタオスといっしょにロッキー山脈の最南端、ニューメキシコ州の小さな街に住んでいる。母と妹は多発性硬化症が悪化したのと同じころに亡くなった。「一日数時間の有料ヘルパーしか、私のめんどうをみる人はいませんでした。それで、タオスが世話をしてくれることになったんです。彼はまるで兄のような人です」

ソフトな声でオープンに話すマイアは、本当に子どものようだ。会話を始めてほんの数分だったが、私の心には母性にも似た感情が湧き上がり、同時に恐怖にかられた。フィリップの世界で、彼女は何をしているのだろうか？　けれど、日々の調子はどうかとたずねたとき、私が話しているのは知性も理性も備えた立派な大人であることがよくわかった。マイアは大学教育を受けた一人前の女性らしく、はきはきと話した。

「下り坂が永遠に続いていくようです。細い廊下の先がますます細くなっていくように、知らぬ間に進行していく病気なんです。アルツハイマー病による認知症とはちがいますが、認知機能がひどく損なわれるため、記憶力、注意力、実行機能、新しいタスクを覚える能力、それらすべてが著しく低下します。それから、脊髄の損傷によって、腕や脚や上半身が動かなくなります」。麻痺は避けられないと彼女は言う。「全身麻痺になるのは運動ニューロン疾患とよく似ていますが、この病気はその状態が**もっと長く**続きます。一、二年後には、私も全身が麻痺するでしょう。しかし、その段階でもまだ終末期とは認められず、ホスピスに入ることもできません。そのため、最後の数年間を完全にベッドに縛りつけられ、体の機能をまったくコントロールできない状態で、コミュニケーションもとれずにすごすことになります」。すでに彼女は首を自由に動かすことができず、呼吸にも問題を抱えていた。「自分が**こんなふうに**なるなんて絶対に嫌でした。これ以上悪くなるまで生きていたくなんてありません」

発症するまでのマイアは、気持ちの強い女性だった。映画製作会社で働き、キャリアのために生きていた。「昔の自分に、『いまの私のように生きたいと思う?』と聞いたら、『百パーセント思わない』と答えたでしょう。けれど、実際に行動に移すのは、想像するよりずいぶん難しいです。人間の生存本能に火がつくんです」

「『実際に行動に移す』とはどういう意味ですか?」

「フィリップの『ザ・ピースフル・ピル・ハンドブック』にあるように、自分で実行するか、あるいは現地に行って薬を飲むかのいずれか、という意味です。私は以前スイスに行き、了承を得ましたが、自分の心の準備ができていなかったので、戻ってきました」

スイス訪問についてのマイアの説明は、フィリップの話とはちがっていた。彼女が気持ちを変えたのは、考えていたよりも病気の進行が遅かったからではない。最後まで意志を貫き通すことができなかったからだ。マイアはひとりでチューリッヒに到着した。ライフサークル安楽死クリニックの医師の診察を受け、介護士と数日間すごした。地元の名所を観たり、男子修道院を訪れたりした。そうしているうちに、彼女はだんだんと罪悪感を覚えるようになっていった。

「それは恥の概念、自死を恥とみなす私の考え方のせいです。アメリカには多発性硬化症の患者がたくさんいますが、私たちの社会には、もしこの病気にかかったら、『お気の毒だが、病に対処するすべを見つけ、闘う気持ちを持ちつづけなければならないよ』という暗黙の了解があります。とことん立ち向かわない人間は笑いものにされます――度胸のない、臆病者だと」。そして彼女は父のことを考えはじめた。「父に娘を失わせることはできません。そんなこと、許されません。年長者よりも先に逝くなんて」

方法はどうあれ、自殺は完全に個人的な行為ではない。必ずほかの人々が巻き込まれる。あなたに手を貸す人、たまたまあなたの近くにいた人、あなたの遺体を見つける人、そしてあとに遺される、あなたを愛する人。

「お父さまはあなたがスイスに行くことを知っていましたか？」

「いいえ。お節介な友人が父に教えたんです。父は激怒しました。裏切られたと思ったようです。私は、ああどうしよう、父を怒らせた、困ったことになったと思いました。すぐに飛行機に乗って、アメリカに戻りました。イグジットとは、もう少し契約を続け、後悔のないようにするために家族全員に必要な情報を与え、準備が完全に整ったら、できれば家族とともにスイスに戻るということで合意しました。でも皮肉なことに、アメリカに戻ってから、**何ひとつ**うまくいきませんでした。家族は私の考えを理解しようとしません。話を聞こうともしないんです。飛行機に乗るのも許してくれません。スイスに行くなんてもってのほかです。残念なのは、『後悔のないようにするために』帰国したのに、家族の気持ちを変えられなかったことです」

マイアが初めてフィリップに会ったのはスイスだった。「彼は私のヒーローです」と彼女は興奮気味に話す。会う前からメールのやりとりをしていたが、たまたまふたりともスイスにいることがわかったので、会えないかと彼女が頼んだそうだ。「介護士とグリンデルワルトに行き、フィリップ、フィオーナ、それから小さな犬のヘニーに会いました。楽しい時間でした。ピザを食べながら、いろいろな話をしました。フィリップはｉＰｈｏｎｅで装置の写真を見せてくれて、『いま、これを製作しています』と言っていました」

フィリップは決してチャンスを逃さない。妻と飼い犬、会ったばかりの病気の友人とその介護士を前に、片手にピザ、片手にｉＰｈｏｎｅを持ちながら、サルコのイメージ画像と『ソイレント・グリーン』の話を披露する彼の姿が目に浮かぶ。マイアは感動した。「なんて素敵なの、と思いました」。しかし、すぐに完成するとは思わなかったので、彼女はアメリカに戻り、それきりその装置のことは忘れてしまった。

ふたりは連絡をとりつづけた。「『フィリップ、死ぬ権利を否定されたアメリカ人として、もし私にできることがあれば、あなたの信念を人々に伝える手伝いをさせてほしい』と伝えました」。そして、その通りになった。「しばらくして彼から聞かれました。『サルコを使いませんか？』と。私は『そうですね、よく考えさせてください。でも、法律に締め出されたせいで私がこの装置に非常に興味をもっているということは、マスコミに発表します』と答えました」

マイアは慎重にことばを選んでいた。というのも、たしかにサルコに興味はあるものの、その中で死にたいとは考えていなかったからだ。

「呼吸機能が大きく低下したせいもありますが、少し……なんて言いましたっけ、狭い場所が怖いことを」

「閉所恐怖症ですか？」

「ええ、私は少しその気があるんです。サルコはみごとな装置だと思います。美しくて、エレガントです。この世界にきっとすばらしいものをもたらしてくれるでしょう。けれど、この病状と不安を考えたら、私には合わないと思うんです。それでもサルコに魅力を感じていることに変わりはありません。あれが未来のかたちなのだと思います」

そう言いながらも、私がたずねる間もなく、マイアはサルコの気がかりな点を次々に話しはじめた。

「サルコは自殺装置のテスラだと『ニューズウィーク』に書いてありましたが、優雅でしゃれた外観に夢中になるあまりに、これが生死の問題であり、きわめて冷静に考えなければならないプロセスであることを忘れないよう、気をつけないといけません」。サルコは死を華やかで幸せで、魅力的なものに見せるが、自殺は連鎖する。とくに若者が亡くなったり、国際的に報道されるケースでは、なおのことその傾向は強まる。アメリカではマリリン・モンローの死後一カ月で自殺者の数が十二パーセント増え(7)、ロビン・ウィリアムズの自殺後五カ月間で自殺率は十パーセント上昇した(8)。新しい装置がなくとも、自殺には引力がある。

「それに、素人がプリントした装置はどこかに不具合が起きるんじゃないか、と少し心配なんです」。マイアは話を続けた。「どんな異常が発生するかわかりませんから」。それは考えたことがなかった。ヴェネチアでアレックスが、「機械がしょっちゅうへまをする」ので、プリントするのにさんざんな目に遭ったとあっさり認めていたのに。欠陥のある装置は、それを使うと決意した人に悲惨な結果をもたらしかねない。マイアはニューテックの共同設立者デレク・ハンフリーとサルコについて何度か話をしている。「デレクは『こういう類の装置を過去にも試しに動かしたことがありますが、さまざまな問題が起きました。もしそれを使う最初の人間になろうというのなら、薬剤を注入する人にスタンバイしてもらったほうがいいですね』と言ったんです。何それ、と思いました」

最初にサルコに入ってボタンを押すのが誰であろうと、それは一大イベントになるだろう。フィリップはすでにメディアの関心を大々的に集めている。だが、マイアは自分の死をパフォーマンスにしたいとは思っていない。彼女は新しい死の装置をネタにしたエディンバラ・フリンジでのフィリップのコメディ・ショーも観ていない。マイアが知りたいのは、何を使うにせよ、それが確実に自分の命を終わらせることができるかどうかだ。「百パーセント、完全に確信できなければいやなんです」

マイアの人生に確実なことは何ひとつない。死んでしまうほど病気が進行しているわけではないが、あたりまえの人生を送れるほど健康ではない、宙ぶらりんの状態にいる。そして、その人生を耐えがたいものにしているのは、既存のカテゴリーに分類されず、そのはざまにいる彼女を見捨てる社会のあり方だ。

「進行性の不治の病の場合、ホスピスの患者に対するような思いやりは向けられません。明らかに健康でないのに、競争の激しい世間に放り出されます。切り捨てられるんです。アメリカは体に欠陥のある人に対してまったく優しい国ではありません。非常に冷酷です。もちろん、私がかつて働いていたメディアの世界も同じです。病気や障害を抱えて怯えている人を、温かく包み込む社会ではないのです」

「しかし、それをどうにかするには、命を奪うテクノロジーの開発ではなく、社会のそうした考え方を変えることが必要なのでは？」

「ええ。そうなんです！　あらゆる面で努力しなければなりません」

フィリップもヴェネチアで似たようなことを言っていた。だが、体外受精が不妊の原因の研究に及ぼした影響と同じように、サルコがてっとり早い解決策になってしまえば、なぜ人が自ら人生の幕を閉じたがるのか、その理由が深く掘り下げられる可能性は低くなるかもしれない。それに、死がタブー視されたままで、自殺幇助を受けることがいつまでも一部の人たちだけの選択肢でありつづけるかぎり、死のＤＩＹの需要はなくならない。安全で正式な方法で実行できるようにするためのテクノロジーや法的枠組みがあろうとなかろうと、非合法の中絶手術と同じで、求める人はいなくならないのだ。

「大好きなチェシャ猫〔『不思議の国のアリス』に登場する猫〕と最後の食事をとって、自分のベッドで死ぬ。それが理想の逝き方です」とマイアは話す。「でも、家族との関係はよくありません。多くのアメリカの家族といっしょで、私たちは病気や死が怖いんです。私のいまの状況を考えたら、チューリッヒかバーゼルの湖のそばにある安楽死アパートに入るほうが、たぶんいいでしょう。そこならばとても安全で、死が約束されています。安楽死が文化的に理解されているので、恥とはみなされませんし」

私がこれまでに会った、自分の意志で人生の幕を閉じたいと願う人たちのなかで、マイアがいちばんその瞬間に近い。この数カ月のうちにライフサークル・クリニックで命を終えようと、彼女は考えていた。マイアにとって、死はクローゼットにしまってある保険証券でも、まだ直視していないぼんやりした考えでもない。それは目の前に迫った問題なのだ。

「完璧な死などというものはあるのでしょうか？」私は問うた。「それは存在しうるでしょうか？」

「美しさで言うなら、サルコです。高揚感と幸福感のなかで旅立たせる優雅な装置、ですよね？　好きなところに運べるのですから、どこか風景のきれいな場所で死を迎えられます。美的観点からすると、それは完璧な死です」。マイアは続けた。「ですが、本質的な、深い意味では、すべての人との関係を修復し、自分の運命や死を心穏やかに受け入れること。所有する物への執着、恨み、依存、怒りを手放していること。それが、私が思う完璧な死です。そうした受容のステップを理解し、やり遂げることです。たしかにサルコは美しいです。しかし、そうした状況がもれなく整わないかぎり、その中に入っても魂は苦しみにさいなまれたままかもしれません」

「完璧な死とは、死ぬための手段ではなく、心の状態なのですね？」

「はい」と、マイアはもの言いたげに答えた。「ええ、そう、そうなんです」

［注］

（1）ハフィントン・ポストに書いた記事
Philip Nitschke, 'Here's Why I Invented A 〝Death Machine〟 That Lets People Take Their Own Lives', HuffPost, 4 May 2018, https://www.huffpost.com/entry/sarco-death-philip-nitschke_n_5abbb574e4b03e2a5c7853ca

（2）ヴァイスの短いインタビュー
Matt Shea, '"Dr Death" Has a New Machine That's Meant to Disrupt the Way We Die', Vice, 10 May 2019, https://www.vice.com/en_uk/article/5979qd/sarcoeuthanasia-machine-philip-nitschke

（3）『モンキー・ハウスへようこそ』
'Welcome to the Monkey House' Kurt Vonnegut, Welcome to the Monkey House (Delacorte Press, 1968). カート・ヴォネガット・ジュニア『モンキー・ハウスへようこそ〈1〉』（伊藤典夫、浅倉久志、吉田誠一訳、ハヤカワ文庫ＳＦ、一九八九年）

（4）アンチエイジング研究に投資するベンチャー・キャピタリスト
ロンジェビティ・ファンドがこの分野の投資をリードしている。　https://www.longevity.vc/

（5）『ヘルダーランダー』紙
Paul Bolwerk, 'Noa (16) uit Arnhem is nu al klaar met haar verwoeste leven', Gelderlander, 1 December 2018, https://www.gelderlander.nl/home/noa-16-uit-arnhem-is-nu-al-klaar-met-haar-verwoesteleven~a01a7bd1/

（6）訂正コメント
'The Death of Noa Pothoven', Peaceful Pill Handbook blog, 5 June 2019, https://www.peacefulpillhandbook.com/the-death-of-noa-pothoven/

（7）十二パーセント増え
S. Stack, 'Media coverage as a risk factor in suicide', Journal of Epidemiology & Community Health, Issue 57, 1 April 2003, pp. 238–40, https://jech.bmj.com/content/57/4/238.full

（8）十パーセント上昇した
D. S. Fink, J. Santaella-Tenorio, K. M. Keyes, 'Increase in suicides the months after the death of Robin Williams in the US', PLOS ONE, Volume 13, Issue 2, 7 February 2018, https://journals.plos.org/plosone/article?id=10.1371/journal.pone.0191405

おわりに

あなたがこの文章を読むころには、この本で言及した発明のいくつかを手に入れられるようになっているだろう。だが、そのためには遠方まで出向き、高額な対価を払わなければならないかもしれない。

ハーモニーXは現在、アビス・クリエーションズのリアルドールXシリーズのひとつとして、ほかの三つのガイノイド・モデル――ソラナX、セレニティX、ノヴァX――とともにオンラインで販売されている。マットの予想より安いとはいえ、カスタマイズなしで基本のリアルドールのボディにロボットの頭がついただけのものに、一万二千ドルと、格安とは言えない値がついている。シドレXの販売予定はまだない。いつかデイヴキャットのハートを奪うかもしれない人工知能が組み込まれた愛人の登場を心配することなく、人形たちはいまも変わらず彼の世界の中心にいる。

ジャストはイート・ジャストにブランド名を変更し、彼らのナゲットは「チキン・バイツ」と呼ばれている。二〇二〇年十二月、彼らが実験室で育てた肉は初めて規制当局の承認を受け、二週間後に販売開始。イート・ジャストは歴史を作った。ジョシュ・テトリックの予測より二年長くかかったことを除けば、約束通り発売にこぎつけた。チキン・バイツはシンガポール食品庁の認可を受けてシンガポールの会員専用高級クラブ「1880」で最初に販売され、カキ、キャビア、生きて呼吸する本物の牛だった肉から作られる和牛バーガーとともにメニューに載ることになる。

ＣＨＯＰは現在も、バイオバッグに人間の赤ちゃんを入れられるかどうかに関するＦＤＡの決定を待っている。彼らは、十年後にはそれが広く使用されるようになっているであろうと期待している。人工子宮が世界的な代理出産産業に取って代わる、あるいはミグタウが選択するツールになるまでには、しばらく時間がかかるだろう。あれから、ウェスとマイケルにはデュークという男の子が誕生し、smithe8はレディットのアカウントを削除してマノスフィアの世界から姿を消した。

サルコXは、半生分解性プラスチックを材料に、オランダのハールレムでフィリップの３Ｄプリンターが作り出した最新のプロトタイプだ。ユーザーがその中で死ぬための、背の高い、縦型の両開きカプセルは、まるで死へと導くトイレの個室か何かのようだ。サルコの中で亡くなった人はまだおらず、マイア・キャロウェーが第一号になることもないようだが、フィリップの話では、ラッカー塗装をしたシェル型の装置に入って人生を終えたい人は百人を下らないという。

ハーモニーもイート・ジャストの肉もバイオバッグもサルコも、宣伝ばかりが派手なように思えるが、彼らにとって自ら約束したソリューションの魅力はあまりにも大きく、これらを世に送り出さないわけにはいかない。つまり、経営上どうしても完成させなければならないのである。それらがあなたのもとに届くまで数十年かかるかもしれないが、それでもなんらかのかたちで確実にやってくる。といっても、最後にそれらを完成させるのは、マット、ジョシュ、ＣＨＯＰチーム、フィリップではないかもしれない。彼らがプロトタイプ作りに精を出しているあいだに、ライバルたちも大躍進しているのだ。

ＤＳは三百ポンドの手付金を集めて第一世代の頭を製作中だ。クラウド・クライマックスは「エマ」の仕入れを始めた。エマは別の中国企業AIテックが作る三千ポンドのロボットの頭で、所有者を常に「ご主人様」と呼ぶ「怒らない秘書」と宣伝されている。カレンダーの通知を読み上げ、ウインクとまばたきをするマネキンにすぎないが、AIテックは「話しかければ話しかけるほど、彼女は多くを学習します」と謳っている。

二〇一九年のダッチ・デザイン・ウィークで発表された人工子宮の新たなプロトタイプは、子ヒツジをまったく必要としない。アイントホーフェン工科大学が考案したのは、天井からぶら下がる深紅の巨大なビーチボールのような球体で、安心感を与えるため母体の心臓の鼓動が人工的に再現されている。製作チームは3Dプリントで作った赤ちゃんの人形に無数のセンサーを取りつけてテストを実行し、できるだけすみやかに生きた人間の胎児に使用する計画だ。二〇一九年十月(1)、このプロジェクトはEUから二百九十万ユーロの資金を確保した。リーダーのギード・オイ教授はこの発明を「ゲームチェンジャー」と自画自賛した。

世界中でクリーンミートのスタートアップが次々に誕生し、FBSの中のスターター細胞のごとく急成長している。アメリカのFDAとイギリス政府はクリーンミートを「肉(ミート)」と呼ぶかどうかの判断を依然として示しておらず、クリーンミート業界は人知れず「クリーン」の看板を下ろしつつある。「クリーンミート」という呼び名は浸透していないし、クリーンミート業界に投資が集中して置いてけぼりをくったかたちの食肉産業はそのことばにいらいらしている(あのブルースでさえ考えを変えつつある。二〇一九年九月(2)に彼は、GFIは「新しいことばを受け入れ」、それを「培養肉」と呼ぶことにすると発表した)。いっぽうで植物由来のバーガーは嵐のごとく世界を席巻している。ビヨンド・ミートが株式上場(3)を果たしたとき、新規公開株式(IPO)

の価格は上場後一カ月あまりで約六倍に上昇し、二〇一九年の最優良ＩＰＯ株となった。アメリカのバーガーキングのメニューにはインポッシブル・ワッパーが登場し、彼らは需要に追いつこうと懸命に策を練っている。動物不使用の肉は、たしかに軌道に乗りはじめた。しかし、動物はおろか植物の体からすら生まれない肉というものをどう扱えばいいのか、私たちはまだはっきりわかっていない。

セックス、食べ物、誕生、そして死のかたちが一変するまでには、大きなハードルを越えなければならないだろう。性愛をどう考えるか、何を食べるのか、どのようにして生まれ、どのように死ぬかといった人間の本質にかかわる命題がまったく新しい意味づけに直面したとき、まず生じるのは不快感、嫌悪感、不気味の谷現象、反感である。起業家たちはそこに可能性を見出し、スマートなことば、感情に訴える主張、しゃれたデザインを駆使して壁を突破しようとする。新しいものが衝撃をもたらすのは、何もいまに始まったことではない。試験管ベビーも珍しいものではなくなったのだから、ロボットの妻や袋の中の赤ちゃんだっていずれそうなるはずだ。

ただ、そのときに重要なのは、こうしたテクノロジーを誰が利用するのかということだ。少なくとも最初のうちは、おそらく選ばれた一部の人たちが使うことになるのだろう。合理的自殺は人間の普遍的な権利だとフィリップがいくらまくし立てようと、サルコがもたらす死は特権階級だけのぜいたく品だ。ジョシュが「良識と正義と公平さを指針として」世界のためにどれほど努力しようと、シンガポールの会員専用高級クラブのメニューにある料理を彼がリベリアで会った人たちの皿にいますぐ載せることはできない。体外発生は、社会的代理出産を選択する経済的余裕のある女性にだけ生殖の平等をもたらし、胎児の命を救えるのはそれを社会福祉の選択肢のひとつに組み込める裕福な国だけだろう。価格の安い中国製のセックスロボットでさえ、かなりの額の可処分所得をつぎ込まなければ手に入らない。完全に女性抜きの人生を送ると決めた男性が、実際にそうするには多額のお金が必要になる。

テクノロジー業界を牛耳っているのは男性で、彼らが生み出す製品は男性のエゴと願望を映し出している。だが、セックスロボットや人工子宮はじめ、取材を通して出会ったさまざまなテクノロジーの影響を大きく受けるのは、女性のほうだ。ケヴォーキアンの装置を使って死んだ人の大半は女性だった(4)。一般的に自殺者は男性のほうが多いにもかかわらず、自殺幇助が合法である国でそれを選ぶ人の数は、女性のほうが多い(5)。女性はパートナーよりも長生きする確率が高く、世話をされるよりもすることに慣れてしまっている。だから誰かの重荷になる恐怖は女性のほうがいっそう強いのかもしれない。また、マーク・ポストが私に語ったように、「肉は常に力に結びつけられてきた」。肉は「男らしく食べる」ものだ。世界中どこでも、男性のほうが肉を食べる(6)。肉食というのは男性的な表象だし、世界にはびこり大きな害を及ぼしている肉の過剰消費も男性性の帰結だ。実験室育ちの肉を解決策とすれば、私たち全員がかつては自給自足していたはずの領域で特殊なテクノロジーにますます依存するようになる。だが、肉をたくさん食べるのは男性のほうなのだから、女性にとっては不公平な話だ。ここで取り上げた発明は、どれも男性の食欲と性欲、そして生殖と死への支配欲を大きく反映している。

しかし、コントロールや予想のできないことを恐れる気持ちは女性も男性も変わらない。人間は環境、食べ物、体、そして互いの関係を意のままにしたい生き物だ。セックスロボットは人間関係を不安定にする自主性をもたない、パートナーの代用品である。クリーンミートは糞便をせず、病気にかからず、人間を絶滅させる恐れのある汚染を発生させない、動物の代用品だ。人工子宮はまちがいを起こしかねない生きた女性の体が不要で、母親にふさわしくない行いをする心配もない、妊婦の代用品だ。死の装置は予測できない、尊厳のない死に取って代わるものだ。これらはすべて私たちを自然からも、私たちを取り巻く世界からも、お互いからも遠ざける代用品なのだ。

そして、新型コロナウイルス感染症の発生以降、私たちを人間らしさ、私たちの存在の根本的な要素から引き離すテクノロジーを求める声は、これまでになく大きくなっている。ロボットとのセックス以上にソーシャル・ディスタンスを保てるものはあるだろうか？　世界を揺るがすパンデミックのさなか、死を完全にコントロールできることの魅力は高まるばかりだ。いつロックダウンになるか知れず、新生児が育てる気のない生みの母とともに取り残されかねない世界では、人工子宮が商業的代理出産よりはるかに好都合だ。コロナウイルスのパンデミックは、それ以前に発生した豚インフルエンザや鳥インフルエンザと同じ人獣共通病原体によって起きた、つまりウイルスを持つ動物が食用に売られて人間に広まったと見られている。家畜を育てなくてもクリーンな肉が作れるなら、こうした悲劇だって避けられるかもしれない。私たちと自然のあいだに距離を作ることを可能にする製品の市場は、かつてない拡大を見せているのだ。

しかし、主導権を握っているのは自分だという幻想を手に入れるために、私たちがセックス、食べ物、誕生、死をテクノロジーに委ねてしまえば、相手に対する共感、不完全な自分、主体性、存在の不確実性といったものを失う危険がある。要するに、人間性を失うリスクがあるのだ。たとえテクノロジーがこのうえなく尊い志――地球を救おう！　小さな赤ちゃんの命を守ろう！　孤独な人に恋人を与えよう！　病人を苦しみから解放しよう！――のもとで開発されていても、生まれた発明が誰の手に渡り、その人たちがどんな目的でそれらを利用し、最終的に私たちをどこに導くか、知るすべはない。私たちはテクノロジーが未知のものから自分を守ってくれると期待するが、それは同時に、また多くの未知なるものをも生み出すのだ。

本書で言及した革新的技術が解決するはずの「問題」は、そもそもテクノロジーによって現れたものだ。工業型畜産は動物の肉を食べるという文化を持続不可能なものにした。ピルが促した女性の自立を、自分の喜びのためだけに存在するパートナーを望む男たちは非常に都合が悪いものだと考える。医学的介入によって体内での妊娠はハイリスクなものと思われるようになった。医学の進歩によって、老化や病気や死に対する恐怖心はかえって強くなった。テクノロジーに頼るたび、長年あたりまえにやってきたことをするのに、それまでとはけたちがいに複雑なプロセスに依存せざるを得なくなる。私たちは無力を感じるようになり、自分自身の一部を失う。

これまでに紹介した発明は、どれも現実的な解決策ではない。問題回避の手段でしかないのだ。なぜ人は自主性を持たないパートナーをほしがるのか、子どもがほしいのに妊娠したがらないのか、地球や体に害を及ぼす肉を大量に食べたがるのか、自らの死を完全にコントロールしたがるのか。その理由を掘り下げもせず、私が会った人たちは人間が抱いて当然の不安から目をそらすための手段を売りつけようとしている。彼らの手を借りたところで、私たちは解放されるわけではなく、振り出しから動かないままだ。彼らはこうした問題を政治と無関係にし、あいまいにし、存在しないものとして扱う。彼らは私たちに、自分自身と深く向き合うことなく生きる言い訳を与えているのである。

その結果、どうなる？ 私たちは自分が望んだ通りになるのだ。最も悲惨なケースだと、人は相手を尊重する心を失い、多国籍企業が食肉産業を完全に支配し、女性はお払い箱になり、弱い人たちが誰の監視も受けずに死の装置をダウンロードできるようになる。だが、そうなることをただ黙認することは、人間の本質というものは変えることも、努力で克服することもできないものだという運命論的な考えを受け入れることに通じるだろう。そんなの、私はまっぴらだ。

こうしたテクノロジーが広く利用可能になるまでに、そもそもなぜそれが必要なのかを考える時間はまだ残されている。そのうえで、問題を覆い隠すテクノロジーに頼るのではなく、人間の、社会の根本的な問題を解決するために必要な変化を起こし、必要な犠牲を払えばいい。いずれにしてもなんらかの犠牲は払わねばならないだろう。科学者や起業家がどんなにうまいことを言おうと、私たちはいままでと同じようにステーキを買ったり食べたりすることはできない。つまり、なんの結果も引き受けずにほしいものを何もかも手に入れることは、もうできないのだ。私たちが自分で行動を変えようとしなければ、本書で見てきた発明が私たちをつくり変えてしまうだろう。

進歩とは、異なる考え方を選ぶ勇気である。技術革新が起きたからそうなるのではなく、起きる前にそれができなければならない。まぎれもなく必要だと実感すれば、私たちは急激かつ大胆な行動変容を起こすことができる。新型コロナウイルスのパンデミックに対する世界の反応がそれを証明している。そして世界の一部の地域では、技術革新に頼らず前に進むために必要な変化が、すでに起こりつつあるのだ。

少なくとも裕福な国では、安全な方法で正々堂々と死ぬ権利を与えられる人の数は毎年増えている。母親はよりよいマタニティ・ケアを受け、仕事も守られるようになっている。多くの人がヴィーガンになるか、進んで肉を食べる量を減らしているし、子どもを肉好きに育てる親は減っている。男性だけのための権利を求めて活動するインセルやミグタウは人目を引くが、その数はごくわずかで、大半の男性はパートナーや姉妹や娘を大切にし、守り、対等な関係を築きたいと思っている。

本書の取材を通して私が出会った人たちもそのことは承知しているが、同時に社会にそうした変化を起こすにはたいへんな労力を伴い、もっと簡単な解決手段に見えるものを提供すればお金を稼げることもよく知っている。それを買うかどうか、選ぶのは私たちだ。

本書でたびたび引用してきた、一九三一年にチャーチルが記した「五十年後」の締めくくりをぜひ読んでいただきたい。「過去の世代が想像すらしなかった数々のプロジェクトが、これからの世代の人々の心を奪うだろう。とてつもない圧倒的な力が彼らの手中に収まるのだ。彼らには癒し、活動、快適さ、喜びが押し寄せる。だが、物質的な満足よりもビジョンを優先しなければ、やがて彼らは心を痛め、人生は味気ないものになる」

私は本書において、これまで想像すらしなかったプロジェクトがこれからの世代の人々に何をもたらすかを知ろうとしてきた。ある人にとってのディストピアは、別の人にとっては輝かしい未来だ。私にとってはいちばん印象深いのは、マット・マクマレン、マーク・ポスト、アンナ・スマイドル、フィリップ・ニチキ、いずれのことばでもない。それを述べたのは、私が出会ったなかでいちばん気取りのない人物だ。

あの寒い日、ミルトン・キーンズのオープン大学で私がノートをしまっていると、ヴィーガンの社会学者マシュー・コールは残っていたコーヒーを飲み干して、こんなふうに言った。

「倫理面の改革、革命、反抗ではなく、テクノロジーによる解決策を考え出し、テクノロジーが倫理に取って代わろうとするたびに、私たちは自分をダメにします。成長の機会を自ら拒絶してしまうんです」

一点の曇りもない潔白な心で自分本位に生きるのは無理でも、不完全さ、妥協、犠牲、疑念とともに生きるのは、性、食、生、そして死と同様に人間の経験の本質的な要素だ。私たちには人間の存在のやっかいさを受け入れるという選択もあれば、テクノロジーを利用してそれを消し去ってしまおうとすることもできる。ラスベガスのホテルの部屋にあった耳栓のように。私たちには、本当はセックスロボットもヴィーガンミートも必要ない。それらが約束する自由と力は、もう私たちの手の中にある。私たちはすでに答えを持っているのだ。それらを機能させるには、袋を開け、ドアを閉め、スイッチを入れるより、はるかに大きな労力が求められるだろうけれど。

［注］（1）二〇一九年十月

Bethany Muller, 'Artificial womb to be developed for premature babies', BioNews, 14 October 2019, https://www.bionews.org.uk/page_145518

（2）二〇一九年九月

Bruce Friedrich, 'Cultivated Meat: Why GFI Is Embracing New Language', Good Food Institute, 13 September 2019, https://www.gfi.org/cultivatedmeat

（3）ビヨンド・ミートが株式上場

'Beyond Meat shares extend gains to over 600% since IPO', Financial Times, https://www.ft.com/content/df314088-8b91-11e9-a24d-b42f641eca37

（4）死んだ人の大半は女性だった

L. A. Roscoe, J. E. Malphurs, L. J. Dragovic and D. Cohen, 'A Comparison of Characteristics of Kevorkian Euthanasia Cases and Physician-Assisted Suicides in Oregon', Gerontologist, Volume 41, Issue 4, 1 August 2001, https://academic.oup.com/gerontologist/article/41/4/439/600708

（5）女性のほうが多い

Rachael Wong, 'We need to address questions of gender in assisted dying', The Conversation, 24 October 2017, http://theconversation.com/we-need-to-address-questions-of-gender-inassisted-dying-85892

（6）男性のほうが肉を食べる

Hamish J. Love and Danielle Sulikowski, 'Of Meat and Men: Sex Differences in Implicit and Explicit Attitudes Toward Meat', Frontiers in Psychology, Volume 9, 20 April 2018, https://www.ncbi.nlm.nih.gov/pmc/articles/PMC5920154/

謝辞

この本のためのインタビューに応じてくださったみなさんのご厚意に、心からお礼を申し上げます。多くの方々は、あれほど時間がかかるとは思っていなかったことでしょう。ありがとうございます。長い時間おじゃまをして申し訳ありませんでした。

以下の方々にもお礼を申し上げます。

数々のアイデアでサポートし、やりたいことをすぐに実現させてくれたエージェントのソフィークレア・アーミテージとゾーイ・ロス。

熱意と明確なビジョンをもち、本のタイトルを決めてくれた編集者のクリス・ドイル、素敵な装丁を施してくれたジェームズ・アナル、こんな特殊な時期に決断力を発揮してくれた宣伝担当者アンナ・パライ。

だいじな仕事の最中に何度も電話をかけてじゃまをしてしまった方々――ジュリー・クリーマン、リック・アダムズ、サラ・アイゼン、ソール・マーゴ。専門的な知識をありがとうございました。

『ガーディアン』紙の同僚のみなさん、最初に記事を書いたときに行ったリサーチのおかげで、この本は完成しました。セックスロボットのための調査を具体的なかたちにするべく尽力してくれたトム・シルバーストーン、トムと私に映像の製作を任せたマイク・テイトとムスタファ・カリーリには、大いなる感謝を。その非常に鋭い編集テクニックで私に記事の書き方を教えてくれたクレア・ロングリッグ、ジョナサン・シェイニン、デイヴィッド・ウルフ、シャーロット・ノースエッジ、ルース・レヴィ、メリッサ・ディーンズ、ありがとう。

かなり初期の原稿に目を通してくれたみなさん、リック・アダムズ、エド・リード、エリザベス・デイ。最初に私に本を書くべきだと言ってくれたスティッグ・エイブル。私に食事とコーヒーをごちそうし、空いている部屋に泊めてくれたロス・アンジェルスのローラ・ソロンとダン・パーシー、サンフランシスコのオリビア・ソロンとステュー・ウッド。

私の両親デイヴィッドとマニュー、姉妹のスザンナ、ニコール、ジュリー。どこから話を始めたらいいかな？　みんながいてくれて、私はとてもラッキーだった。

執筆中の私の生活を支えてくれたアンナ・キハヨーヴァ。あなたには感謝してもしきれません。

執筆中の私がいる寝室にほとんど近づかなかった子どもたち。

すべてにおけるパートナーで、私の知るいちばん賢明な人、スコット。

なかでも最大の感謝を、恩人であるコリー・ブラムリーに。彼女がいなければ、この本のどのページも白紙だったにちがいありません。

訳者あとがき

　ジャーナリストのジェニー・クリーマンは、世界中を飛び回り、五年の歳月をかけて取材を重ね、初の著書である本書（原題 Sex Robots & Vegan Meat: Adventures at the Frontier of Birth, Food, Sex, and Death, 2020）を書き上げた。

　もし、いっさいの妥協がいらない理想のパートナーが手に入り、動物を殺さなくても肉が食べられ、妊娠しなくても子どもをもて、苦しみのない死が得られるとしたら、人間はいったいどうなるのだろうか。それがこの本のテーマだ。培養肉、人工子宮、セックスロボット、安楽死マシン。どれもみな少し前まで小説や映画に出てくる想像の産物、言ってみれば絵空事だった。それがいまや、完全な実用化も夢ではないところまできている。

　世界の起業家たちは、セックス、食べ物、誕生、死という人間の根源にかかわる四つの要素をテクノロジーによって完全にコントロールできる未来がやってくると謳う。たしかに、どのテクノロジーも魅力的だ。水も土地も抗生物質も使わずに肉が作れたら、肉を食べるのを諦めずにすむうえに、地球環境も動物も守れる。女性が自分の体やキャリアを犠牲にせずに子どもをもつ喜びを享受できるとしたら、少子化問題の解消につながるかもしれない。人間と同じように会話ができるセックスロボットは孤独をなぐさめるだろうし、自分が決めたタイミングで苦しまずに死ぬことができれば、人生最後の時間を心安らかにすごすことができるだろう。いいこと尽くめに思える。

だが、そもそもこれらを開発する人々の真の動機はなんなのだろう。彼らは一様に崇高な理想を口にするが、果たして私たちはそれを信じ、未来を託してしまっていいのだろうか。セックスロボットや死のマシンが彼らの言う正しい目的のためだけに使われると断言できるだろうか。また、そうした技術革新に異を唱えるのは誰なのか。彼らにテクノロジーの暴走を止めるすべはあるのだろうか。そして、画期的なテクノロジーの宿命として予期せぬ結果が生じたとき、私たちはどう対処すればいいのだろうか。こうした疑問に、自らを「懐疑的なひねくれもの」と称するクリーマンが鋭く切り込んでいく。

こうした技術革新は、とかく斬新さや利点ばかりがもてはやされる傾向がある。テクノロジーの進歩を止めることはおそらくできないだろう。だからこそ、そこにはクリーマンのような「懐疑的」な視点が不可欠なのだ。

この訳者あとがきを書いている時点で、原書の刊行から二年近くがたっている。技術革新は言うまでもなく日進月歩だが、なかでもとりわけ目を引くのが培養肉と人工子宮だ。

ブルース・フリードリックの非営利団体グッドフード・インスティテュート（ＧＦＩ）によると、二〇二一年に培養肉および培養魚肉の関連企業に集まった投資額は世界全体で約十四億ドルと、前年の約四億ドルの三・五倍に膨らんだ。日本でも日清食品ホールディングスと東京大学の研究グループが共同で「培養ステーキ肉」の実用化を目指した研究を進め、二〇二二年三月に「食べられる培養肉」の作製に日本で初めて成功したと発表した。また、それに先立つ同年一月には、回転ずしチェーン店「スシロー」などを傘下にもつフード&ライフカンパニーズ社が、培養魚肉の商品化を目指すスタートアップ企業、ブルーナル社との提携を発表している。マーク・ポストの培養肉ベンチャーであるオランダのモサミート社とイスラエルのアレフ・ファームズ社には、三菱商事が出資している。日揮ホールディングスもやはり一月に「クリーンミート」の技術開発に取り組む新会社を設立した。

人工子宮については、中国の研究チームが二〇二一年十二月、胚を人工子宮の環境で胎児に成長させる人工知能システム「AIナニー（乳母）」を開発したと発表した。中国でも女性の結婚・出産に対する考え方に変化が見られ、出生率が著しく低下しているのだという。少子化は先進国社会にとって深刻な問題だ。そういう意味からも、女性のキャリアを守りつつ、出産に伴う苦痛やリスクを軽減できる人工子宮には、大きな期待が寄せられている。また、子どもを望みながらも妊娠・出産できない人たち、たとえば不妊症の女性、先天的に、あるいは病気による摘出などで子宮のない女性、トランスジェンダーの女性、同性愛のカップルなどにとっては、人工子宮が本当に実用化されれば、母親になりたい、自分の家族をもちたいという切実な夢が叶うことになる。

だがいっぽうで、胚や胎児はいつから「人」として扱われるのかという法的な問題、体外発生によって生まれた子は母親との絆に欠けるという根強い社会の受け止めなど、さまざまな課題がある。とりわけ倫理的な問題は無視できない。胚の段階から人工子宮で育てられるとなれば、今後の発育の可能性に応じて胚をランクづけすることもできてしまう。現に前述の「AIナニー」の場合、重大な欠陥があると判定されたマウスの胚は装置から取り出されるという。これをヒトの胚で実用化することを目指すなら、遺伝子編集や命の選別の問題をどうすべきかを同時に議論していかなければならない。

ほかの三つのテクノロジーも同じだ。セックスロボットによって私たちは相手を思いやる心をなくしてしまうかもしれない。培養肉が長期的にみて私たちの体にどんな影響を及ぼすのかは誰にもわからない。安楽死マシンには、その人が本当にその機械を使用する資格があるかどうかを判断する基準の策定が、開発者の一存に委ねられる危険がある。

新しい技術がバラ色の未来を連れてくるとしたら、どんなにいいだろう。しかし現実的には、それが人間や社会にもたらす変化や影響について、常に客観的な視点から冷静に考えていく必要があるだろう。この本に書かれているのは、いつの日か起こることではない。たったいま起こっていることだ。そして、著者が私たちに投げかけているのは、シンプルな問いである――テクノロジーが人間のありようをまさに変えようとしているが、それがもたらすすべての結果を受け止める覚悟が私たちにあるだろうか。

最後に、本書を翻訳する機会をくださった翻訳会社リベルのみなさん、そしてすばらしい本に仕上げてくださった編集者の安東嵩史さんに心から感謝申し上げます。ありがとうございました。

二〇二二年六月　安藤貴子

［著者］

ジェニー・クリーマン

イギリスのジャーナリスト、ドキュメンタリー製作者。『ガーディアン』『トータス』『タイムズ』『サンデー・タイムズ』に記事を執筆。これまでBBC One「パノラマ」、チャンネル4「ディスパッチーズ」、ＨＢＯ「ヴァイス・ニュース・トゥナイト」の記者として活動したほか、チャンネル4「アンレポーテッド・ワールド」で13のドキュメンタリーを製作。現在はタイムズ・ラジオ「ブレックファスト」の司会（金曜〜日曜日）を務めている。本書が初の著書となる。

［訳者］

安藤貴子　（あんどう・たかこ）

英語翻訳者。訳書に『シリコンバレー式 心と体が整う最強のファスティング』（CCCメディアハウス）、『ロケット科学者の思考法』（サンマーク出版）、『無人戦の世紀』（共訳、原書房）、『約束してくれないか、父さん』（共訳、早川書房）、『私たちの真実』（共訳、光文社）などがある。

セックスロボットと人造肉

テクノロジーは性、食、生、死を“征服”できるか

2022年8月28日　第一刷発行

著者　ジェニー・クリーマン
訳者　安藤貴子
発行人　島野浩二
発行所　株式会社双葉社
東京都新宿区東五軒町3-28
03-5261-4818(営業)
03-6388-9819(編集)
http://www.futabasha.co.jp
(双葉社の書籍・コミックが買えます)
装丁　畑ユリエ
編集　安東嵩史
翻訳協力　株式会社リベル
校正・校閲　鴎来堂株式会社
印刷・製本　中央精版印刷株式会社

ISBN　978-4-575-31736-7　C0076
Printed in Japan